燃 料 电 池

（第 2 版）

王林山　李　瑛　编著

北 京

冶 金 工 业 出 版 社

2005

内容简介

  燃料电池是洁净无污染的 21 世纪新型能源。本书系统、全面地介绍了当今最具有发展潜力的碱性燃料电池、磷酸燃料电池、熔融碳酸盐燃料电池、固体氧化物燃料电池、质子交换膜燃料电池等燃料电池的构成、种类、材料、性能和关键技术以及燃料电池用燃料及其制备等，包括燃料电池工作原理、电池堆系统、供气系统、周边系统、系统集成及过程计算，较全面地介绍了燃料电池的应用。全书共分 13 章。

  本书可供能源、化学、化工、材料和军工等科研人员及大专院校教师、学生参考。

图书在版编目（CIP）数据

  燃料电池/王林山，李瑛编著. —2 版. —北京：
冶金工业出版社，2005.8
  ISBN 7-5024-3763-0

  Ⅰ. 燃… Ⅱ. ①王… ②李… Ⅲ. 燃料电池
Ⅳ. TM911.4

  中国版本图书馆 CIP 数据核字（2005）第 053585 号

出版人 曹胜利（北京沙滩嵩祝院北巷 39 号，邮编 100009）
责任编辑 王之光 美术编辑 李 心
责任校对 杨 力 李文彦 责任印制 牛晓波
北京兴华印刷厂印刷；冶金工业出版社发行；各地新华书店经销
2000 年 11 月第 1 版，2005 年 3 月第 2 版，2005 年 8 月第 3 次印刷
850mm×1168mm 1/32；10.625 印张；282 千字；323 页；4001-7000 册
29.00 元

冶金工业出版社发行部 电话：（010）64044283 传真：（010）64027893
冶金书店 地址：北京东四西大街 46 号（100711） 电话：（010）65289081
      （本社图书如有印装质量问题，本社发行部负责退换）

第 2 版前言

燃料电池是通过电化学反应将化学能直接转化为电能的装置，其主要特点是能量转换效率高、环境污染小，被誉为 21 世纪的新能源之一，是继火电、水电、核电之后的第四代发电方式。新能源技术被认为是新世纪世界经济发展中最具有决定性影响的领域之一，燃料电池的广阔应用前景已引起了世界各国的高度重视，发达国家政府和大型公司投入巨资支持燃料电池技术的研究和开发，我国政府也将燃料电池技术列入国家科技攻关计划之中。为此，燃料电池及其相关技术的研究与开发成为近些年的热点课题，在国防和民用的电力、汽车、通信等多领域的应用已取得非常有意义的进展。

自本书第 1 版问世不到 5 年时间，燃料电池技术的发展和商业化进程也得到了快速发展。例如戴姆勒-克莱斯勒公司已实现生产 100 辆燃料电池汽车的目标，日本已建设了 4 座用于燃料电池汽车"加油"的氢气站，用于笔记本电脑和移动电话的微型燃料电池的商业化也为期不远。

新技术、新进展促进了本书第 2 版的诞生。在第 2 版中反映了几年来燃料电池及其相关技术的发展。与第 1 版相比，第 2 版更加注重燃料电池技术的系统性，增加了电压与效率、燃料电池系统、周边系统和过程计算等章节；DMFC 通常被归类于 PEMFC，为了突出其重要性，单设一章；删除了第 1 版中的电化学基础，其余各章均有不同程度的删改；将第 1 版中的第 9 ~ 12 章（燃料电池应用）合并为一章。

第 3 ~ 7 章和第 12 章由李瑛（上海大学材料科学与工程学院）编写，其余各章由王林山（东北大学化学系）编写。

限于作者的水平，书中难免有不妥之处，敬请读者指正。

作 者

2005. 5. 10

第 1 版前言

燃料电池在空间的应用，已为我国读者熟知，如著名的阿波罗（Apollo）登月计划中使用了碱性燃料电池。20 世纪 80 年代以后，燃料电池从空间应用转入民用。进入 90 年代后，燃料电池发展迅速，洁净电站、便携式电源进入商业化阶段，燃料电池动力汽车进入试验阶段（戴姆勒-奔驰牌、丰田牌汽车）。

与传统能源相比，燃料电池有两个显著特点，即高效、洁净，因而被誉为 21 世纪的能源。美国、加拿大、日本和西欧等主要西方国家，十分重视燃料电池的研究和开发。从 80 年代开始，国际上每两年举办一次燃料电池年会，2000 年国际燃料电池年会于 5 月 24～25 日在美国加利福尼亚州巴尔莫召开。

作者由衷地希望，这本书有助于我国读者全面地了解燃料电池及其应用，有助于我国的燃料电池研究和开发。

本书是作者在韩国做博士后（王林山）和攻读博士学位（李瑛）期间编写的。全书分为 12 章。前 7 章介绍燃料电池的组成、结构及特点，第 8 章介绍氢气的制备，后 4 章介绍燃料电池的应用。第 2、3、4、6、9、10 章由李瑛编写，其余各章由王林山编写。

作 者

2000.5.28

目　录

1 绪　言

1.1　燃料电池的类型

　　燃料电池就是把化学反应的化学能直接转化为电能的装置。与一般电池一样，燃料电池是由阴极、阳极和电解质构成。图1-1 给出了典型的（单个）燃料电池的构造。

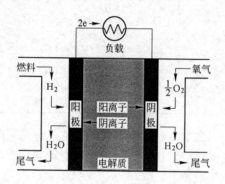

图 1-1　燃料电池示意图

　　在阳极（负极）上连续吹充气态燃料，如氢气，阴极（正极）上则连续吹充氧气（或空气），这样就可以在电极上连续发生电化学反应，并产生电流。

　　燃料电池（Fuel Cell）与电池（Battery）都是将化学能转变为电能的装置，有许多相似之处。它们的不同之处在于，燃料电池是能量转换装置，电池是能量储存装置。

　　原电池（Battery）发电时，电池物质发生化学反应，直到反应物质全部反应消耗完毕时，电池就再也发不出电了。所以，原电池所能发出的最大电能等于参与电化学反应的化学物质完全反应时所产生的电能。从理论上讲，只要不断向燃料电池供给燃料

（阳极反应物质，如 H_2）及氧化剂（阴极反应物质，如 O_2），就可以连续不断地发电。但实际上，由于元件老化和故障等原因，燃料电池有一定的寿命。

燃料电池的种类很多，分类方法也有多种。表 1-1 的分类方式概括了所有类型的燃料电池。

表 1-1　燃料电池分类

直 接 型			间 接 型		再生型
低 温	中 温	高 温	重整型	生化型	
氢-氧	氢-氧	氢-氧	天然气	葡萄糖	热再生
有机物-氧	有机物-氧	CO-氧	石油	碳水化合物	充电再生
氮化物-氧	氨-氧		甲醇	尿 素	光化学再生
金属-氧			乙醇		放射化学再生
氢-卤素			煤		
金属-卤素			氨		

与一次、二次电池相对应，燃料电池也有直接的和再生燃料电池，前者电池反应物被排放掉，而后者可利用表 1-1 中的方法将产物再生为反应物。

第三种电池为非直接燃料电池，分为两种类型。一种是对有机燃料的加工，使其转变成氢；另一种是生物化学燃料电池，生化物质在酶的作用下产生氢。

直接燃料电池进一步的细分是依其工作温度分为低温、中温、高温及超高温，对应的温度范围分别是 $25 \sim 100℃$、$100 \sim 500℃$、$500 \sim 1000℃$ 及大于 $1000℃$。不同温度范围使用的燃料电池的类型也在表 1-1 中列出。其中有些燃料是可以直接利用的，如氢。有机化合物燃料需经重整后使用，如烃类、醇类等。碳或石墨也可考虑作燃料。已使用的含氮燃料是氨、肼（NH_2-NH_2，又称联氨）。在所有实际燃料电池中使用的氧化剂是纯氧或空气。

最常用的分类方法是根据电解质的性质，将燃料电池划分为五大类，碱性燃料电池 AFC（Alkaline Fuel Cell）、磷酸燃料电池 PAFC（Phosphorous Acid Fuel Cell）、熔融碳酸盐燃料电池 MCFC（Molten Carbonate Fuel Cell）、固体氧化物燃料电池 SOFC（Solid Oxide Fuel Cell）、质子交换膜燃料电池 PEMFC（Proton Exchange Membrane Fuel Cell），其特性见表 1-2。

表 1-2　主要燃料电池及其特性

电池类型	碱性燃料电池	质子交换膜燃料电池	磷酸燃料电池	熔融碳酸盐燃料电池	固体氧化物燃料电池
简　称	AFC	PEMFC	PAFC	MCFC	SOFC
电解质	KOH	PEM[①]	磷酸	Li_2CO_3-K_2CO_3	YSZ[②]
电解质形态	液体	固体	液体	液体	固体
阳　极	Pt/Ni	Pt/C	Pt/C	Ni/Al，Ni/Cr	Ni/YSZ
阴　极	Pt/Ag	Pt/C	Pt/C	Li/NiO	$Sr/LaMnO_3$
工作温度/℃	50～200	60～80	150～220	约650	900～1050
应　用	空间，机动车	电站，机动车辆，便携式电源	共发电，机动车，轻便电源	共发电	共发电

①目前常用的是杜邦（Du Pont）公司生产的 Nafion 系列膜和道尔（Dow）公司生产的 Dow 膜。

② 氧化钇稳定的氧化锆。

1.2　燃料电池的构造

1.2.1　燃料电池的反应

H_2-O_2燃料电池在酸性和碱性介质中的电化学反应如下：

在酸性介质中

阴极反应　$O_2(g) + 4H^+(aq) \longrightarrow 2H_2O(l)$

阳极反应　$H_2(g) \longrightarrow 2H^+(aq) + 2e$

电池反应　$2H_2(g) + O_2(g) \longrightarrow 2H_2O(l)$

在碱性介质中

阴极反应 $O_2(g) + 2H_2O(l) + 4e \longrightarrow 4OH^-(aq)$

阳极反应 $H_2(g) + 2OH^-(aq) \longrightarrow 2H_2O(l) + 2e$

电池反应 $2H_2(g) + O_2(g) \longrightarrow 2H_2O(l)$

根据燃料电池的类型和燃料的种类，电极反应或电池反应有所不同，详见 2.2.2.1 节内容。

1.2.2 电极

实际应用的燃料电池，需要有足够高的电流密度，因而应提高电极反应的速率。燃料电池中的反应发生在电极表面（严格说是电极、气体和电解质组成的三相界面）上，氢气在阳极发生电极反应，产生的电子和质子分别通过外电路和电解质到达阴极，并在阴极与氧气反应生成水。电子经过外电路时输出了电能。

影响电极反应速率的主要因素是催化活性和电极表面积。燃料电池的电极不是简单的固体电极，而是所谓的多孔电极。多孔的表面积是电极几何面积的 $10^2 \sim 10^4$ 倍。电极的催化活性对于低温燃料电池尤为重要，因为电极反应在低温时的速率很低。

另外燃料电池的电极还要求导电性好，耐高温和耐腐蚀。

1.2.3 电解质

燃料电池中电解质的主要作用是提供电极反应所需的离子、导电以及隔离两极的反应物质。与一般电解质不同，燃料电池中的电解质或者本身没有流动性，或者被固定在多孔的基质中。

PEMFC 的电解质是固态聚合物膜，允许质子通过，故称为质子交换膜。

AFC 的电解质是 KOH 溶液，根据电池工作温度的不同（50~200℃），KOH 的浓度变化很大（35%~85%）。KOH 被吸附在石棉基质中。KOH 与 CO_2 反应生成溶解度较低的 K_2CO_3 而造成堵塞，反应气体中的 CO_2 需要去除。

　　PAFC 使用接近 100% 的磷酸为电解质，浸在多孔 SiC 陶瓷中。浓磷酸的热稳定性好，并可以吸收电极反应生成的水蒸气，因而 PAFC 的水管理简单。

　　MCFC 的电解质是混合碳酸盐（Li_2CO_3-K_2CO_3），基质为 $LiAlO_2$ 陶瓷，导电的离子是 CO_3^{2-}。

　　SOFC 的电解质是多孔金属氧化物，即 Y_2O_3 稳定的 ZrO_2，导电的离子是 O^{2-}。

1.2.4　双极板

　　阴极、阳极和电解质构成一个单个燃料电池，其工作电压约 0.7V。为了获得实际需要的电压，须将几个、几十个甚至几百个燃料电池连接起来，称为电池堆。图 1-2 是 4 个燃料电池组成的电池堆。两个相邻的燃料电池通过一个双极板连接。双极板的一侧与前一个燃料电池的阳极相连，另一侧与后一个燃料电池的

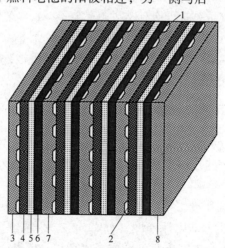

图 1-2　4 个燃料电池组成的电池堆示意图

1—氧气供应；2—氢气供应；3—阳极板；4—阳极；
5—电解质；6—阴极；7—双极板；8—阴极板

阴极连接（故称为双极板）。

双极板的主要作用有 3 个，即收集燃料电池产生的电流、向电极供应反应气体、阻止两极之间反应物质的渗透。另外，双极板还起到支撑、加固燃料电池的作用。

低温（小于 300℃）燃料电池的双极板材料通常是石墨，高温燃料电池的双极板用不锈钢或导电陶瓷制作。不论用何种材料，双极板的设计和制作都是十分关键的。当然，在燃料电池的制造成本中，占相当大的比例。

1.2.5　周边系统

燃料电池发电系统的核心部分是电极、电解质和双极板。但在整个系统流程中，数量更多、体积更大的是周边系统（BOP，balance of plant）。在联合供热发电电站（CHP，Combined Heat and Power）中，燃料电池的体积仅占很小的比例。

周边系统的种类、规模和数量与燃料电池的类型和所用的燃料有关。供气子系统可能有燃料储存装置、重整装置、气体净化装置、气体压力调节装置、空气压缩机、气泵等。电力调节子系统可能有 DC-AC 转换器、电机等。冷却系统主要是换热器。此外还有各种控制阀。

1.3　燃料电池的性能指标

衡量燃料电池的性能以及燃料电池与其他发电装置进行比较时，要用到一些技术指标或参数，包括电流密度、功率密度、成本和效率。

（1）电流密度。单个燃料电池的关键指标是电流密度，即单位电极面积上的电流强度（mA/cm^2）。但需要说明的是，燃料电池的电流强度并不与电极面积成正比，电极面积增大一倍，电流强度并不增加一倍。原因比较复杂，与燃料电池的类型和电池的设计等因素有关。

（2）功率密度。燃料电池电源具有一定的功率、重量和体积，关键指标是功率密度和比功率。

$$功率密度 = \frac{功率}{体积}$$

功率密度（W/m³）计算值也称为体积功率密度（W/L）。

$$比功率 = \frac{功率}{质量}$$

比功率（W/kg）也称为质量功率密度。

（3）寿命。燃料电池的寿命通常是指电源工作的累积时间（h）。当燃料电池不能输出额定功率时，它的寿命即告终结。例如一个额定功率1kW的燃料电池电源，出厂时的输出功率一般比额定功率高20%，即1.2kW。当该电源的输出功率小于1kW时，它就失效了。千小时电压降也被用做燃料电池的寿命参数。

（4）成本。燃料电池的成本是制约其应用的最重要指标，用USD/kW表示。

（5）效率。同其他发电装置一样，效率是燃料电池电源的重要指标。效率与能源利用率密切相关，在能源紧缺的今天，显得尤为重要。

在汽车工业中，两个最重要的技术指标是成本和功率密度。现代车用内燃机的成本、功率密度和寿命分别是10美元/kW、1kW/L、4000h。如果每天运行1h，其寿命是10年。对于燃料电池联合供热发电电站，成本应控制在1000美元/kW以下，寿命不低于40000h。

1.4 燃料电池的特性

1.4.1 燃料电池的优点

燃料电池之所以受世人瞩目，是因为它具有其他能量发生装置不可比拟的优越性，主要表现在效率、安全性、可靠性、清洁度、良好的操作性能、灵活性及未来发展潜力等方面。

1.4.1.1 高效率

理论上讲，燃料电池可将燃料能量的 90% 转化为可利用的电和热。磷酸燃料电池设计发电效率 42%（HHV），目前接近 46%。据估计，熔融碳酸盐燃料电池的发电效率可超过 60%，固体氧化物燃料电池的效率更高。这样的高效率是史无前例的。而且，燃料电池的效率与其规模无关，因而在保持高燃料效率时，燃料电池可在其半额定功率下运行。

燃料电池发电厂可设在用户附近，这样也可大大减少传输费用及传输损失。

燃料电池的另一特点是在其发电的同时可产生热水及蒸汽。其电热输出比约为 1.0，而汽轮机为 0.5。这表明在相同电负荷下，燃料电池的热载为燃烧发电机的 2 倍。

1.4.1.2 可靠性

与燃烧涡轮机循环系统或内燃机相比，燃料电池的转动部件很少，因而系统更加安全可靠。燃料电池从未发生过像燃烧涡轮机或内燃机因转动部件失灵而发生的恶性事故。燃料电池系统发生的唯一事故就是效率降低。

1.4.1.3 良好的环境效益

当今世界的环境问题已到了威胁人类生存和发展的程度，这并非危言耸听。据统计，本世纪经历了两次世界大战，但因环境污染造成的死亡人数却超过了战争的死亡人数。而环境污染的发生，多数是由于燃料的使用，尤其大气污染物绝大多数来自于各种燃料的燃烧过程。因此，解决环境问题的关键是要从根本上解决能源结构问题，研究开发清洁能源技术。而燃料电池正是符合这一环境需求的高效洁净能源。

普通火力发电厂排放的废弃物有颗粒物（粉尘）、硫氧化物（SO_x）、氮氧化物（NO_x）、碳氢化合物（HC）以及废水、废渣等。燃料电池发电厂排放的气体污染物仅为最严格的环境标准的十分之一，温室气体 CO_2 的排放量也远小于火力发电厂。燃料电池中燃料的电化学反应副产物是水，其量极少，与大型蒸汽机发电厂所用大量的冷却水相比，明显少得多。燃料电池排放的废水不仅量少，而且比一般火力发电厂排放的废水清洁得多。因而，燃料电池不仅消除或减少了水污染问题，也无需设置废气控制系统。

由于没有像火力发电厂那样的噪声源，燃料电池发电厂的工作环境非常安静。又因为不产生大量废弃物（如废水、废气、废渣），燃料电池发电厂的占地面积也少。

燃料电池是各种能量转换装置中危险性最小的。这是因为它的规模小，无燃烧循环系统，污染物排放量极少。燃料电池的环境友好性是使其具有极强生命力和长远发展潜力的主要原因。

1.4.1.4 良好的操作性能

燃料电池具有其他技术无可比拟的优良的操作性能，这也节省了运行费用。动态操作性能包括对负荷的响应性、发电参数的可调性、突发性停电时的快速响应能力、线电压分布及质量控制。

燃料电池发电厂的电力控制系统可以分别独立地控制有效电力和无效电力。控制了发电参数，就可以使线电压及频率的输送损失最小化，并减少储备电量及电容、变压器等辅助设备的数量。

通常，电厂增加发电容量时，变电所的设备必须升级，否则会使整个电力系统的安全稳定性降低。而燃料电池发电厂则不必将变电所设备升级，必要时可将燃料电池组拆分使用。

燃料电池还可轻易地校正由频率引起的各种偏差。这一特点提高了系统的稳定性。燃料电池系统具有良好的部分载荷性能，可对输出负荷快速响应，如图1-3所示。

1.4.1.5 灵活性

灵活性是指发电厂计划与容量调节的灵活性。这对电力公司及用户来说是最关键的因素及经济利益所在。燃料电池发电厂可在两年内建成投产，其效率与其规模无关，可根据用户需求而增减发电容量。

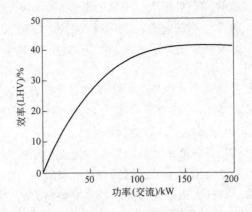

图 1-3　燃料电池部分负荷特性

欲较好地与电力需求的增长相匹配，须避免长时间的过载，并降低平均电价。若需求的增长是不确定的，这时燃料电池的短期引入就是非常有利的。电力公司可根据需要缓慢降低或加速其响应。此外，燃料电池发电厂还可在保持运行稳定性的前提下，减小储存额度，亦可降低电价。

提高分布在所有网点的小型电源的稳定性，对通讯系统非常有益，因为这减少了由外部供电中断引起的通讯中断问题。

1.4.1.6　发展潜力

燃料电池在效率上的突破，使其可与所有的传统发电技术竞争。作为正在发展中的技术，磷酸燃料电池已有了令人鼓舞的进展。熔融碳酸盐燃料电池和固体氧化物燃料电池，将在未来15～20 年内产生飞跃性进步。

相比之下，其他传统的发电技术，如汽轮机、内燃机等，由于价格、污染等问题，其发展似乎走到了尽头。

1.4.2　燃料电池存在的问题

燃料电池有许多优点，人们对其将成为未来主要能源持肯定态度。但就目前来看，燃料电池仍有很多不足之处，使其尚不能进入大规模的商业化应用。主要归纳为以下几个方面：

（1）市场价格昂贵；

（2）高温时寿命及稳定性不理想；

（3）燃料电池技术不够普及；

（4）没有完善的燃料供应体系。

1.5　燃料电池的发展及研究现状

燃料电池的历史可以上溯到 19 世纪，确切地说是始于 1839 年英国人格罗夫（W. Grove）的研究。格罗夫使用两个铂电极电解硫酸时注意到，析出的气体（氢和氧）具有电化学活性，并在两极产生约 1V 的电势差。1894 年，奥斯特瓦尔德（W. Ostwald）从热力学理论上证实，燃料的低温电化学氧化优于高温燃烧，电化学电池的能量转换效率高于热机。热机效率受卡诺（Carnot）循环限制，而燃料电池的效率不受卡诺循环限制。

20 世纪初，人们就期望将化石燃料的化学能直接转变为电能。一些杰出的物理化学家，如能斯特（Nernst）、哈伯（Harber）等，对直接碳-氧燃料电池做了许多努力，但他们的研究受到当时材料技术水平的限制。1920 年以后，由于在低温材料性能研究方面的成功，对气体扩散电极的研究重新开始。1933 年，鲍尔（Baur）设想一种电化学系统：在室温下，用碱性电解质，以氢为燃料。英国人培根（F. Bacon）对包括多孔电极在内的碱式电极系统进行了研究。50 年代，培根成功地开发了多孔镍电极，并制造了第一个千瓦级碱性燃料电池系统。培根的研究成果是后来美国宇航局（NASA）阿波罗（Apollo）计划中燃料电池的基础。1958 年，布劳尔斯（Broers）改进了熔融碳酸盐燃料电池系统，并取得了较长的预期寿命。

由于空间竞赛，燃料电池在 20 世纪五六十年代得到了广泛关注。1968 年 NASA 完成了 Apollo 登月计划。此后对燃料电池的研究热了起来。低催化剂载量的多孔碳基材料降低了陆地上使用的氢-空气燃料电池的成本，使人们开始热衷于电动机动车的研制。1970年，考尔迪什（K. Kordesch）装配了以氢-空气碱性燃料电池为动力的4座位轿车，并实际运行了3年。

因为宇航项目数量上的减少，燃料电池的研究开发经历了短时期的低潮。由于70年代初的石油危机，燃料电池的研究开发出现了新的浪潮，研究项目逐年增多，并且注重能源利用率及环境影响。

到了70年代中期，燃料电池技术的发展有了新动向。已在空间应用方面达到最高水平的碱性燃料电池，逐步被磷酸燃料电池的广泛研究开发取代，因为磷酸燃料电池更适用于燃料电池发电站。与此同时，由于碳氢化合物是首选燃料，还必须开发重整技术。磷酸燃料电池的功率已达到兆瓦级，寿命也已达到实用要求。

由于在电能和热能方面的高效率，80年代熔融碳酸盐和90年代固体氧化物燃料电池都得到了快速发展。但寿命仍然是高温燃料电池必须解决的难题。

燃料电池在90年代最大的突破是质子交换膜燃料电池的发展。质子交换膜燃料电池虽然早在60年代就已出现，却未被用到空间技术上，对其重视程度也不及碱性燃料电池。随着对新型膜和催化剂的不断研究，已研制出了具有高功率密度的膜。

从历史上看，燃料电池技术的发展未能竞争过快速发展的燃烧发电技术，是因为燃料电池发展过程中相应的结构材料的发展是分阶段、时断时续进行的，未能使人们清楚地认识到对燃料电池的需求，而只醉心于使用廉价的化石燃料，大力开发火力发电技术，而中止了燃料电池的研究开发。

目前，五类燃料电池各自处在不同的发展阶段。AFC是最成熟的燃料电池技术，其应用领域主要是在空间。在欧洲，AFC在陆地上的应用一直没有间断。PAFC试验电厂的功率达到1.3～11MW，50～250kW的工作电站已进入商业化阶段，但成本较高。MCFC和SOFC被认为最适合共发电，MCFC试验电厂的功率达到MW级，几十至250kW工作电站接近商业化。SOFC

的研究开发仍处于起步阶段，功率小于 100 kW。PEMFC 在 90 年代发展很快，特别是作为便携式电源和机动车电源。燃料电池汽车的性能已与普通的自动挡汽车相似，加速快，操纵灵活，从 0 到 100km/h 加速仅为 16s，最高时速可达 140km/h，续驶里程 400km。但目前的成本太高，还无法与传统汽车竞争。

我国燃料电池研究始于 20 世纪 50 年代末。70 年代国内的燃料电池研究出现了第一次高峰，主要是国家投资的航天用 AFC，如氨－空气燃料电池、肼－空气燃料电池等。90 年代以来，随着国外燃料电池技术取得了重大进展，在国内又形成了新一轮的燃料电池研究热潮。1997 年以后，在国家自然科学基金会、科技部等的支持下，燃料电池技术列入了"九五"、"十五"攻关、"863"、"973"等重大计划之中。以纯氢为燃料的 30kW（5kW×6）PEMFC 为动力、拥有自主的知识产权的中巴车，已于 2001 年 1 月成功运行。30kW PEMFC 燃料电池开发项目，已进行动态实验。

2 燃料电池的电压和效率

2.1 热力学函数与原电池电动势

原电池的电动势（EMF，E）与电池反应的热力学函数（ΔG、ΔH、ΔS）有密切的关系。许多反应的热力学函数变化都是通过组成原电池，测得其电动势，然后计算出来的。相反，根据电池反应的热力学函数，也可以计算出电池电动势。但须注意，只有可逆电池才能用热力学处理，所以下面讨论均指可逆电池而言。

2.1.1 电动势与自由焓变化

若电池在恒温、恒压下可逆放电，则所作的电功是最大非膨胀功，即 W'_M。设电池的电动势为 E，电池反应的自由焓变化为 ΔG，电池中相应地有 n 摩尔电子发生了转移，那么通过全电路的电量就为 nF 库仑，F 为法拉第常数。根据物理学可知，所作电功为 nFE，因此：

$$\Delta G = -W'_M = -nFE \tag{2-1}$$

此式是联系热力学与电化学的重要桥梁，如果测出电池的电动势，就可以计算电池反应的自由焓变化。

2.1.2 电动势的温度系数与压力系数

将式（2-1）代入式（2-2），得到式（2-3）。

$$\left(\frac{\partial \Delta G}{\partial T}\right)_p = -\Delta S \tag{2-2}$$

$$\Delta S = nF\left(\frac{\partial E}{\partial T}\right)_p \tag{2-3}$$

式中，$\left(\dfrac{\partial E}{\partial T}\right)_p$ 是恒压下电动势随温度的变化率，称为电动势的温度系数（V/K）。又根据热力学第二定律，恒温时：

$$Q_R = T\Delta S = nFT\left(\frac{\partial E}{\partial T}\right)_p \tag{2-4}$$

式中，Q_R 是电池在可逆条件下放电时吸收或放出的热量。由 $\left(\dfrac{\partial E}{\partial T}\right)_p$ 的正负可以确定电池工作时是吸热还是放热。

另由
$$\left(\frac{\partial G}{\partial p}\right)_T = \Delta V \tag{2-5}$$

得
$$\left(\frac{\partial E}{\partial p}\right)_T = -\frac{\Delta V}{nF} \tag{2-6}$$

式中，ΔV 为电化学（电池）反应过程中的体积变化。

对于只有液、固态物质参与的可逆电池而言，由于体积变化极小，故压力对电池电动势的影响也非常小。然而，对反应物或产物有气体参与的电池反应，如燃料电池，若体积变化较大，则其压力效应必须予以考虑。例如在 H_2-O_2 燃料电池中，总压从 0.1MPa 增加到 1MPa 时，电池电动势变化为 45mV。

2.1.3 电动势与焓变

将式（2-1）和式（2-3）代入式（2-7），得式（2-8）。

$$\Delta G = \Delta H - T\Delta S \tag{2-7}$$

$$\Delta H = \Delta G + T\Delta S = -nFE + nFT\left(\frac{\partial E}{\partial T}\right)_p \tag{2-8}$$

若测得电池电动势 E 和电池的温度系数，则可根据式（2-8）计算电池反应的焓变 ΔH。因为

$$T\Delta S = Q_R$$

所以式（2-8）可写成下列形式：

$$\Delta H = -nFE + Q_p \qquad (2\text{-}9)$$

式（2-9）说明，电池反应的焓变是以电功和电池吸热（或放热）形式表现出来的。此式为电动势法测定焓变的依据。

2.2 燃料电池的开路电压

2.2.1 开路电压

电池反应的自由焓变化为 ΔG，并相应地有 n 摩尔电子发生了转移，在原电池的开路电压（E）可由式（2-10）计算。

$$E = -\frac{\Delta G}{nF} \qquad (2\text{-}10)$$

如果电池反应在标准状态下进行，则电池的电动势为标准电池电动势

$$E^{\ominus} = -\frac{\Delta G^{\ominus}}{nF} \qquad (2\text{-}11)$$

由式（2-10）和式（2-11）计算得到的是电池的理想电动势，是无电流、无过电位时的电动势，即开路电压。它们适用于各类电池开路电压的计算，包括燃料电池、一次电池和二次电池。

日常使用的碱性电池（锌锰电池）的电池反应为

$$2MnO_2(s) + Zn(s) = ZnO(s) + Mn_2O_3(s)$$

在标准状态下，该电池反应的 $\Delta G^{\ominus} = -277$ kJ/mol。该电池的开路电压为

$$E^{\ominus} = 277 \times 10^3/(2 \times 96485) = 1.14V$$

甲醇燃料电池的总反应为：

$$CH_3OH(l) + \frac{3}{2}O_2(g) = 2H_2O(l) + CO_2(g)$$

在标准状态下，该电池反应的 $\Delta G^{\ominus} = -698kJ/mol$。每反应 1mol

甲醇有 6 个电子转移。将上述数字代入式（2-11），得到甲醇燃料电池的开路电压

$$E^\ominus = 6.98 \times 10^5/(6 \times 96485) = 1.21\text{V}$$

H_2-O_2燃料电池在酸性和碱性介质中的电化学反应及其电动势（标准状态）如下：

在酸性介质中，

阴极　　　$O_2(g) + 4H^+(aq) \longrightarrow 2H_2O(l)$　　$\varphi^\ominus = 1.229\text{V}$

阳极　　　$H_2(g) \longrightarrow 2H^+(aq) + 2e$　　　　$\varphi^\ominus = 0.000\text{V}$

电池反应　$2H_2(g) + O_2(g) \longrightarrow 2H_2O(l)$　　$E^\ominus = 1.229\text{V}$

在碱性介质中，

阴极　　　$O_2(g) + 2H_2O(l) + 4e \longrightarrow 4OH^-(aq)$　$\varphi^\ominus = 0.401\text{V}$

阳极　　　$H_2(g) + 2OH^-(aq) \longrightarrow 2H_2O(l) + 2e$　$\varphi^\ominus = -0.828\text{V}$

电池反应　$2H_2(g) + O_2(g) \longrightarrow 2H_2O(l)$　　$E^\ominus = 1.229\text{V}$

由此可见，无论在何种介质中，H_2-O_2燃料电池的标准电池电动势为 1.229V。如果反应产物水为气态，则这一数值为 1.18V。

由电池热力学知，电池电动势 E 与电池反应的吉布斯自由焓变化 ΔG 有关，而吉布斯自由焓变化是系统温度的函数，因而电池电动势值是随温度变化，具体数学关系式为式（2-3）。对于电池反应 $2H_2 + O_2 = 2H_2O$ 而言，$\Delta S < 0$，因而，$\left(\dfrac{\partial E}{\partial T}\right)_p < 0$，即电动势的温度系数小于 0，意味着该电池电动势随温度的增加而下降。图 2-1 描述了此电池的理想电动势随温度的变化关系。

注意，这里的 $E^\ominus$ 值低于 1.229V，是因为电池反应产物水是以气态计算的，这无疑对较高温度下操作的燃料电池的电动势计算是适宜的。

各类燃料电池在其工作温度下，对于氢气氧化的理想电动势值见表 2-1。

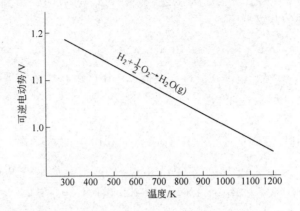

图 2-1　H_2-O_2燃料电池理想电动势与温度的关系

表 2-1　**H_2-O_2燃料电池理论电动势随温度变化**（产物水为气态）

温度 /℃	25	80	205	650	1100
燃料电池		PEMFC	PAFC	MCFC	SOFC
理论电压/V	1. 18	1. 17	1. 14	1. 03	0. 91

2.2.2　浓度和压力的影响

2.2.2.1　Nernst 方程

设电池反应为气相反应

$$aA(g) + bB(g) \longrightarrow cC(g)$$

根据热力学等温方程式

$$\Delta G = \Delta G^{\ominus} + RT\ln J \qquad (2\text{-}12)$$

式中，$J = \dfrac{a_C^c}{a_A^a a_B^b}$ 为反应商，a 为反应气体的活度。对于理想气体 i，其活度等于该气体分压除以标准压力（$a_i = p_i/p^{\ominus}$）。

将式（2-10）和式（2-11）代入式（2-12），得

$$E = E^{\ominus} - \frac{RT}{nF}\ln J \qquad (2\text{-}13)$$

式（2-13）称为 Nernst 方程，用于计算任意状态下电池的电动势。

对于电极反应，方程表示为

$$\varphi = \varphi^{\ominus} - \frac{RT}{nF}\ln J \qquad (2\text{-}14)$$

对于氢氧燃料电池，电池反应为

$$H_2(g) + \frac{1}{2}O_2(g) \longrightarrow H_2O(g)$$

则电池电动势（开路电压）为

$$E = E^{\ominus} + \frac{RT}{2F}\ln\left(\frac{\dfrac{p_{H_2}}{p^{\ominus}}\left(\dfrac{p_{O_2}}{p^{\ominus}}\right)^{\frac{1}{2}}}{\dfrac{p_{H_2O}}{p^{\ominus}}}\right) \qquad (2\text{-}15)$$

表 2-2 是 H_2-O_2 燃料电池的反应及相关 Nernst 方程。

表 2-2　H_2-O_2 燃料电池的反应及相关 Nernst 方程

燃料电池	阳 极 反 应	阴 极 反 应
AFC	$H_2 + 2OH^- \longrightarrow 2H_2O + 2e$	$\frac{1}{2}O_2 + H_2O + 2e \longrightarrow 2OH^-$
PEMFC	$H_2 \longrightarrow 2H^+ + 2e$	$\frac{1}{2}O_2 + 2H^+ + 2e \longrightarrow H_2O$
PAFC	$H_2 \longrightarrow 2H^+ + 2e$	$\frac{1}{2}O_2 + 2H^+ + 2e \longrightarrow H_2O$
MCFC	$H_2 + CO_3^{2-} \longrightarrow H_2O + CO_2 + 2e$	$\frac{1}{2}O_2 + CO_2 + 2e \longrightarrow CO_3^{2-}$
SOFC	$H_2 + O^{2-} \longrightarrow H_2O + 2e$	$\frac{1}{2}O_2 + 2e \longrightarrow O^{2-}$
	$CO + O^{2-} \longrightarrow CO_2 + 2e$	
	$CH_4 + 4O^{2-} \longrightarrow 2H_2O + CO_2 + 8e$	

燃料电池	电 池 反 应	Nernst 方程
AFC	$H_2 + \frac{1}{2}O_2 \longrightarrow H_2O$	$E = E^{\ominus} + \frac{RT}{2F}\ln\left(\frac{a_{i\,H_2}}{a_{i\,H_2O}}\right)_a + \frac{RT}{2F}\ln(a_{i\,O_2}^{\frac{1}{2}})_c$
PEMFC	$H_2 + \frac{1}{2}O_2 \longrightarrow H_2O$	
PAFC	$H_2 + \frac{1}{2}O_2 \longrightarrow H_2O$	
MCFC	$H_2 + \frac{1}{2}O_2 + CO_2$ （c） $\longrightarrow$ $H_2O + CO_2$ （a）	$E = E^{\ominus} + \frac{RT}{2F}\ln\left(\frac{a_{i\,H_2}}{a_{i\,H_2O}a_{i\,CO_2}}\right)_a + \frac{RT}{2F}\ln(a_{i\,O_2}^{\frac{1}{2}}a_{i\,CO_2})_c$
SOFC	$H_2 + \frac{1}{2}O_2 \longrightarrow H_2O$	
	$CO + \frac{1}{2}O_2 \longrightarrow CO_2$	$E = E^{\ominus} + \frac{RT}{2F}\ln\left(\frac{a_{i\,CO}}{a_{i\,CO_2}}\right)_a + \frac{RT}{2F}\ln(a_{i\,O_2}^{\frac{1}{2}})_c$
	$CH_4 + 2O_2 \longrightarrow 2H_2O + CO_2$	$E = E^{\ominus} + \frac{RT}{8F}\ln\left(\frac{a_{i\,CH_4}}{a_{i\,H_2O}^2 a_{i\,CO_2}}\right)_a + \frac{RT}{8F}\ln(a_{i\,O_2}^2)_c$

注：表中 a 为阳极，c 为阴极；$a_i = p_i/p^{\ominus}$

2.2.2.2 分压

H_2-O_2 燃料电池两极内的气体通常是混合气体。例如阳极可能是含有重整气体（H_2、CO_2）和产物（水蒸气）的混合气体，阴极可能是空气和产物（水蒸气）的混合气体。因而在利用 Nernst 方程计算实际开路电压时，应使用气体的分压。

以氧气为例说明分压对实际开路电压的影响。

燃料电池的阴极反应物可以是纯氧气或空气。将式（2-15）中氧气分压项分离，得到下式

$$E = E^{\ominus} + \frac{RT}{2F}\ln\left(\frac{\dfrac{p_{H_2}}{p^{\ominus}}}{\dfrac{p_{H_2O}}{p^{\ominus}}}\right) + \frac{RT}{4F}\ln\frac{p_{O_2}}{p^{\ominus}}$$

假定氧气的分压由 p_1 改变为 p_2，而氢气和水蒸气的分压不变，由此引起的阴极电压变化为

$$\Delta E = \frac{RT}{4F}\ln\left(\frac{p_2}{p_1}\right) \qquad (2\text{-}16)$$

例如 PAFC 的运行温度为 200℃，将 R、T、F 的数值代入式 (2-16)，得到

$$\Delta E = 0.010\ln\left(\frac{p_2}{p_1}\right) \qquad (2\text{-}17)$$

根据式 (2-17)，PAFC 的阴极使用空气 (氧气约占 21%) 和纯氧气相比，电压降低 0.016V。

相似的，氢气分压对电极电势的影响可由式 (2-18) 计算。

$$\Delta E = \frac{RT}{2F}\ln\left(\frac{p_2}{p_1}\right) \qquad (2\text{-}18)$$

2.2.2.3　系统总压

通常燃料电池两极的压力相等，为系统总的压力 p_t。设定电极上 H_2、O_2 和水蒸气的物质的量分数分别为 α、β 和 δ，当它们的分压分别为 $p_{H_2} = \alpha p_t$，$p_{O_2} = \beta p_t$，$p_{H_2O} = \delta p_t$，代入式 (2-15)，得

$$E = E^{\ominus} - \frac{RT}{2F}\ln\frac{\alpha\beta^{\frac{1}{2}}}{\delta} - \frac{RT}{4F}\ln\frac{p_t}{p^{\ominus}}$$

当系统压力由 p_{t_1} 改变为 p_{t_2}，其他条件不变，由此引起的电池开路电压变化为

$$\Delta E = \frac{RT}{4F}\ln\left(\frac{p_{t_2}}{p_{t_1}}\right) \qquad (2\text{-}19)$$

式 (2-19) 清楚地表明，系统压力提高，电池的开路电压也增大。

分压和系统压力对开路电压的影响公式，式 (2-16) ～式

（2-19），可用式（2-20）代表

$$\Delta E = X\ln\left(\frac{p_2}{p_1}\right) \qquad (2\text{-}20)$$

式中，$X = \dfrac{RT}{nF}$，n 为得失电子数。由式（2-20）计算的电压变化值与实验值在高温时符合很好，低温时偏差较大，而且温度越低，偏差越大。表 2-3 说明了不同燃料电池的总压力对电压变化值的影响。

表 2-3　公式 $\Delta E = X\ln\left(\dfrac{p_2}{p_1}\right)$ 的系数 X 值

燃料电池	PAFC	MCFC	SOFC
运行温度/℃	200	650	1000
理论值/V	0.010	0.020	0.027
经验值/V	0.063	0.033 ~ 0.036	0.026

表 2-3 显示，在低温时，压力升高引起的电压实际增加值，比用式（2-15）计算出的值要大。这是因为由于压力提高，降低了过电位，特别是阴极的过电位。

2.3　极化与过电位

2.3.1　概述

开路电压是电池无电流、无过电位时的理想电池电动势。燃料电池工作时不可能处在这样的理想状态，而是在有一定的电流、过电位的实际状态下工作。理想电池电动势（开路电压）和实际电池电动势（工作电压）与电流密度的关系见图 2-2。

电极上没有电流通过时，电极处于平衡，与之相对应的电位称为平衡电位 φ_e。而有电流通过电极时，电极电位会偏离平衡值，这种现象称为电极的极化。衡量电极极化程度的就是所谓过电位，即某一电流密度下的电位 φ 与平衡电位的 φ_e 之差的绝对

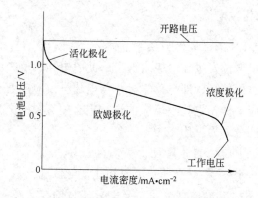

图 2-2　开路电压和工作电压与电流密度的关系

值。通常以 η 表示。

$$\eta = |\Delta\varphi| = |\varphi - \varphi_e| \tag{2-21}$$

实验表明，电流在阳极（负极）上通过时，电极电位向正方向移动，即 $\varphi > \varphi_e$，称为阳极极化；电流在阴极（正极）通过时，电极电位向负方向移动，即 $\varphi < \varphi_e$，称为阴极极化。实际电位为

$$\varphi = \varphi_e \pm \eta \tag{2-22}$$

对于阳（负）极　　　$$\varphi_- = \varphi_{e,-} + \eta \tag{2-23}$$

对于阴（正）极　　　$$\varphi_+ = \varphi_{e,+} - \eta \tag{2-24}$$

前面叙述过的平衡电极电位，实际上是指外电流无限小、电极反应速度无限大、电极上的反应物质毫无阻力地进行电极反应，产生或得到的电子立即输送或反应消耗，因而保持电极表面的带电状态不变。

而实际电极过程不可能没有阻力，电流也不是无限小，因而产生极化和过电位。根据电极（池）过程阻力的性质，极化被分为几种类型，如活化过电位、浓差过电位、扩散过电位、欧姆过电位等。在本节中分别介绍。

2.3.2 活化过电位

2.3.2.1 活化极化和塔菲尔斜率

活化过电位发生在电极表面上，此时电化学反应由缓慢的电极动力学过程控制，即电化学极化与电化学反应速度有关。与一般化学反应一样，电化学反应的进行也必须克服称之为活化能的能垒，此能垒即为反应阻力。

活化过电位值的计算是根据著名的塔菲尔（Tafel）半经验公式。早在 1905 年，塔菲尔就对活化过电位（η_{act}）与电流密度（J）的关系提出了具有普遍意义的公式，即在 J 较大时，η_{act} 与 $\lg J$ 成直线关系（见图 2-3）。

$$\eta_{act} = a + b\lg J \tag{2-25}$$

式中，J 为电流密度；常数 a 相当于电流密度为 $1mA/cm^2$ 时的过电位值，它与电极材料，电极表面状态，溶液组成及温度等都有关系。b 称为塔菲尔斜率，其数值在各种金属上的变化不大，在常温下接近 0.12。实验测得的某些 a、b 值列于表 2-4 中。氢在 Hg、Pb、Ag、Zn 等金属上的过电位很大，而在 Pt 上的过电位很小。

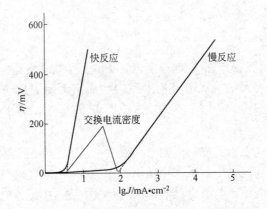

图 2-3 塔菲尔曲线实例

表 2-4　20℃时各种电极上氢析出的 a、b 值

金　属	电解质	电解质浓度/mol·L^{-1}	a/V	b/V
Pb	H_2SO_4	1.0	1.56	0.110
Hg	H_2SO_4	1.0	1.415	0.113
Hg	HCl	1.0	1.406	0.116
Zn	H_2SO_4	1.0	1.24	0.118
Cu	H_2SO_4	2.0	0.80	0.115
Ag	H_2SO_4	1.0	0.95	0.116
Fe	HCl	1.0	0.70	0.125
Ni	NaOH	0.11	0.64	0.100
Co	HCl	1.0	0.62	0.140
W	HCl	5.0	0.55	0.11
Pt（光滑）	HCl	1.0	0.10	0.13

室温下一般电化学反应的塔菲尔斜率值约为 100mV，即电流密度增大 10 倍时，活化过电位就增加 100mV。若塔菲尔斜率仅为 50mV，那么同样增大电流密度 10 倍，增加的活化过电位却只有 50mV。很明显，降低电极的塔菲尔斜率是降低活化过电位的重要途径。而电极材料的塔菲尔斜率正是电极催化所面对的课题。

2.3.2.2　交换电流密度

电流密度较高时，电极的塔菲尔曲线是直线，如图 2-3 所示。直线的延长线在 lg$J$ 轴上的截距即为交换电流密度对数值 lgJ_0。

塔菲尔公式的另一表达式

$$\eta_{act} = \frac{RT}{\alpha nF}\ln\frac{J}{J_0} = -\frac{RT}{\alpha nF}\ln J_0 + \frac{RT}{\alpha nF}\ln J \qquad (2\text{-}26)$$

式中　α——电极上电子的传递系数；

J_0——交换电流密度。

与式(2-25)对比,则 $a = -(2.3RT\lg J_0)/\alpha nF$, $b = 2.3RT/\alpha nF$。

当电流密度很小时,过电位小于 0.005~0.01V, η 与 J 成正比关系

$$\eta_{\mathrm{act}} = \left(\frac{RT}{J_0 F}\right)J = \beta J \qquad (2\text{-}27)$$

此式称为巴特勒-福尔摩(Butler-Volmer)公式。式中的 $\beta = \dfrac{RT}{J_0 F}$,在一定条件下是常数。

α 值与电极反应和电极材料有关,在 0~1.0 之间。对于多数电极材料,氢电极的 α 值约为 0.5。氧电极的 α 值变化较大,但保持在 0.1~0.5 之间。

交换电流密度 J_0 对于电池性能至关重要,其值越高越好。以氧电极为例。在 PEM 或酸性电解质中,氧电极的反应为:

$$\mathrm{O_2(g) + 4H^+(aq) + 4e \longrightarrow 2H_2O(l)} \qquad \varphi^{\ominus} = 1.229\mathrm{V}$$

电流密度为 0 时,可以认为电极没有被活化,反应没有进行。但事实上并不是这样。实际上反应一直在进行,而且逆反应同时以同样的速率进行。这时的反应是处在平衡状态:

$$\mathrm{O_2(g) + 4H^+(aq) + 4e \rightleftharpoons 2H_2O(l)} \qquad \varphi^{\ominus} = 1.229\mathrm{V}$$

正反方向的电子通过电解质(溶液),电流密度为 J_0,也就是交换电流密度。显然,交换电流密度越高,电极反应活性越大,越易于产生某一方向的电流。正如一个运动中的物体比静止的物体更容易推动。

假定氧电极上只有活化过电位。根据式(2-24)和式(2-26),氧电极的电势

$$\varphi = \varphi^{\ominus} - k\ln(J/J_0) \qquad (2\text{-}28)$$

式中, $k = RT/(4\alpha F)$。

当 $k = 0.05\mathrm{V}$ 时,分别取交换电流密度 $J_0 = 100$, 1,

$0.01 \mathrm{mA/cm^2}$，以电流密度对氧电极电势作图，如图 2-4 所示。

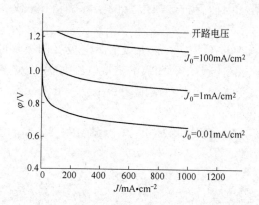

图 2-4　仅有活化过电位时氧电极电势与电流密度的关系

图 2-4 说明了交换电流密度的重要性。交换电流越大，过电位越低，电极电势的降低越小。当交换电流密度为 $100 \mathrm{mA/cm^2}$ 时，流过电极的电流密度大于 $100 \mathrm{mA/cm^2}$ 时才有电压降。

交换电流密度可由实验测定。表 2-5 是一些光滑的金属氢电极在酸性电解质中的交换电流密度值。

表 2-5　酸性电解液中不同材料氢电极的交换电流密度

金属（光滑）	$J_0/\mathrm{mA \cdot cm^{-2}}$	金属（光滑）	$J_0/\mathrm{mA \cdot cm^{-2}}$
Pb	2.5×10^{-10}	Ni	6×10^{-3}
Zn	3×10^{-8}	Pt	5×10^{-1}
Ag	4×10^{-4}	Pd	4

表 2-5 中不同金属上氢电极的交换电流密度相差很大，表明了金属对氢电极的催化活性的差别。氧电极交换电流密度的差别也很大，而且比氢电极的数值低约 5 个数量级，即使使用铂催化剂，交换电流密度也仅为 $10^{-5} \mathrm{mA/cm^2}$。但是，表 2-5 中的数值是对于表面光滑的金属电极，实际中金属电

极表面是粗糙的。通常电极的表面积比几何面积大得多，通常大 10^3 倍。因而各种金属电极的实际 J_0 值比表 2-5 中的数值大很多。

由于氧电极（阴极）的 J_0 仅为氢电极（阳极）的十万分之一，在氢氧燃料电池中，阴极的交换电流密度可以忽略不计。常温常压下，空气氢氧燃料电池阴极的 $J_0 = 0.1\text{mA/cm}^2$，阳极的 $J_0 = 200\text{mA/cm}^2$。

在其他类型的燃料电池中，例如 DMFC，阴极的交换电流密度不可以忽略。

2.3.2.3 减少活化极化的方法

交换电流密度 J_0 是影响活化极化的最重要因素。因而改善燃料电池性能的一个重要方面是提高交换电流密度，特别是阴极（氧电极）的交换电流密度。通常采用以下方法。

（1）提高电池温度。交换电流密度随温度提高而增大。氧电极在室温时的 J_0 为 $0.1\ \text{mA/cm}^2$，当温度提高到 800℃时，J_0 达到 10mA/cm^2，提高了 100 倍。

（2）使用高活性催化剂。表 2-4 表明不同金属电极的交换电流密度差别很大。

（3）增加电极表面粗糙度。增加电极表面积能够提高其交换电流密度。

（4）增加反应物浓度或分压。例如用纯氧代替空气。催化剂的活性位置被反应物占据，有利于电极反应的进行。同时，也增加了开路电压（参见 2.2.2 节）。

2.3.3 浓差过电位

2.3.3.1 传质和浓差极化

浓差极化是由反应物质的扩散过程引起的。由于扩散速度有一定的限制，电极反应物（或产物）不能及时到达（或离开）电极表面，反应难以进行，电极表面附近的反应物贫化（或产物积累），与本体浓度发生偏离，电极电位也偏离按照溶液本体浓度计算的平衡值。

燃料电池的运行要消耗电极附近的反应物。当反应物为气体时，电极附近的气体浓度和分压要降低。气体分压降低的幅度显然取决于电池的工作电流和供气系统的设计特征。这种由分压或浓度的降低产生的电压降称为浓差过电位。

2.3.3.2 浓差过电位的计算

如果能够确切知道电极表面上反应气体分压的降低值，则可用式（2-20）计算出浓差过电位。但实际上电极表面上的反应物浓度或分压很难确定，必须通过其他途径计算浓差过电位。

当电池反应物的消耗速率与最大供应速率相等时，电池产生的电流密度将是最大的，称为极限电流密度 J_L。在极限电流密度下，电极表面没有反应物聚集，电极表面反应物的浓度或分压为 0。

假定 p_1 是电流密度为 0 时电极表面反应物的分压。根据极限电流密度的定义，该压力在极限电流密度时为 0。因此任意电流密度下电极表面的反应物分压 p_2 为

$$p_2 = p_1\left(1 - \frac{J}{J_L}\right) \tag{2-29}$$

将式（2-29）代入式（2-20），得

$$\Delta E = X\ln\left(1 - \frac{J}{J_L}\right)$$

由于 $\left(1 - \dfrac{J}{J_L}\right) < 1$，上式给出的数值为负值，即是传质引起的电压降。该数值的相反数即为浓差过电位

$$\eta_{conc} = -Y\ln\left(1 - \frac{J}{J_L}\right) \tag{2-30}$$

式（2-30）中 Y 的理论值与 X 一样是 $\dfrac{RT}{nF}$，但实际上与电极

本身和电池类型有关，因而与 X 不同。

以氧电极为例说明浓差过电位对电极电势的影响。假定电极上只存在浓差极化。根据式（2-24）和式（2-30），氧电极的电势

$$\varphi = 1.23 - Y \ln\left(1 - \frac{J}{J_L}\right) \qquad (2\text{-}31)$$

当 $J_L = 1000\text{mA/cm}^2$ 时，分别取常数 $Y = 0.02\text{V}$、0.06V、0.10V，以电流密度对氧电极电势作图，如图 2-5 所示。

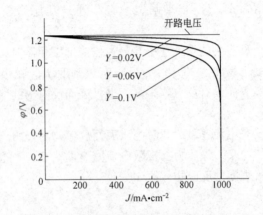

图 2-5　浓差极化对电极电势的影响

与 X 值类似，Y 的实验值一般比理论值大。这是由于浓度和分压也影响交换电流密度。图 2-5 显示，当燃料电池的工作电流密度接近一个电极的极限电流密度时，该电极电势急剧降低为 0，不论另一个电极的极限电流密度为何值。因此，整个电池的浓差极化过电位也可以用式（2-30）计算，但 Y 值较大些。

如果燃料电池采用重整装置供应氢气，浓差极化就显得格外重要。因为氢气的供应可能不能满足燃料电池的消耗。类似地，当阴极使用空气时，浓差极化的影响变大，原因是残余的氮气可能阻碍氧气向电极表面的扩散。

2.3.4 欧姆过电位

欧姆极化是由电解质中的离子导电阻力和电极中的电子导电阻力引起的。由欧姆定律，相应的过电位为：

$$\eta_{ohm} = IR$$

式中　I——通过电池的电流；

　　　R——总电池电阻，包括电子、离子及接触电阻。

在前两节计算活化过电位和浓差过电位时，使用的是电流密度。为保持一致，在本节中也使用电流密度计算欧姆过电位。为此，使用面积电阻率 r 代替电阻 R，

$$\eta_{ohm} = Jr \qquad (2-32)$$

式中　J——电流密度，mA/cm^2；

　　　r——面积电阻率，$k\Omega \cdot cm^2$。

欧姆极化在各种类型的燃料电池中都不同程度地存在，在高温燃料电池中欧姆过电位较高。减少欧姆极化的途径包括使用导电性好的电极、双极板、连接材料，尽量减少电解质的厚度。

2.3.5 燃料渗透和内部电流

燃料电池中电解质的作用是传输离子。但在燃料电池工作时，传输离子的同时伴有少量的电子，形成内部电流。更重要的是还有少量的燃料（比如氢气）从阳极渗透到阴极。由于催化剂的作用，渗透到阴极的燃料与氧气直接反应，没有产生电流。

燃料渗透和内部电流对燃料电池性能的影响是类似的。一个氢分子通过电解质从阳极渗透到阴极并反应，浪费了 2 个电子没有作功，相当于 2 个电子流过了电解质而不是流过外电路。

由于内部电流密度的存在，即使在开路条件下，燃料电池的电流密度也不为零。但这种内部电流显然不易测量，因为不可能在燃料电池内部接入电流计。一般通过间接的方式测量内部电流，即测量开路时反应物的消耗量，再通过计算得到内部电流。

由于单个燃料电池和小型电池堆在开路时消耗的反应气体量

很少，常规的气体流量计检测不到这么微小的量。一般采用气泡计数法或微量针管法进行测量。例如，一个表面积为 $10cm^2$ 的 PEM 单电池在开路情况下，氢气的消耗为 $0.0031cm^3/s$（标准状况），换算成以物质的量为单位，氢气的消耗速率为 1.39×10^{-7} mol/s。在 H_2-O_2 燃料电池中，氢气的消耗量为 n 与产生的电量 q 有如下关系

$$q = 2Fn$$

上式两边同时除以时间，得

$$I = 2FQ \tag{2-33}$$

式中　I——电流强度，A；

　　　Q——氢气消耗速率，mol/s。

当 $Q = 1.39 \times 10^{-7}$ mol/s 时，利用式（2-33）可以计算出，产生的电流 $I = 1.39 \times 10^{-7} \times 2 \times 9.65 \times 10^4 = 27mA$。电池的面积为 $10cm^2$，所以电流密度为 $2.7mA/cm^2$。在开路情况下，燃料的消耗量有两部分构成，一是燃料渗透，二是反应产生内部电流。如前所述，燃料渗透也相当于消耗了电子但没有作功，因而由式（2-33）得到的数值是总的内部电流。

内部电流仅为几 mA/cm^2，从能力损失的角度看，并不重要。但对于低温燃料电池，如 PEMFC，内部电流对开路电压的影响不可忽视。式（2-15）计算得出的是燃料电池的理论开路电压，燃料电池的工作电压低于理论开路电压，低温燃料电池的实际开路电压也低于理论开路电压，其原因就是内部电流的存在。

在存在内部电流的情况下，实际开路电压由下式计算

$$V = E - k\ln\left(\frac{J_{in}}{J_0}\right) \tag{2-34}$$

式中　E——理论开路电压，V；

　　　k——常数，V；

　　　J_{in}——内部电流密度，mA/cm^2；

　　　J_0——交换电流密度，mA/cm^2。

PEMFC 在常温下，使用空气作为阴极气体，由公式（2-15）

可计算出理论开路电压 $\varphi_e = 1.22\text{V}$，$k = 0.06\text{V}$，$J_0 = 0.04$ mA/cm^2。将 $J_{\text{in}} = 2.7 \text{ mA/cm}^2$ 及其他数值代入式（2-34），得到 PEMFC 的实际开路电压为 0.97V。此时，燃料电池仍处在开路状态，但由于内部电流的存在，实际开路电压比理论开路电压低 0.25V，电压损失了 20%。

燃料电池运行时，既要考虑工作电流密度对电压的影响，又要考虑内部电流对电压的影响，可用式（2-35）表示

$$V = E - k\ln\left(\frac{J + J_{\text{in}}}{J_0}\right) \tag{2-35}$$

燃料渗透和内部电流对高温燃料电池的影响甚微，因为其交换电流密度很高。

2.3.6 极化类型的区分

在本章中介绍了燃料电池的几种常见极化。这几种极化可能同时出现，但大小不同，比如，在高温燃料电池中，欧姆极化较强，活化极化较弱。燃料电池的极化类型可通过实验确定。

2.3.6.1 阻抗波谱法

当两种不同的物质接触后，在接触界面或者有电子转移，或者有电荷积累，形成双电层。在电化学系统中，电极与电解质界面上形成的双电层，对电极的动力学过程十分重要。在开路时，界面双电层产生一定的电压，即是活化过电位。双电层是发生电极反应所必需的，反应越快，电流越大，双电层上的电荷越多，活化过电位越高。

在电化学系统中，电极表面的双电层相当于一个电容器，其电容可用下式计算

$$C = \varepsilon \frac{S}{d} \tag{2-36}$$

式中　ε——电解质的介电常数；

　　　S——电极表面积；

　　　d——双电层厚度。

燃料电池的电极是多孔电极，表面积很大。双电层的厚度仅为几个纳米，因而双电层的电容很大，可达到几个 Faraday，而在通常的电路中电容器的电容只有几个微法。S 是电极的实际表面积。

燃料电池的内部电阻、电容，组成一个电路，其等效电路如图 2-6 所示。R_r 对应于欧姆过电位，R_a 对应于活化过电位。

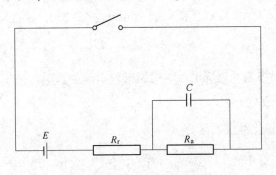

图 2-6　燃料电池等效电路

在阻抗波谱法中，用变频交流电通过燃料电池，测量电压和阻抗。交流电频率高时，电容器的阻抗小。以交流电频率对系统阻抗作图，通过计算，可以得到如图 2-6 所示的燃料电池等效电路。用此方法不但可以区分燃料电池的欧姆极化、活化极化和浓差极化，还可以区分是阳极的极化还是阴极的极化。

阻抗波谱法的缺点是仪器复杂、测量时间长。

2.3.6.2　电流中断法

如果燃料只有欧姆极化，当燃料电池的外电路被切断后，欧姆过电位立即降为 0，电压立即回升至开路电压。如果燃料电池只有活化极化，由于电极表面双电层的电荷是慢慢消散的，活化过电位的消失较为平缓，因而电压回升至开路电压也较为平缓，如图 2-7 所示。

电流中断法使用仪器简单，主要测量仪器是储存式数字示波

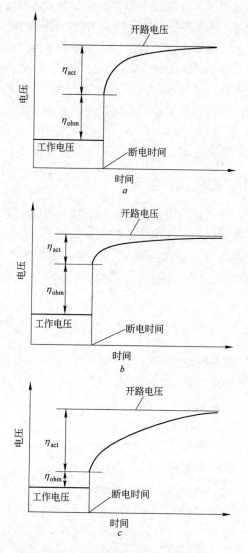

图 2-7　电流中断法时间-电压曲线

a—PEMFC,常温常压,$J = 100 \text{mA/cm}^2$;b—SOFC,700℃ ,$J = 100 \text{mA/cm}^2$;

c—DMFC,室温,$J = 10 \text{mA/cm}^2$

器。该法仅适用于单电池或小型电池堆。大型电池堆由于电流较大，难以测量。图 2-7 是三种不同类型燃料电池的电流中断法时间 - 电压曲线，从图中可以看出，三种燃料电池过电位有很大差别。图 2-7a 是 PEMFC 的测量曲线，显示在低温燃料电池中，活化过电位和欧姆过电位相近。图 2-7b 是 SOFC 的时间-电压曲线，曲线显示对于高温燃料电池，活化过电位很小，主要是欧姆过电位。图 2-7c 是 DMFC 的时间-电压曲线，它直接使用液体燃料，阴极和阳极的活化过电位都较大，活化过电位起主要作用。

2.4 燃料电池的工作电压

按式（2-13）计算得出的是燃料电池的开路电压。由于存在过电位，燃料电池的工作电压小于开路电压，即以理论开路电压减去电池中的各种过电位。根据 2.2 节和 2.3 节介绍的有关公式，燃料电池的工作电压可由下式计算

$$V = E - (J + J_{in})r - X\ln\left(\frac{J + J_{in}}{J_0}\right) + Y\ln\left(1 - \frac{J + J_{in}}{J_L}\right)$$

$$(2-37)$$

式中　V——燃料电池工作电压，V；

　　　E——理论开路电压，V；

　　　r——面积电阻率，$k\Omega \cdot cm^2$；

　　　J——电池电流密度，mA/cm^2；

　　　J_{in}——内部电流密度，mA/cm^2；

　　　J_0——交换电流密度，mA/cm^2；

　　　J_L——极限电流密度，mA/cm^2；

　　　X——Tafel 曲线的斜率（参见式 2-26），V；

　　　Y——浓差极化公式的常数（参见式 2-30），V。

式（2-37）的应用有一定的限制，只适用于电流密度不太低和不太高时，即 $(J_0 - J_{in}) < J < (J_L - J_{in})$。必要的参数确定后，可用式（2-37）计算燃料电池的工作电压。表 2-6 是两种燃料电池的电化学参数。

表 2-6 燃料电池电化学参数

参 数	PEMFC	SOFC	参 数	PEMFC	SOFC
E/V	1.2	1.0	$J_L/mA \cdot cm^{-2}$	900	900
$r/k\Omega \cdot cm^2$	3×10^{-5}	3×10^{-4}	X/V	0.06	0.03
$J_{in}/mA \cdot cm^{-2}$	2	2	Y/V	0.05	0.08
$J_0/mA \cdot cm^{-2}$	0.067	300			

利用表 2-6 的数据和式 （2-37），可得到两种燃料电池的电流密度与工作电压的关系曲线，如图 2-8 所示。两条曲线有两个

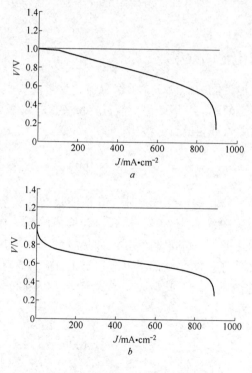

图 2-8 燃料电池电压-电流密度曲线

a—SOFC （800℃）；b—PEMFC （室温）

细实线为理论开路电压；粗实线为工作电压

相似之处。一是电流密度在 $100 \sim 800\mathrm{mA/cm^2}$ 区间时，基本保持直线关系；二是电流密度超过一定值（$800\mathrm{mA/cm^2}$，接近 J_L）时，电压急剧降低。

低温燃料电池与高温燃料电池的一个显著差别是交换电流密度。低温燃料电池（如 PEMFC）的交换电流密度很低，远远低于内部电流密度，造成电压损失，即使在电流密度为 0 时，其开路电压也小于理论开路电压，如图 2-8b 所示。而且在曲线的起始阶段（电流密度小于 $20\mathrm{mA/cm^2}$），工作电压急剧降低。

高温燃料电池的交换电流密度很高，实际开路电压和理论开路电压几乎相等，而且在低电流密度时，电压降很小，如图2-8a所示。

2.5 燃料电池的效率

燃料电池性能的评价，除工作寿命、重量、成本等因素外，最重要的就是效率。一般来讲，能量转换装置的效率是指装置输出的能量占输入能量的百分数比，即

$$\eta = \frac{输出能量}{输入能量} \times 100\%$$

除电化学能量转换装置以外，其他能量转换装置是将化学反应能转换为机械能或热能，然后再转换成电能。在能量转换过程中，效率是受一定限制的。比如热机效率，从热力学第二定律知，任何热机的效率都不可能达到100%。而对于只有冷、热两热源的热机系统，其最大效率为卡诺（Carnot）循环效率，即

$$\eta_{carnot} = \frac{T_1 - T_2}{T_1} \times 100\% \tag{2-38}$$

由式（2-38）可知，除非冷源温度 T_2 为绝对零度，否则 Carnot 效率不会达到 100%。而工作在 T_1、T_2 两热源的实际热机，因不可能维持可逆、绝热等条件，其效率要大大低于 η_{carnot}。

所以，实际热机效率是受到制约的，即 $\eta < \eta_{\text{carnot}}$。换句话说，不论如何改变热机的工作性能，都永远不能使其效率超过 η_{carnot}。

但是，燃料电池没有这样的制约，其效率要比其他能量转换装置的效率高。

然而，燃料电池的效率表达方式也非常复杂，各种资料的介绍也不严格一致，在使用及比较时须加以注意。本节介绍几种常用的效率表达方法。

2.5.1 热力学效率

热力学效率也称极限效率，是燃料电池理论上能达到的最高效率。

由化学热力学可知，如果化学反应的 $\Delta G < 0$，则该反应释放的能量可以做有用功 W'。如果将燃料电池的热力学效率定义为

$$\eta_{\text{th}} = \frac{W'}{\Delta G}$$

由于原电池所作的最大有用功等于吉布斯自由焓变化，不论反应系统和条件如何变化，如此定义的效率极限都是100%。而且，ΔG 是随温度变化的。因此，上述定义的意义不大。

由于燃料电池所用的燃料通常可以燃烧并释放能量，可以用发电装置产生的电能与燃料燃烧反应所释放的热能（ΔH）相比较，相应地，燃料电池的热力学效率为

$$\eta_{\text{th}} = \frac{\Delta G}{\Delta H} = 1 - \frac{T\Delta S}{\Delta H} \qquad (2\text{-}39)$$

由于式（2-39）的定义是以焓变为基数，燃料电池的热力学效率可以与其他转化装置的效率进行比较。

利用式（2-39）计算热力学效率时应注意，如果反应产物有水，应明确它是液态还是气态，因为水的状态不同，反应的 ΔH 不同。例如，氢气的燃烧反应

$$H_2(g) + \frac{1}{2}O_2(g) = 2H_2O(g) \quad \Delta H^\ominus = -241.8kJ/mol(LHV)$$

$$H_2(g) + \frac{1}{2}O_2(g) = H_2O(l) \quad \Delta H^\ominus = -285.8kJ/mol(HHV)$$

生成气态水的反应焓变称为低热值（LHV），生成液态水的反应焓变称为高热值（HHV）。所以，热力学效率应注明是基于HHV还是LHV。如不注明，热力学效率通常是指利用高热值计算的数值。表2-7列出了一些燃料电池反应在标准状态下的热力学效率。

表 2-7 标准状态下可用于燃料电池的反应的热力学效率

燃　料	氧化剂	反应①	电子转移数
氢	氧	$H_2 + \frac{1}{2}O_2 = H_2O$	2
氢	氯	$H_2 + Cl_2 = 2HCl$	2
甲烷	氧	$CH_4 + 2O_2 = CO_2 + 2H_2O$	8
一氧化碳	氧	$CO + \frac{1}{2}O_2 = CO_2$	2
碳	氧	$C + \frac{1}{2}O_2 = CO$	2
碳	氧	$C + O_2 = CO_2$	4
甲醇	氧	$CH_3OH + \frac{3}{2}O_2 = CO_2 + 2H_2O$	6
甲醛	氧	$CH_2O + O_2 = CO_2 + H_2O$	4
甲酸	氧	$CH_2O_2 + \frac{1}{2}O_2 = CO_2 + H_2O$	2
联氨	氧	$N_2H_4 + O_2 = N_2 + 2H_2O$	4

燃　料	$-\Delta H^\ominus$ /kJ·mol^{-1}	$-\Delta G^\ominus$ /kJ·mol^{-1}	$E^\ominus$/V	η_{th}/%
氢	285.8	237.3	1.229	83.0
氢	335.5	262.5	1.359	78.3
甲烷	890.8	818.4	1.06	91.9
一氧化碳	283.1	257.2	1.066	90.9

燃 料	$-\Delta H^{\ominus}$ $/\text{kJ} \cdot \text{mol}^{-1}$	$-\Delta G^{\ominus}$ $/\text{kJ} \cdot \text{mol}^{-1}$	$E^{\ominus}/\text{V}$	$\eta_{th}/\%$
碳	110.5	137.3	0.712	124.2
碳	393.5	394.4	1.02	100.2
甲醇	726.6	702.5	1.214	96.7
甲醛	561.3	522.0	1.35	93.0
甲酸	270.3	285.5	1.48	105.6
联氨	622.4	602.4	1.56	96.8

①产物中水为液态。

从表 2-7 中可以看出，表中几乎所有反应的热力学效率都大于 90%，而实际能量转换装置的效率多数都低于 40%。

值得注意的是这里还有一个有趣的现象：热力学效率理论值有时大于 1。在碳氢化合物-空气燃料电池中，若温度低于 100℃，产物水呈液态，反应的熵变为负值，则其热力学效率低于 1。而当温度高于 100℃，水呈气态，反应的熵变为正值时，其热力学效率就大于 1 了，如各种烃-O_2 燃料电池。在标准状态下，若反应的熵变为正值（如表 2-7 中的一些情形），相应的热力学效率也超过 100%。此时，过电位损失会将这些燃料电池的实际效率降至远低于热力学效率。然而若采用电极催化等手段，充分改进电极的工作状态，降低过电位，则有可能获得接近热力学效率的实际效率。较为适当的方法是降低电流密度，则过电位也随之降低。

燃料电池效率与热机效率的另一区别还在于它们对温度的响应截然不同。燃料电池反应为放热反应，其焓变总是负值，如果熵变为负值，由式（2-39）知，随着温度增加，电池的热力学效率是降低的。比如 H_2-O_2 燃料电池，其理论热力学效率在 25℃ 时为 0.83，而在 100℃ 时为 0.78。对于热机系统，冷源温度近似视为与环境温度相同且保持不变，因而增加高温热源温度，可使二热源温差增加，由式（2-38）知，Carnot 热效率也增加。实际上，在增加高温热源温度 T_1 时，冷源（环境）温度也随之上升，这样一来，因提高 T_1 而导致的效率增加要比理论计算的 T_2 不变时要小些。如此看来，在说明效率时，应指出相应的工作温度。

H_2-O_2 燃料电池的热力学效率及热机最大效率随温度的变化关系如图 2-9 所示。

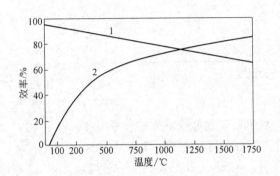

图 2-9　燃料电池与卡诺热机效率的比较
1—H_2-O_2 燃料电池；2—卡诺热机（$T_2 = 50$℃）

图 2-9 显示，理论上燃料电池的热力学效率在高温时比低温时低。然而在较高温下，反应速率增加，且相同电流密度下过电位也比低温时要低。另外，高温燃料电池可以少用或不用贵金属电极催化剂，产生的余热更容易利用。因而，综合比较起来，高温燃料电池的实际效率更高。

2.5.2　电化学效率

燃料电池只有在最佳状态（理想、可逆）时，才能输出 ΔG。当燃料电池有负载时，电极过程是不可逆的，实际的工作电压（V_c）低于理论开路电压（E）。对于不同的电池设计，即使是相同的电化学反应，也会有不同的效率。

电化学效率，也称电压效率，其定义为

$$\eta_{\text{el}} = \frac{-nFV_c}{\Delta G} = \frac{V_c}{E} \qquad (2\text{-}40)$$

式中 V_c——燃料电池的工作电压，V；

E——燃料电池的理论开路电压，V。

H_2-O_2燃料电池的电化学效率在低电流密度时，可高达 0.9，且在达极限电流密度之前，随电流增加而缓慢降低。

2.5.3 发电效率

燃料电池是能量转换装置，将燃料中的化学能转变为电能。所谓"化学能"是一个比较模糊的概念。燃料电池所能产生的最大电能等于电池反应的自由能变化，ΔG。一般情况下，燃料是通过燃烧产生热能来利用的，如在内燃机中的情形，产生的最大热能等于燃烧反应的焓变，ΔH。对于同一种燃料，这里所说的电池反应和燃烧反应是同一个反应。

如果反应焓变能够转变为电能，则电池的开路电压为

$$E_{\text{enthalpy}} = \frac{-\Delta H}{nF} \qquad (2\text{-}41)$$

燃料电池的发电效率，也称实际效率，其定义为

$$\eta_p = \frac{V_c}{E_{\text{enthalpy}}} = \frac{-nFV_c}{\Delta H} \qquad (2\text{-}42)$$

影响实际效率的因素较多，主要有电流密度、极化、温度、燃料利用率等。

对于以纯氢气为燃料的燃料电池，发电效率为

$$\eta_p = \begin{cases} V_c/1.48 & (\text{HHV}) \\ V_c/1.25 & (\text{LHV}) \end{cases} \qquad (2\text{-}43)$$

HHV 效率是电池产物水为液态时的效率，LHV 效率则是电池产物水为气态时的效率。

2.5.4 共发电效率

燃料电池的一个显著优点是在发电的同时，能提供高质量的热水或水蒸气。特别是千瓦级以上的燃料电池电站和发电厂。这种发电模式称为联合供热发电（CHP, combined heat and power），也称为共发电。共发电功率等于燃料电池电力输出功率与热负荷之和，共发电效率定义为

$$\eta_{CHP} = \frac{P_S + P_H}{P_{in}} \qquad (2\text{-}44)$$

式中　η_{CHP}——共发电效率,%；

P_S——燃料电池电力输出，kW；

P_H——燃料电池系统热负荷，kW；

P_{in}——燃料电池系统输入功率，kW。

对于完整的燃料电池系统来说，发电的全过程除了发电和供热，还包括燃料重整，反应气体的输送，电极的加热、冷却，电力调节和转换等，这些过程的效率都影响燃料电池系统的总效率。燃料电池总效率是所有过程效率综合的结果。

3 碱性燃料电池

3.1 概述

3.1.1 电池反应

碱性燃料电池（Alkaline Fuel Cell）简称 AFC，是以 KOH 水溶液为电解质的燃料电池。KOH 水溶液的质量分数一般为 30% ~45%，最高可达 85%。在碱性电解质中，氧化还原比在酸性电解质中容易。

在无 CO、CO_2 时，阳极氧化反应为

$$2H_2 + 4OH^- \longrightarrow 4H_2O + 4e \tag{3-1}$$

阴极上氧的还原反应为

$$O_2 + 2H_2O + 4e \longrightarrow 4OH^- \tag{3-2}$$

电池反应为

$$2H_2 + O_2 \longrightarrow 2H_2O + 电能 + 热 \tag{3-3}$$

由以上反应式可以看出，在电池工作时除产生电能外，还会有水和热量生成；并且由于在阳极产生水、阴极消耗水，这又会导致电解质在阳极浓度变小、阴极浓度变大，因而，电解质的工作方式也是其稳定运行的重要因素。

在碱性电解质中，可能使用的液体燃料是联胺（也称为肼，N_2H_4）。因其在阳极极易分解成 H_2 和 N_2，也可视为氢的液态储存形式。联胺燃料在 20 世纪五六十年代曾盛行过，主要是在欧（英、法、德）、美防御计划中，使用空气、纯氧或 H_2O_2 为氧化剂。联胺燃料最大的缺点是其剧毒性和高昂的价格，以及材料等问题。所以它的使用到 70 年代就停止了，估计将来也不会再去

开发它了。

3.1.2 AFC 的发展

AFC 是最先研究、开发并成功应用的燃料电池。早在 20 世纪 30 年代就已研制出了具有一定可靠性的千瓦级 AFC。到 50 年代中期英国工程师培根（F. T. Bacon）研制出世界上第一个千瓦级燃料电池，5kW AFC 系统是 AFC 技术发展中的里程碑。

培根 AFC 的两极分别是多孔镍阳极、多孔氧化镍阴极，使用 30% KOH 循环电解质，工作温度 200℃。为防止电解质沸腾，采用高压运行，压力 4~5MPa。在如此高的温度和压力下，培根燃料电池是非常优秀的，在 200℃、4.5MPa，电池电压 0.78V 时可获得 800mA/cm^2 电流密度。

AFC 最初的应用是在空间技术领域。

培根 AFC 是美国宇航局（NASA）阿波罗计划燃料电池的设计基础。阿波罗 AFC 的电极结构与培根 AFC 基本相同，但增加了 Pt 催化剂以提高电极反应活性。工作温度 220~230℃，压力 0.33MPa，因而使用高浓度电解质（85% KOH），85% KOH 在室温下是固态，100℃以上融化。阿波罗 AFC 的起动程序复杂。并且，由于运行温度高，电解质循环泵的寿命短。

电极为圆形，直径 200mm，厚度 2.5mm。每个电池堆由 31 个单电池串联而成，单电池之间以镍片连接。除水采用反应气体循环法。使用氮气循环改善排热。三个电池堆并联组成 AFC 系统。系统功率 1.5kW（最大 2.3kW），重量 109kg。一共生产了 92 个这样的系统，实际使用了 54 个，其中包括 9 次登月飞行。

在阿波罗 AFC 系统的基础上，美国宇航局（NASA）和联合技术公司（UTC）开发了双子座飞船 AFC 系统。开发计划于 1974 年 1 月开始实施，1979 年首次用于载人飞船，1981 年首次用于固定轨道飞船。系统功率 12kW，重量 91kg。在 7 天定轨道飞行期间，消耗了 760kg 氢气和氧气，生产的水用做饮用水和冷却。

双子座飞船 AFC 系统电解质为 35% ~ 45% KOH 溶液，存于石棉基质中，不流动。阳极为镀银镍网，涂有 $10mg/cm^2$ Pt-Pd（Pt: Pd = 80: 20），以碳为担体。阴极为镀金镍网，涂有金（质量分数为 90%）和铂（质量分数为 10%），总载量 $20mg/cm^2$。除水采用阳极气体循环法。因为是在失重情况下，循环气体要经过离心仪器分离水。电池堆内每隔 2 或 4 个单电池有一个换热器，每个单电池都有一个电解质储槽，以随时补充电解质。电解质储槽是烧结的多孔镍片，与阳极相连，有气孔使氢气通过。

比利时电化学能源公司在 20 世纪 70 年代开始研究开发 AFC，1995 年底退出这一领域。电化学能源公司曾开发了 1.5 ~ 50kW AFC 系统，其中 10kW 系统用于尤里卡计划的城市巴士。

20 世纪 90 年代后期，比利时零污染机动车公司（ZEVCO，Zero Emission Vehicle Co.）开始开发 AFC。最新开发的 AFC 系统，功率 5kW，使用半微孔多层气体扩散电极，Pt 催化剂载量 $0.3mg/cm^2$，KOH 循环电解质，工作温度 70℃，压力为常压。反应气体为氢气和空气，在额定功率时，效率为 47%。

零污染机动车公司使用常压化学净化法去除 CO_2，净化剂定期更换。但仍需定期更换电解质，再生型化学净化剂正在开发中。零污染机动车公司 AFC 系统的用途是电动车电源和工作电站。1998 年，零污染机动车公司的 5kW 系统装配了一辆城市出租车，在英国伦敦（London）进行了综合试验。

德国西门子公司的 AFC 系统使用纯氢和纯氧，加压运行，主要用于潜艇。

近来，AFC 的研究活动较少，主要原因是空气中的 CO_2 与电解质反应。当然空气中的 CO_2 可以通过净化除去，但增加了设备的体积和造价。

3.2　AFC 的电极

3.2.1　电极的要求

对于所有类型电极的一般要求如下：

（1）良好的导电能力以降低欧姆电阻；

（2）充分的机械稳定性和适当的孔积率；

（3）在（碱性）电解质中的化学稳定性；

（4）长期的电化学稳定性，包括催化剂的稳定性及与电极组成一体后的稳定性。

阳极和阴极的类型及制作方式是与所选择的催化剂相关的。不像 PAFC，AFC 不仅贵金属适用，非贵金属也适用。铂或铂合金可以沉积在碳上，也可组成金属电极（多为镍基体）。采用非贵金属时通常以雷纳（Raney）镍为基体材料作阳极，银基催化剂粉为阴极。

另一重要性质是电极材料的亲水性和疏水性。亲水电极通常是金属电极，而在碳基电极中加入 PTFE（聚四氟乙烯）可以调整电极的润湿性，因而以含 PTFE 催化层的适当构造来维持其足够的疏水性对于保持疏水电极的寿命是很重要的。

通常电极材料是由几个不同孔积率层构成，以使液体电解质、气体燃料（氢）或氧化剂（空气或氧）按要求留在其内或流过电极。电极技术的关键就在于制造这样的电极或电极的某一层，通常是将粉末混合后压在膜上。沉积技术、喷涂技术以及高温烧结等都被用来保证其良好的工艺稳定性。

3.2.2 电极材料

3.2.2.1 烧结镍粉

20 世纪四五十年代培根（F. T. Bacon）在他设计具有历史意义的燃料电池的时候，为了简单、便宜以及避免采用贵金属做催化剂，就选用了镍电极，即通过镍粉加工，再烧结得到多孔的电极。为了使反应气体、液体电解质和固体电极三者接触良好，用两种不同粒度的镍粉将镍电极做成两层，使其在液体侧形成一个润湿的多孔结构，在气体侧有更多的微孔。这种结构获得了很好的应用结果，不过为使气液界面处在合适的位置，需要严格的控制气体与电解质间的压力差（因为当时还没有使用 PTFE 这样的疏水材料）。这种结构应用在了 Apollo 燃料电池上，还可使用催化剂。

3.2.2.2 雷纳（Raney）金属

雷纳金属通常是由一种活泼的金属如镍和一种不活泼的金属（通常是铝）混合得到类似合金的混合物，然后将这种混合物用强碱处理，把铝溶化掉，就可以得到一种表面积很大的多孔材料。这个工艺过程不需要烧结镍粉，可以通过改变两种金属的量来改变孔的大小。

用这种方法制得的雷纳镍电极应用在了很多燃料电池上。德国西门子（Siemens）公司在 20 世纪 90 年代早期的燃料电池就是采用这种电极组合，阳极催化剂为涂钛的雷纳（Raney）镍，载量为 $110mg/cm^2$，阴极催化剂涂银，载量为 $60mg/cm^2$。在电极的电解质一侧压上一层石棉，其作用是阻止气体进入电解质层。电极在略高于环境压力下使用，阴极 0.21MPa，阳极 0.23MPa。

3.2.2.3 卷制电极

将涂敷了催化剂的碳与 PTFE 混合后，卷到如镍网这样的材料上，PTFE 是黏结剂，同时由于其疏水性，可避免电极与水接触。电极表面上薄薄的 PTFE 层可进一步控制孔积率，防止电解质穿过电极，而不像多孔金属电极那样需要提高反应气体的压力。不过，有时要加炭纤维到混合物中来增加强度、传导率和表面粗糙度。

这种电极不只是用在燃料电池上，还可用在金属-空气蓄电池中，例如这种电极可用做铝-空气、锌-空气蓄电池的阴极，因其阴极反应与碱性燃料电池非常相似。

3.3 电解质

到目前为止，AFC 使用的电解质是 KOH 水溶液，浓度 6 ~ 8mol/L。必须使用高纯度的 KOH 溶液，否则会使催化剂中毒。按照其流动方式可分为循环和静止两种类型。

3.3.1 循环电解质

电解质采用循环系统，主要有以下优点：

（1）循环的电解质可以为电池提供一个冷却系统；

（2）电解质被不断地搅拌和混合，如前所述，阳极产生水、阴极消耗水，由此会导致电极周围电解质浓度的变化和不均匀，而搅拌就可解决了这个问题；

（3）电解质循环就可以使产生的水进入循环，而无需在阳极蒸发；

（4）如果电解质与 CO_2 反应过多，可以用新溶液来更换。

这种循环电解质系统在 20 世纪 50 年代就被培根用在其燃料电池中了，还用于 Apollo 燃料电池及其他的电池。

图 3-1 表示循环电解质燃料电池的基本结构。KOH 溶液在电池内部循环。由于阳极在反应过程中会产生水，所以要循环 H_2，使 H_2 中的水蒸气蒸发，然后在冷却系统中冷却。氢气被储存在一个压力气缸中，通过一个射流泵使其进行循环。图 3-1 中所示的系统使用的是空气而不是氧气，空气中的 CO_2 会与 KOH

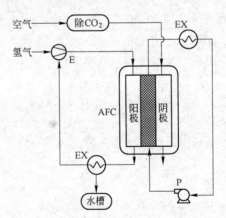

图 3-1　循环电解质燃料电池的基本结构

E—射流泵；EX—换热器；P—循环泵

反应，使氢氧化钾逐渐转化成碳酸钾。而随着 OH^- 离子的减少，CO_3^{2-} 的增加，电池的性能也将随之降低。解决的方法之一就是减少 CO_2 的含量，即在阴极系统中设一个 CO_2 洗涤器。

循环电解质的缺点是必须增加一些附加设施，如泵、管道等，由于 KOH 具有强腐蚀性，管道越长，泄漏的可能性越大。同时要使 KOH 在所有方向上均匀分布，设计难度也很大。

图 3-1 只显示了一个电池的情况。循环系统是一个细长的流通路径，在每一个电池之间最好是独立的，相反，如果把一些单电池的循环系统连起来就容易产生内部的"短路"。

3.3.2　静止电解质

静止电解质系统如图 3-2 所示，KOH 溶液放在一种基体材料中，基体材料通常使用石棉，这种材料有很好的孔隙度、强度和抗腐蚀性。

图 3-2 系统在阴极用纯氧，但对于这种系统并不是必需的。氢气与前面的系统一样也需进行循环，用以去除产生的水。在宇宙飞船中这种水用来饮用、做饭和舱内的加湿。冷却系统也是必

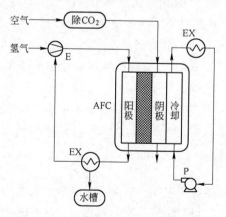

图 3-2　静止电解质燃料电池的基本结构

E—射流泵；EX—换热器；P—循环泵

须的，因而需要水或其他冷却介质。与轿车系统中一样，在 A-pollo 系统中是乙二醇和水的混合物。

这种基体中包含电解质的系统很像 PEMFC。一个主要的优点就是电解质不需要循环或处理，同时也就没有内部"短路"的问题了。而问题在于如何处理产生的水、补充蒸发掉的水，而水又是阴极所需要的。水的问题与 PEMFC 非常相似，设计电池时必须使阳极的水扩散、使阴极水的含量足够的多。通常这种电池的水问题不如 PEMFC 电池那么严重。原因之一是随着温度的升高 KOH 溶液的蒸气压不像纯水升的那么快，也就是说蒸汽含量是很少的。

由于这种电池的设备较简单，所以在宇宙开发设备中应用较多。然而，在陆地应用中，由于会发生 CO_2 污染电解质，就需要更新电解质，对这种基体的燃料电池就需要彻底的重新制造。同时应用石棉对身体也是有害的，在一些国家是被禁止使用的。尽管需要一种新材料来替代，由于其长期使用的可能性非常小，所以研究的也就少了。

除了 KOH 溶液外，对 NaOH 也作了研究。NaOH 水溶液电解质的性能不如 KOH 溶液，虽然价格便宜，但与 KOH 的寿命相比，也就没有优越性了。目前所有的 AFC 都用 KOH 水溶液作电解质，而不用 NaOH 水溶液。因为，一旦 CO_2 进入 NaOH 系统，形成 Na_2CO_3 时，Na_2CO_3 的溶解度和导电性不够大，堵塞电极系统的孔隙，而使其效率降低。

高浓度（约50%）的 KOH 水溶液的蒸气压极其低，在高温可以使用。在高温和高浓度下，可以获得高的电流密度。

3.4　电池堆

为获得实际应用电压，须将多个电池组成电池堆，其关键是组成电池堆的材料及制造技术。材料须有足够的化学稳定性和热稳定性，电化学性能须满足要求，各个技术条件也必须一致，以取得好的效益，而且，应尽量减小体积和重量。

这样一来，符合要求的材料就相当有限了，某些环氧树脂可以用，但成本太高。聚砜也是很好的材料，曾在西门子电池和美国航天飞船上使用。还有 ABS，在电化学能源公司电池中使用，但使用温度要低于 100 ~ 110℃。

电池堆的构造有两个基本部分：电极架及其附件，框架组合。框架可以注模制造（电化学能源公司），也可用压滤技术成型（西门子公司），若是塑料的话，可以熔焊（电化学能源公司）。

显然，电池堆的设计及构造必须保证电解质、氢和氧化剂的布置非常紧凑。

双极式 AFC 的框架及构件在压滤成型前的排置如图 3-3 所示。

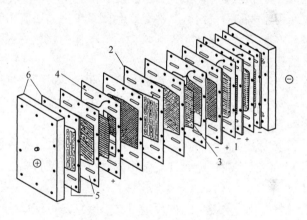

图 3-3　双极式 AFC 电池堆构件排置图
1—双极电池；2—双极板；3—隔板；4—电解质框；
5—电流收集板；6—夹板

3.5　AFC 的周边系统

3.5.1　供气系统

由于在 KOH 电解质中 CO_2 能形成碳酸盐，因而氢和氧化剂气体都不能含有高浓度的 CO_2。在实际使用中允许的 CO_2

的量取决于电极的性质。早期的报道认为，实际 CO_2 的极限是 $0mg/m^3$，然而电化学能源公司的电池堆在含 $100mg/m^3 CO_2$ 的空气中运行 6000h 后，仍未发现与在完全去除 CO_2 的空气中运行时有明显的差异。但在 CO_2 含量为 $150mg/m^3$ 或 $200mg/m^3$ 试验时，CO_2 有不利影响。这也说明实际空气中的 CO_2 含量（体积分数 0.03%）肯定是过高，在空气导入 AFC 电池堆之前须净化。

对电池堆有其他副作用的杂质也应消除。氯碱厂生产的氢气中含有 Hg，会加速电极极化过程，而导致阴极过程不可逆及电极不断恶化。另外，氢气中若存在一定量的 CO，也会降低发电量。

在使用氢气和氧气时，气体是在封闭系统内循环使用的，此时应对其定期净化，以防止电池堆内惰性气体的积累，否则会对电池堆的长期运行产生不良影响。

使用空气时，空气应连续不断地吹入阴极，以驱赶氮气，否则，氮气将阻碍阴极反应。这样做，氮气的清除虽很方便，但增加了去除 CO_2 的难度。

去除空气中 0.03% 的 CO_2 可采用化学吸收法，大多数做法是使 CO_2 气体三次通过吸收剂。常用的吸收剂有碱石灰、乙醇胺等。

乙醇胺类化合物与 CO_2 的反应（式 3-4）是可逆反应，可以通过加热再生。使用乙醇胺吸附系统，CO_2 的一次通过就可使其浓度降至 $1000mg/m^3$。工业上以温度调节吸、脱附过程非常有效。但目前小型系统已不用此方法。

$$2RNH_2 + CO_2 = RNH\text{-}CO\text{-}RNH + H_2O \qquad (3\text{-}4)$$

其他的 CO_2 预处理方法有采用分子筛或 Pd-Ag 合金膜进行循环处理。

3.5.2 电流收集器

与其他类型燃料电池一样，电流收集可用单极或双极。这两种形式各有优缺点，哪个都不能成为 AFC 的特征。

电化学能源公司在电池堆中使用了边缘收集，西门子则使用的是双极式，而美国宇宙飞船 AFC 采用的是双极收集和边缘收集结合的方式。

3.5.3 排水系统

燃料电池过程产生的产物水必须不断地从电池堆中排出去，以使 KOH 的浓度保持在一定的范围内。根据不同的电极类型，排水也相应地有不同的方式。一种类型是以循环电解质携带水分并冷却电池堆，水的蒸发在电池堆外进行，如西门子公司的 H_2-O_2 AFC。另一种类型是通过反应气体循环排除水分。图 3-4 是喷气双循环除水系统示意图。系统中有气体喷射器和冷凝器。喷射器根据反应气体在电极的消耗，以一定比例喷入高速气体，产生气流，流出电极的气流经冷凝器去除水分，剩余的反应气体继续循环。阳极的除水效率高于阴极，因为 AFC 在阳极生成水，阳极电解质浓度比本体浓度低，蒸汽压较高。而阴极反应消耗

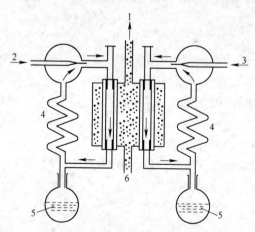

图 3-4　喷气双循环除水系统示意图
1—循环电解质；2—高压氢气；3—高压氧气；
4—冷凝器；5—水槽；6—KOH 电解液

水，电解质在阴极浓缩，蒸汽压较低。

3.5.4 冷却系统

在氢气-氧气 AFC 中，无论是电化学能源公司的类型还是西门子型，若使用循环电解质，则其余热是相当大的。对于氢气-空气 AFC，电化学能源公司有两种排热途径，空气和电解质。在这两种 AFC 中，电解质都必须通过热交换器。若电解质是固定型的，如在美国宇航器上使用的燃料电池，则须在每间隔一定数量的电池(组)后，特别安装冷却系统，以带走电池堆的余热。

3.5.5 控制系统

以上讨论的是气体进入燃料电池后能产生直流电的部分，不包括再生和交直流转换部分。当然整个系统必须是能调整和控制的。即须有一个控制系统，它不仅可在正常状态下对燃料电池的启动、运行及停机等进行完全程序化的控制，而且能进行一定的干预以预防燃料电池及其附属系统出现异常和事故。

3.6 AFC 的性能

燃料电池的性能可用质量功率密度（kW/kg）或体积功率密度（kW/L）来衡量。这两个指标都考虑了电池堆与辅助设备的作用。电池堆的性能用质量功率密度表示时，对于所有规格的燃料电池，此值是相同的，但此值对于辅助设备却可能不同，取决于电厂或电站的规模。

电池堆的性能与电流密度、电池电压直接相关。任何电池堆的性能都取决于几个参数：电极成分（如催化剂）的量及成本、氧化剂的状态（空气或纯氧）、工作压力和温度、电解质浓度以及燃料气体及氧化剂气体中的杂质等。

3.6.1 氧化剂的影响

美国的国际燃料电池公司（IFC）和德国的西门子公司曾专

门开发纯氧 AFC，比利时的电化学能源公司则开发空气 AFC。后者也可使用纯氧或富氧空气，而且在此情形下可使其性能提高。电化学能源公司曾报道将氧化剂由空气换为纯氧时，在额定电压下，电流密度增加 50%。

电池堆工作的最佳状态是在纯氧中，而不是在空气中。因为使用空气时，电极须承受输送大量的惰性气体（氮气），况且，即使预处理去除了 CO_2，AFC 对空气中的其他杂质也是很敏感的。

使用空气还是纯氧应视具体情况而定。对于空间站或某些军事设施（如潜艇）只能选择纯氧，而对于许多商业上的应用，则无论从安全性能还是成本等诸多因素考虑，选择空气更适宜。

3.6.2　压力影响

从前面介绍的理论部分可知，提高压力对提高电池性能有利。因而许多燃料电池公司开发高压燃料电池系统，如国际燃料电池公司（IFC）开发的用于卫星或宇宙飞船的 AFC。压力增加（0.3~0.4MPa），要求电池堆做得更紧凑，显然这正好满足空间应用的需求。

增加压力对电池的电化学性能改善不大，倒是在较高压力下工作，需使用机械强度高的材料，而提高了电池的重量。反应物压力增加时，最突出的问题是能否始终保持气体和电解质之间的压力差在电极及附件所能承受的范围内。若不能的话，气体会涌入电解质区，干扰电池的正常工作。若两侧气体同时发生这种情况，则可能在电解质区发生氢氧混合的危险事故。

3.6.3　温度的影响

由于 KOH 溶液具有良好的低温导电能力（尤其与磷酸比较时），AFC 的正常工作温度大约在 70℃，若使其在室温下工作，功率将降低一半。从室温到 50~60℃，功率随电解质温度的增加几乎是线性的。而进一步提高温度，还与其他参数有关，如电解质浓度、压力。根据电化学能源公司的经验，在常压空气条件下，KOH 浓度为 6 ~ 7mol/L、温度 70 ~ 80℃时，电池工作达最佳状态。若提高 KOH 浓度到 8 ~ 9mol/L，将温度提高到 90℃，则更佳。

最早用于阿波罗登月计划的是著名的培根电池，其工作温度 200℃，为预防电解质沸腾，压力需大于 0.4MPa。

3.6.4 CO_2 的影响

在碱性燃料电池中，一个更为重要的问题是在电极运行过程中的二氧化碳问题。在碱性介质中，因吸收 CO_2 生成碳酸盐（反应式 3-5），会堵塞电解质通路和多孔电极的孔隙，成为 AFC 长期运行稳定性降低的主要原因，如图 3-5 所示。

$$CO_2 + KOH = KHCO_3 \tag{3-5}$$

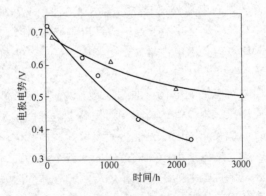

图 3-5　CO_2 对电极电位的影响

条件：Pt 载体 0.2mg/cm²；6mol/L KOH；100mA/cm²

△—不含 CO_2 的空气；〇—含 CO_2 的空气

催化剂涂敷的碳载体电极的寿命，在 65℃、100mA/cm² 和含二氧化碳气体时，为 1600 ~ 3400h。在相同的条件下把气体中的二氧化碳去掉，结果电极的寿命就增加到 4000h 时；当气流密度大时寿命还要减少。温度的降低也会使寿命减少，这是因为二氧化碳的溶解度也随之降低。1600h 仅为 66 天，所以这种情况只适用于很少的应用场合。而对于需要长时间稳定运行的 AFC，反应气体在进入之前，必须进行预处理以使其 CO_2 浓度降至 mg/m^3 级。

3.6.5 寿命

就燃料电池的寿命而言，取得技术寿命和经济寿命的平衡是很有必要的。有些场合，5000h 甚至 1000h 的寿命就足够了，而有些则需 25000h 甚至更长。对于电厂至少要在 40000h 以上。

电池堆的技术稳定性主要取决于催化剂及其性能的稳定性。而在此领域，仍有许多需改进的地方。

氢气-氧气和氢气-空气 AFC 电池堆一般能达到 5000h 的寿命，千小时电压降 20mV 或更低。美国宇宙飞船用 AFC 平均寿命 2000h，德国西门子公司的 20 套 6kW AFC 系统寿命达到 8000h。

4 磷酸燃料电池

4.1 概述

顾名思义，磷酸燃料电池（Phosphorous Acid Fuel Cell）也就是以磷酸为电解质的燃料电池，简称 PAFC。阳极通以富氢并含有 CO_2 的重整气体，阴极通以空气。对 CO_2 的承受力是 PAFC 的特征之一。

PAFC 适于安装在居民区或用户密集区，高效、紧凑、无污染是其主要特征。它是目前最成熟和商业化程度最高的燃料电池，美、日、西欧建造了许多试验电厂，功率从数千到十数兆瓦。

PAFC 发生的电化学反应为

阳极反应 $\qquad H_2 \longrightarrow 2H^+ + 2e \qquad$ (4-1)

阴极反应 $\qquad \dfrac{1}{2}O_2 + 2H^+ + 2e \longrightarrow H_2O \qquad$ (4-2)

电池反应 $\qquad H_2 + \dfrac{1}{2}O_2 \longrightarrow H_2O \qquad$ (4-3)

图 4-1 为 PAFC 反应示意图。

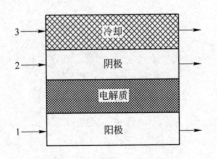

图 4-1　PAFC 反应示意图
1—燃料；2—空气；3—水、空气或油

PAFC 系统主要由四大部分构成

（1）燃料处理系统，将化石燃料转化成富氢气体；

（2）电池堆，将富氢气体及空气转化成电流；

（3）换流器，将直流电转化成交流电；

（4）控制系统，控制所有部件，根据需要调整电或热负荷。

PAFC 的工作条件如下：

（1）工作温度：180～210℃，电池堆在较高温度下的热力学效率低于较低温度的效率；

（2）工作压力：通常小容量电池堆采用常压，大容量电池堆用数百 kPa，电池堆的效率随压力的增大而增加；

（3）冷却方法：空气、水（或水及蒸汽混合）、绝缘液体；

（4）燃料利用率：70%～80%；

（5）氧化剂气体利用率：50%～60%。空气中的氧含量为21%，50%～60% 的利用率表明空气中 10%～12% 的氧消耗在燃料电池中；

（6）反应气体组成：典型的重整气体中含 H_2 80%，CO_2 20%，以及少量的 CH_4、CO 和硫化物等杂质。

以上这些参数对电池性能的影响将在 4.3 节中详细讨论。

PAFC 的发电效率为 40%～50%。PAFC 系统产生余热的量相当多，且清洁，包括电和热，系统的总效率可达 80%。尽管多年来对 PAFC 技术的开发已取得很有意义的成就，但在可靠性及寿命等方面仍需做深入的研究。

4.2　PAFC 系统构成

PAFC 的主要构件有，电极、含磷酸的基质、隔板、冷却板、管路等。基本的燃料电池结构是含有磷酸电解质的基质材料置于阴阳两极之间，如图 4-1 所示。基质材料的作用一是作为电池结构的主体承载磷酸，二是防止反应气体进入相对的电极中。含有电解质的基质是离子导体，而不是电子导体。典型的 PAFC 结构如图 4-2 所示。

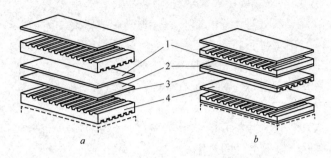

图 4-2　PAFC 典型电池结构

a—肋拱隔板型；*b*—肋拱衬底型

1—阳极；2—基质；3—阴极；4—隔板

4.2.1　电极及催化剂

电极由载体和催化剂层组成。用化学吸附法将催化剂沉积在载体表面，电化学反应就发生在催化剂层上。

催化剂层的主要成分包括，碳载体、高度分散的铂催化剂及疏水介质（如聚四氟乙烯，PTFE）。催化剂层的厚度约 0.1mm。

高表面积的铂是目前的首选催化剂材料，而碳则是首选载体材料。对于较高温度的燃料电池（MCFC、SOFC），不必使用稀贵金属催化剂。而较低温度燃料电池（PAFC、PEMFC）则需使用贵金属催化剂来加速电化学反应。

前面也提到过，电化学反应是发生在电极表面的三相界面上，三相是指液相（磷酸）、固相（铂催化剂）和气相（反应气体 H_2、O_2）。为了增大电流密度，必须尽可能提高反应物接触点的数量，增加反应气体分压，缩短扩散路径，催化层也需有较高的导电性，以减小电极的欧姆损失。再有，电极的亲水性必须适当，以获得最大的气体扩散及控制电极的润湿性。酸涌现象会干扰反应气体的扩散，而反应气体的过扩散则会阻碍酸到达反应界面，这两种情况都是不希望发生的。磷酸在反应层中适宜的比例为40%～80%时，不仅对形成大的三相界面有利，而且此时的阴极、阳极的过电位均比较低。

利用 PTFE 的疏水性能可预防酸涌，即将粘结了催化剂的 PTFE 渗入碳载体层中，使其润湿性能适当。通常，阳极和阴极的最佳 PTFE 质量分数分别为约30%和40%～60%。

防止气体过渗透的做法是将多孔电极中与基质相邻层设计成具有良好毛细作用的层，电解质被牢固地吸附在微孔内，可阻止反应气体的过渗透。

电极的另一作用是能排出在阴极生成的水。在较高的工作温度下，水可以蒸汽形式从多孔电极中蒸发出来而被最终排出。虽然在工作温度下，水比酸的蒸汽压要高，但酸也会多少被水蒸气带出一些。

铂催化剂的活性取决于催化剂的类型、晶粒尺寸及表面积等。晶粒愈小、比表面积愈大，催化剂的活性愈高。目前已制成了晶粒小至2nm，比表面积大于$100m^2/g$的铂催化剂。

催化剂的发展是 PAFC 的一个重要方面，过渡金属（铁或钴）的有机材料现已被用做阴极电极催化剂；另一开发方向是 Pt 与过渡金属如 Ti，Cr，V，Zr，Ta 等形成的合金，例如将铂镍合金用做阴极电极催化剂已经使性能得到50%的提高。

碳载体的结构是另一关键因素，影响电极的性能和寿命。碳载体的主要作用如下：

（1）分散催化剂；

（2）为电极提供大量微孔；

（3）增加催化剂层的导电性。

目前用做碳载体的炭黑有两种类型，即乙炔炭黑和炉炭黑。与炉炭黑相比，乙炔炭黑的比表面小，导电性差，但抗腐蚀性能好。这些特性会影响电极的初期性能及寿命。因而对这两种载体材料都要作一些处理。例如，对乙炔炭黑作蒸汽活化处理，以增加比表面积，而对炉炭黑则进行热处理，以提高其抗腐蚀能力。

通常电极性能随着运行而退化，主要是由于铂催化剂的烧结和催化剂层的堵塞妨碍了气体扩散。有关这方面的详细讨论参阅4.3.6节。

4.2.2 衬底

作为电极支撑材料的衬底，与催化剂层毗邻，可允许电子及反应气体通过。从性能上看，电极衬底应符合以下条件：

（1）在工作条件及磷酸环境下的稳定性；

（2）对电和热的良导性；

（3）多孔性，以使反应气体高效率地扩散；

（4）良好的机械强度，能承受高压运行。

在工作温度下，100%磷酸具有强腐蚀性，石墨被认为是首选材料。衬底的制作是将石墨纤维、酚醛树脂与黏结剂混合后压模，再在高温下进行烘烤。孔积率一般为 60% ~ 65%，孔径 20 ~ 40μm。对于拱肋型衬底结构，是靠对表面喷砂或机械加工而成型的。

多孔衬底还具有贮酸作用，而拱肋型的衬底结构正是基于此原因。每个电极的衬底厚度大约 1 ~ 1.8mm，其中 0.6 ~ 1.0mm 为拱肋高度，拱肋与分隔板相接，催化剂层则在衬底的另一侧。对于支路的情形，阴极和阳极衬底的拱肋的方向是相互垂直的。

电极衬底一体化是正在开发的电池结构。它是由两个衬底层夹一个分隔板而构成，如图4-3所示。这三个部件做成一体，可以提高各层之间的热及电导性，因而改善了性能。这种一体化结

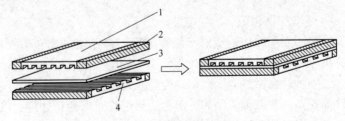

图 4-3　电极衬底一体化

1—拱肋电极；2—边缘密封；3—隔板；4—拱肋电极

构的组装也非常简单。

4.2.3 电解质

选择磷酸作电解质是基于以下原因：
(1) 可在高温下工作；
(2) 可耐 CO_2；
(3) 低蒸汽压；
(4) 高的氧溶解度；
(5) 高温下良好的离子导电性；
(6) 高温下的低腐蚀速度；
(7) 大的接触角（大于 90°）。

磷酸是无色、黏稠、并有吸水性的液体。在 PAFC 中它不是以自由流体形式使用的，而是包含在 SiC 制成的多孔基质结构中。基质（matrix）这一概念在电池堆的设计中被广泛采用。

图 4-4 为磷酸水溶液相图，给出了固化温度与其组成的关系。100% 的磷酸（含 72.43% P_2O_5，20℃时密度为 1.863g/cm³）具有较高的凝固点，42℃，因而被用在 PAFC 电池堆中。若电池堆在环境温度下使用，基质内的磷酸会固化，体积也会随之增加。因而，在有负载和无负载时会发生磷酸的体积变化，而频繁的体积变化会引起电极及基质的损耗，导致电池性能的降低。因

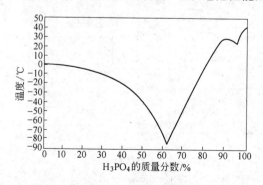

图 4-4 磷酸水溶液相图

而，即使在无负载的条件下，也必须将电池堆的温度至少保持在45℃，这是 PAFC 的不足之处。

从磷酸水溶液相图可以看出，磷酸的固化温度与其质量分数有很大关系。对于质量分数在 100% 附近的较浓的磷酸，其固化温度较高；磷酸质量分数降低时，其固化温度也迅速下降。例如，质量分数 62.5% 的磷酸的固化点是 $-85℃$，75% 的磷酸为 $-20℃$，而 85% 的磷酸则为 21℃。通常为避免固化，从工厂到电厂之间的运输采用低质量分数的磷酸，在输入电池前将其转化为高浓度磷酸。电池堆一旦启动，就必须保持一定温度，包括在无负载时。因此必须对其装备适当的加热设备。

目前已经研制出一些合成酸，显示了优于磷酸的性能，但尚在开发阶段。

由于运行过程中在基质中的部分酸会损失，还必须有合适的补充酸的系统或设备，间隔一段时间后在无负载时向基质补充酸。图 4-5 是酸补充装置的一个专利（US 4 463 066）。当然，若电池能在操作周期内保持充足的酸，也就无需酸补充装置了，目前已有几个公司在展示这一设计思想。

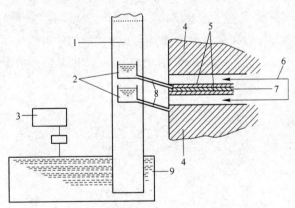

图 4-5　磷酸补充装置

1—供酸管道；2—刻度杯；3—加压装置；4—电池堆；5—电极；

6—衬底；7—基质；8—毛细管；9—磷酸槽

4.2.4 基质

磷酸是盛装在基质中的，基质的作用是靠毛细作用将酸吸附在其内。目前使用的基质是由 SiC 微粉与少量 PTFE 黏结组成的。

基质的厚度应尽可能小，以降低电池阻力，一般为 0.1 ~ 0.2mm。对基质的要求包括：

（1）对磷酸有良好的毛细作用；

（2）电绝缘性；

（3）防止电池内反应气体交叉渗透；

（4）良好的导热能力；

（5）高温工作条件下的稳定性；

（6）足够的机械强度。

除机械强度外，目前的基质结构可满足其他要求。

磷酸本身的蒸汽压很低，但在较高温度下长时间工作，由蒸发而引起的酸损失却是不能忽略的。电解质消耗的量取决于电池内反应气体的速度和电流密度，即，酸损失的速度是随气体流速和电流密度的增加而加快的。因为，电流密度越大，产生水的量越多，水蒸气压越高，夹杂在水蒸气中的以酸雾形式耗散的酸也就越多。

由于基质中酸损失过多时会引起基质内反应气体的交叉，导致电池性能下降，而须对基质加酸。一种办法是开始就在电池中储备足够的酸，另一种方法是由外部向电池堆中补充酸，常常需要将这两种方法结合来用。还有一种方法是将衬底的微孔用作电解质储备源。

多余的电解质在多孔衬底中的储备对于因负载变化引起的酸体积变化而带来的空间膨胀也是很有用的。对于这种用途，碳化硅基质的孔径应小于衬底的孔径，这样可以保证基质总是被电解质润湿，减少了在不同压力下反应气体交叉渗透的可能性。

如图 4-2 所示，基质是夹在两极之间的。然而基质必须有在任何突发条件下都能阻止两极气体交叉的作用。在某些条件下，两极之间的压力差可在数 10kPa 范围变化，基质必须能承受这种压力变化。从这一观点来讲，目前使用的 SiC 还不够强，但至少可承受 10kPa。每个 PAFC 电厂的设计都必须将在任何突发条件下的两极之间的压力差限制在 100kPa 以内。

4.2.5　分隔板

分隔板的作用是防止电池中阴、阳极气体混合，并使两电极导通。气体泄漏会导致性能降低，甚至出现危险情况。

对分隔板的要求如下：

（1）足够的气密性，以防止反应气体的渗透；

（2）在高温、高压及磷酸中化学性能稳定；

（3）良好的导电、导热能力；

（4）足够的机械强度。

通常使用的是玻璃态的碳板，厚度应尽可能薄，以减少对电或热的阻力，通常小于 1mm。隔板的表面应平而光滑，以便与电池的其他部件均匀接触。

在 1000 ~ 2000℃ 对热固性树脂（如酚醛树脂、环氧树脂）炭化制得的玻璃化炭强度高、气密性好。玻璃化炭的商品化已有十多年，但是只用于熔融坩埚和热电偶保护管，PAFC 可能会成为玻璃化炭的新市场。

4.2.6　供气系统

供气系统就是向电池堆供应两种反应气体的设备，分为两种类型，即内部和外部管路结构。在内部管路系统中，供气管路是由垂直于电池平面的、并贯穿电池堆元件的孔穴构成的。外部管路则通常是将管路箱接在电池堆的侧面。

管线的设计原则包括：

（1）尽可能小的压力降；

（2）绝缘性好；

（3）足够的化学稳定性；

（4）足够的机械强度；

（5）管线的焊接处在任何情况（包括突发事故）下都必须牢固，并且具有较低的热膨胀系数。

4.2.7 冷却系统

在 PAFC 中有 3 种冷却方式：空气冷却，绝缘液体冷却和水冷却。3 种冷却方法示意如图 4-6 所示。

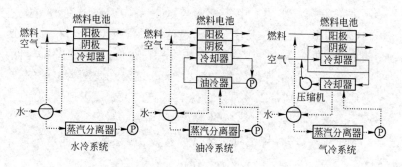

图 4-6　PAFC 冷却系统

从冷却性能来看，水冷最好，适用于较大电厂。而空气冷却相对水冷简单，适用于相对小的电站，但是需要相对较多的电能循环冷却空气，因而不可避免地造成净效率的降低。从冷却性能及系统整体考虑时，间接液体（油）冷却系统在性能上介于空气和水之间，然而它非常紧凑且不易腐蚀。这三种冷却方法的概况列于表 4-1 中。

表 4-1　不同类型冷却系统的比较

项　目	水　冷	油　冷	气　冷
冷却效率	高	中	中、低
系统结构	复杂	中	简单
冷却剂处理	复杂	中	简单
运行压力	高（几百 kPa）	低	可变

项　目	水　　冷	油　冷	气　冷
能耗	低	中、低	中、高
冷却板间隔	几个电池	几个电池	可变
制造商	IFC、富士、东芝、日立、三菱	富士	ERC、三洋

4.2.7.1　水冷系统

水冷是最普通的冷却方法,尤其对于大型电厂。它是通过沸腾的水冷却和加压的水冷却而进行的。前者是将燃料电池中产生的热通过蒸发排放出去。由于燃料电池的平均工作温度为 160 ~ 180℃,电池中产生的热几乎全部通过这一过程排出。入口、出口处冷却水的温度差很小,冷却水体积也可保持很低,所有这些都降低了电力消耗,也易于保持均匀的温度分布,结果是使燃料电池的效率增加。而后者则是以冷却水的热容排热的,入口、出口处的温度差高于前者,却相对于比热高的绝缘液体和空气冷却系统低。

图 4-7 为 PAFC 电池堆构造。每隔 5 个电池插入一个冷却板,

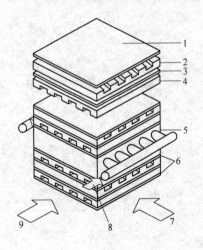

图 4-7　PAFC 电池堆构造（水冷型）

1—隔板；2—阴极；3—基质；4—阳极；5—冷却板；

6—单个电池；7—空气；8—水；9—燃料

中间层电池的温度最高，两端最低，如图 4-8 所示，温差为 15℃。当然此温差可由减少冷却板间隔的电池数量而降低。

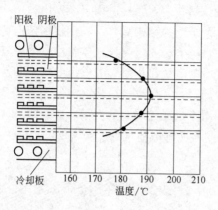

图 4-8　垂直方向温度分布

　　尽管沸腾水冷却有许多优点，但有两个问题需考虑，冷却水的处理及向每个电池均匀供应冷却水。为防止在高温高压下冷却水管路及部件的腐蚀，必须对冷却水进行处理。统一煮沸、统一供应对防止局部过热是必须的，也有利于管路温度的均匀分布。金属冷却管通常很细，腐蚀产物及悬浮物很易堵塞管路造成局部过热。冷却水必须达到的水质条件列于表 4-2 中。

表 4-2　冷却水水质要求

项　目	pH	电导率[①]/$\mu S \cdot cm^{-1}$	SiO_2/$mg \cdot L^{-1}$	总 Fe/$mg \cdot L^{-1}$	总 Cu/$mg \cdot L^{-1}$	溶解氧/$mg \cdot L^{-1}$
指　标	6~8	0.5	<0.02	<0.02	<0.02	<0.1

①25℃。

　　显然设立水处理系统会增加投资、运行及维护费用。因而只能在大型电厂采用水冷却系统。另外，在数米高的大型电厂的情形下，为保证垂直方向上的温度均匀性，也必须进行特殊的设计。

4.2.7.2 空气冷却系统

空气冷却系统相对简单，但由于其排热速度低，消耗在空气循环上的能量就高些，因而只适用于小型电站。

空气冷却系统因为结构简单，其运行稳定而可靠。美国西屋（Westinghouse）电力公司已将压缩空气冷却的 PAFC 用于电力供应。这是空气冷却系统在相对大的电厂的唯一应用。不像水冷却或绝缘液体冷却，大容量空气冷却电池堆的设计是增加小面积电池堆的数量，而不是增大电池的面积。

图 4-9 为空气冷却电池堆的一个实例。

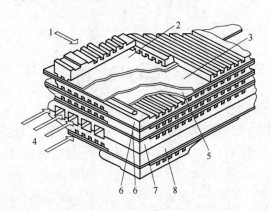

图 4-9　PAFC 电池堆构造（气冷型）

1—燃料；2—阴极；3—电解质；4—空气；5—阳极；6—双极板
（带燃料和空气通道）；7—阳极冷却板；8—阴极冷却板

4.2.7.3 绝缘液体冷却系统

绝缘液体冷却系统采用单相绝缘液体将热从电池堆中排出，具有某些独特的优点。与水冷却系统、空气冷却系统的相比，绝缘液体冷却系统的优缺点见表 4-3。

与水冷相比，绝缘液体冷却系统的最大优点是制冷压力低及处理过程简单，这两个优点都可以节省投资和运行费用。由于冷却压力低，冷却管、热交换器及管线等都不必采用特殊材料。

表 4-3　绝缘液体冷却系统的优缺点

项　目	与水冷系统相比	与气冷系统相比
优　点	(1) 低压运行； 水冷系统 0.6～0.7MPa 油冷系统约 0.1MPa (2) 冷却剂处理简单	(1) 传热较好； (2) 进出口温差小； (3) 电池温度较高； (4) 耗能少
缺　点	(1) 传热较差； (2) 进出口温差大； (3) 不适于共发电； (4) 需严防冷却剂泄漏	(1) 系统较复杂； (2) 需严防冷却剂泄漏

　　在图 4-10 中，冷却板上嵌有 PTFE 波纹状冷却管，一般插在 4～6 个电池之间，冷却回路中的热被外排出去。绝缘制冷剂使用 Thermol 44（一种合成油）或高温矿物油。这种绝缘液体冷却系统适用于相对小而紧凑、需简单设计及易于操作的电池系统。

　　综上所述，从效果来看，水冷最适于大型及共发电电厂；而从简单化角度来讲，空气冷却系统适用于小型电站。绝缘液体冷

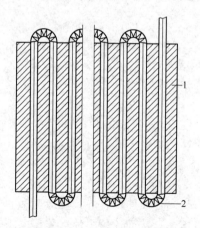

图 4-10　绝缘液体冷却管

1—冷却板（碳）；2—冷却管（特氟龙）

却系统也适用于小型电源，如机动车电源、现场工作电源和一些小规模的特殊应用。

4.3 PAFC 的性能

图 4-11 是典型的 PAFC 电压-电流工作曲线。从图中可以看出，输出电压与电流有很大关系。而且电压-电流工作特性也由各种条件，如温度、压力等决定。PAFC 的电流密度通常为 150 ~ 350mA/cm^2。

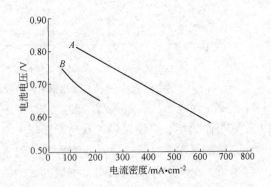

图 4-11　PAFC 电压-电流工作曲线

燃料:75% H$_2$,0.5% CO ,10% CO$_2$,10% H$_2$O;阴极气体为干燥空气

A—0.82MPa,207℃,燃料利用率75%,氧气利用率70%;

B—0.14MPa,204℃,燃料利用率85%,氧气利用率60%

在 4.1 节中已对 PAFC 的工作条件作了简单介绍，本节将就这些条件对电池性能的影响进行讨论。

4.3.1 温度的影响

增加温度可提高传质速率，导致反应速率的提高、电池电阻的降低，并减少极化，从而改善电池性能。电压变化与温度变化之间的关系取决于诸多因素，如电池设计、电极类型、电流密度、操作参数等。

对于 H_2-O_2 可逆 PAFC，可计算出标准条件下电池电压随温度的增加率为 0.27mV/K。而对于实际的 PAFC 电池电压与温度的关系有两种计算方法。

方法 1 在中等负荷（约 250mA/cm²），温度范围在 180 ~ 250℃时，H_2-O_2PAFC 电池电压与温度变化的关系是

$$\Delta V_T = 1.15(T_2 - T_1) \tag{4-4}$$

式中 T_1、T_2——运行温度，℃；

ΔV_T——温度变化时的电池电压差，mV；

1.15——经验值，与电流密度、压力、电池堆的运行时间等有关，以 k 表示。

电流密度降低时，k 值也随之降低。当电流密度为 100 mA/cm²时，k 值约为 1.05，而在环境温度下此系数仅为 0.8。

例如，在电流密度 300mA/cm² 及 0.1MPa 时，温度由 190℃升高到 205℃，电压变化为

$$\Delta V_T = 1.15(205 - 190) = 17(mV)$$

方法 2 根据日本通产省工业技术院（MITI-AIST）的报告，在有温度和压力变化时电池电压为

$$V = V_0 + \Delta V_p + \Delta V_T \tag{4-5}$$

式中 V——温度压力变化时的电池电压，mV；

V_0——标准运行温度、压力下的电池电压，mV；

ΔV_p——压力变化时的电压变化，mV；

ΔV_T——温度变化时的电压变化，mV。

假设标准工作温度为 190℃，ΔV_T为

$$\Delta V_T = 1.0(T - 190) \tag{4-6}$$

例如，在 190℃，0.1MPa，电流密度 200mA/cm² 时，电池电压 V_0 为 680mV。则在 205℃时

$$\Delta V_T = 1.0(205 - 190) = 15(mV)$$

电池电压升到 695mV。

从电极反应来看，尽管温度对阳极上氢的氧化反应只有很小的影响，而对阴极中毒却有重要作用。图 4-12 表明温度增加时，阳极上允许的 CO 浓度也增加了，这是 CO 吸附减少的结果。类似的温度效应在模拟煤气上也可以看到。低于 200℃时，电池电压迅速降低。实验表明，这些杂质的影响结果不是简单叠加，而存在 H_2S 与 CO 的协同效应。

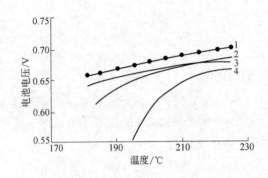

图 4-12　温度对 PAFC 性能的影响

阴极为空气；电流密度为 $200mA/cm^2$

$1—H_2$; $2—H_2 + 300mg/m^3 H_2S$; $3—H_2 + 250mg/m^3 CO$; 4—模拟煤气

然而，并非一味增加温度就可以改善电池性能。增加温度时会引起腐蚀的增加、催化剂的烧结与重结晶、电解质的蒸发损失等，这些都对电池堆的寿命有副作用，因而必须精心设计、选择最佳条件。

从选择材料的角度出发，PAFC 的最高工作温度为：峰值220℃，连续时 210℃，不建议 PAFC 在 210℃以上的温度连续运行。

再有，在电池水平、垂直方向温度的均匀性，也是提高电池性能的一个重要因素。

4.3.2 压力的影响

增加燃料电池的操作压力，可提高其性能。这主要是因阴极上氧浓度增加和水蒸气分压的降低加强了电池反应。

由能斯特方程计算得出的电池电压随压力的变化关系是

$$\Delta V_p = \frac{2.3RT}{2F}\lg\frac{p_2}{p_1} = 146\lg\frac{p_2}{p_1} \tag{4-7}$$

式中 ΔV_p——电压变化，mV；

p_1、p_2——不同的运行压力，MPa。

实验结果表明，在温度 $177 \sim 218$℃，压力 $0.1 \sim 1$MPa 下，与上式符合很好。在不同的因素条件下得出的经验公式略有不同。以下介绍两个经验公式（式4-8、式4-9）。

$$\Delta V_p = 142\lg\frac{p_2}{p_1} \tag{4-8}$$

例如，压力从 0.1 MPa 增大到 0.5 MPa，$\Delta V_p = 142\lg(0.5/0.1) = 99.3$mV。由此看出，压力对电池电压的影响要比温度的影响大得多。

MITI-AIST 给出的经验公式为

$$\Delta V_p = 125(1 + \lg p) \tag{4-9}$$

式中 p——工作压力，MPa。

在较高压力和电流密度下，电池性能得以改善是因阴极上的浓度（扩散）极化的减小和可逆电池电动势的增加。另外，增加压力也可由氧及水分压的增大而降低了阴极过电位。若增加水蒸气分压，在会使酸浓度降低的同时，也会增加离子导电性，并带来较高的交换电流密度，总的结果是欧姆损失的减少。曾有报道，在 100% 磷酸、169℃ 下，PAFC 的压力从 0.1 MPa 增大到 0.44 MPa 时，磷酸浓度降低至 97%，6 个电池堆（电极面积 $350cm^2$）的电阻减少约 0.001 欧姆。

最后，还须说明的是，温度、压力等对电极活性及电池电压的影响，还与电池结构、催化剂类型、电流密度、反应气体的利用率及其他因素有关。

4.3.3　反应气体组成及利用率的影响

增加反应气体利用率或降低入口浓度都会因增加浓差极化和能斯特损失而使电池性能降低，这些与反应气体的分压有关。

4.3.3.1　氧化剂

在 PAFC 中，选择空气作氧化剂，以含氧21％的空气代替纯氧作氧化剂，使得在恒定电极电位下电流密度降低。而阴极极化是随氧利用率增加而增大的。图 4-13 是 PTFE 粘结多孔电极在191℃、0.1MPa 下的过电位随氧利用率变化的实验曲线。遵循的关系式为

$$\Delta\eta_{\mathrm{c}} = \eta_{\mathrm{c}} - \eta_{\mathrm{c},\infty} \tag{4-10}$$

式中　η_{c}、$\eta_{\mathrm{c},\infty}$——分别是在有限、无限（氧利用率近于 0）空气流速下的阴极极化电位。

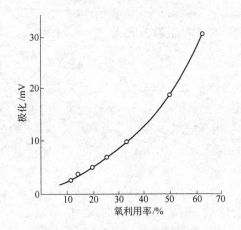

图 4-13　氧利用率对阴极极化的影响

条件：0.1MPa；190℃；Pt 载体，0.54mg/cm²；100％ H₃PO₄；300mA/cm²

对于 PAFC 样机，氧利用率一般在 50%，由图 4-13 可估算出因此引起的极化电位为 19mV。

由实验得出的电压损失随氧利用率的变化关系为：

$$\Delta V_c = 148 \lg \frac{(\bar{p}_{O_2})_2}{(\bar{p}_{O_2})_1} \qquad (0.04 \leqslant \frac{\bar{p}_{O_2}}{\bar{p}_T} \leqslant 0.20) \quad (4\text{-}11)$$

$$\Delta V_c = 96 \lg \frac{(\bar{p}_{O_2})_2}{(\bar{p}_{O_2})_1} \qquad (0.20 < \frac{\bar{p}_{O_2}}{\bar{p}_T} < 1.00) \quad (4\text{-}12)$$

式中　$\bar{p}_T$、$\bar{p}_{O_2}$——系统内的平均总压、氧分压。

式（4-11）主要用于以空气为氧化剂的 PAFC，而式（4-12）主要用于富氧氧化剂。

4.3.3.2　燃料

除了氯碱厂（以 H_2 为副产品）易于获得纯氢外，在一般电厂多使用化石燃料重整气体作为 PAFC 的燃料，常用化石燃料有天然气、丙烷、液化石油气 LPG 等（详见第 9 章）。在重整气体中，除 H_2 外还有 CO、CO_2 及部分未反应的碳氢化合物。CO 是可引起 PAFC 催化剂中毒的成分，而 CO_2 和碳氢化合物则属稀释成分。由于阳极反应近于可逆，燃料成分、氢的利用率等对电池性能的影响并不是很大。由氢分压引起的电压变化关系为

$$\Delta V_a = 55 \lg \frac{(\bar{p}_{H_2})_2}{(\bar{p}_{H_2})_1} \qquad (4\text{-}13)$$

式中　$\bar{p}_{H_2}$——系统内氢的分压。

在 190℃，氢气中含 $CO_2$10% 时引起的电压变化为 2mV。

4.3.4　杂质的影响

进入 PAFC 的杂质浓度与稀释成分或反应气体相比相当低，但其作用很大。某些杂质，如硫化物，是从燃料气体带到重整过程，又被带进燃料电池系统的。而另一些杂质，如 CO，是燃料重整过程产生的。典型重整气体的组成为，$H_2$78%，$CO_2$20%，

CO 小于 1%，H_2S、Cl_2、NH_3 小于 $1mg/m^3$。

4.3.4.1 一氧化碳的影响

燃料气体中一氧化碳对阳极性能影响很大，因为它抑制铂电极的电化学催化活性。据报道，一氧化碳对铂的抑制作用是由于在铂催化剂表面 2 个 CO 分子取代了 1 个 H_2 分子的位置。根据这一观点，在固定过电位下的阳极氧化电流与 CO 覆盖率的关系为

$$\frac{J_{CO}}{J_{H_2}} = (1 - \theta_{CO})^2 \qquad (4-14)$$

式中　J_{CO}——一定过电位下，有 CO 存在时的电流密度；

　　　J_{H_2}——一定过电位下，无 CO 存在时的电流密度；

　　　θ_{CO}——铂电极表面 CO 的覆盖率。

在 190℃，$[CO]/[H_2] = 0.025$，$\theta_{CO} = 0.31$ 时，J_{CO} 为 J_{H_2} 的 50%，说明 CO 对电极性能的抑制作用很大。

在 4.3.1 节介绍温度对电池性能影响时也提到，温度对 CO 的抑制作用有很大影响。温度愈低，CO 对铂电极的抑制作用愈大；温度愈高，CO 的抑制作用愈小，进入电池系统的 CO 允许值愈高。因 CO 中毒而引起的电池电动势损失与温度的关系为

$$\Delta V_{CO} = k(T)\{w(CO)_2 - w(CO)_1\} \qquad (4-15)$$

式中　$w(CO)$——燃料中 CO 的体积分数；

　　　ΔV_{CO}——燃料中 CO 的浓度变化引起的电池电动势变化，mV；

　　　$k(T)$——与温度有关的常数，其值见表 4-4。

表 4-4　公式 (4-15) 中的 $k(T)$ 随温度的变化[①]

$T/℃$	163	177	190	204	218
$k(T)$	-11.1	-6.14	-2.12	-2.05	-1.30

①阳极：Pt 载体，$0.35mg/cm^2$，电流密度 269 mA/cm^2。

根据表 4-4，可以算出 163℃ 的 ΔV_{CO} 为 218℃ 时的 8 倍。

式 (4-15) 是在电流密度 269mA/cm² 下获得的。电流密度与此相差较大时，误差也很大，使用时应注意。

CO 对铂电极性能的影响如图 4-14 所示。

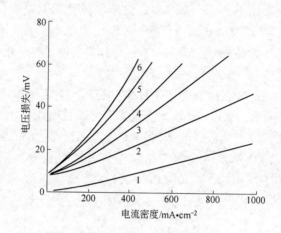

图 4-14　CO 对铂阳极性能的影响

条件:100% 磷酸电解质;180℃;阳极催化剂载体 Pt 的载量 0.5mg/cm²

1—H_2;2—70% H_2,30% CO_2;3—70% H_2,29.7% CO_2,0.3% CO;

4—70% H_2,29% CO_2,1% CO;5—70% H_2,27% CO_2,3% CO;

6—70% H_2,25% CO_2,5% CO

如前所述，CO 的最高允许浓度取决于电池的工作温度。在通常的工作温度 190℃ 附近时，1% CO 含量对电极性能无明显副作用。作为比较，AFC 或 PEMFC 的工作温度为 80℃ 或更低，必须将燃料中 CO 的质量浓度降低至几个 mg/m³ 或更低。

总之，一氧化碳对电极性能的抑制作用很大，而且这种作用随 CO 浓度的增加而增大。但这种作用是可逆的，提高温度，电极性能可得到补偿而恢复。

4.3.4.2　硫化物的影响

硫化氢和羰基硫化物是毒化 PAFC 的物质。经脱硫处理后，化石燃料重整制得的合成气中含有的硫化物几乎对电池性能没有影响，但如果燃料中的硫化物转化为 H_2S 并未被去除时，电极性能就会受到极大影响。

当 PAFC 工作条件为 190 ~ 210℃，0.92MPa，80% 氢利用率，电流密度小于 325mA/cm^2，对铂电极性能无损害作用的浓度极限为小于 100mg/m^3（H_2S + COS），或 30mg/m^3（H_2S），在燃料中 H_2S 浓度超过 75mg/m^3 时，电池性能将迅速恶化。

硫化氢与一氧化碳的抑制作用存在协同效应，图 4-15 表示了这种关系，即在纯氢中只有 H_2S 和在 H_2S 中含有 10% CO 时的电池电压损失（ΔV）随 H_2S 质量浓度的变化曲线。H_2S 质量浓度很高时，两种情形都出现 ΔV 急剧上升的情况。当只有 H_2S 存在时，这种电池性能的突降出现在 H_2S 质量浓度为 360mg/m^3 时，而当 H_2S 中含有 10% CO 时，电池性能突降出现在 240 mg/m^3。

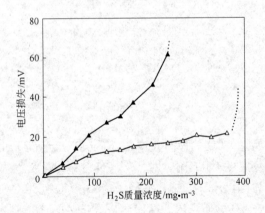

图 4-15　电压损失与 H_2S 质量浓度的关系

条件：200mA/cm^2；

▲—H_2S 中含 10% CO；△—不含 CO

实验证明，H_2S 的抑制作用是由于 H_2S 被吸附于铂上并封锁了氢氧化物的活性点。其可能的机理是

$$Pt + HS^- \longrightarrow Pt - HS_{ads} + e \qquad (4\text{-}16)$$

$$Pt - H_2S_{ads} \longrightarrow Pt - HS_{ads} + H^+ + e \qquad (4\text{-}17)$$

$$Pt - HS_{ads} \longrightarrow Pt - S_{ads} + H^+ + e \qquad (4\text{-}18)$$

式中，下脚标"ads"表示是吸附态。

铂电极上的单质硫只在高阳极电位下存在（式4-18），而且在电位足够高时，可将硫氧化成 SO_2。

硫中毒的程度是随 H_2S 浓度增加而增大，随温度升高而降低。

硫的抑制作用不在阴极发生，而阳极中毒是可逆的，可通过升高温度或高电位下的极化使其恢复。

4.3.4.3 氮化物的影响

氮化物中除氮气为无害的稀释成分外，其他的如 NH_3、HCN、NO_x 等这些来自燃料重整过程的氮化物都对电池性能有副作用。

燃料或氧化气体中的氨与磷酸反应生成磷酸盐，$NH_4H_2PO_4$（式4-19）。其结果是造成氧的还原速率降低。为防止电池性能的降低，$NH_4H_2PO_4$ 的浓度必须低于 0.2%（mol），而氨的实际最大允许浓度是 $1mg/m^3$。

$$H_3PO_4 + NH_3 \longrightarrow NH_4H_2PO_4 \qquad (4\text{-}19)$$

另外，氨的中毒也是可逆的，当系统中不含氨时，电池性能即可恢复。HCN 和 NO_x 对电池性能的影响目前尚不清楚。

4.3.5 内阻的影响

电池的输出电压随着电解质中离子流动量及电极、电流收集器、各界面的电子导电性能的降低而降低。电流密度在 100 mA/cm^2 以下时，降低的幅度平均在 15～20mV。

内阻损失的经验公式是

$$\Delta V_{IR} = -0.20J \qquad (4\text{-}20)$$

式中　J——电极电流密度，mA/cm^2；

　　ΔV_{IR}——内阻电压损失，mV。

4.3.6　电流密度的影响

增加电流密度会增加欧姆损失、电化学极化和浓差极化，从而降低电池性能。当工作条件为：$207℃$，$0.82MPa$，阳极入口气体含 70% H_2、0.5% CO，燃料和氧化剂利用率分别是 85% 和 75%，得出的电流密度引起的电压损失为

$$\Delta V_J = \begin{cases} -0.53\Delta J & J = 100 \sim 200 mA/cm^2 \\ -0.39\Delta J & J = 200 \sim 650 mA/cm^2 \end{cases} \quad (4\text{-}21)$$

类似地，在 $204℃$，$0.1MPa$，阴极气体为空气，阳极入口气体仍含 70% H_2、0.5% CO，燃料和氧化剂利用率分别是 80% 和 60%，得出的电流密度引起的电压损失为

$$\Delta V_J = \begin{cases} -0.74\Delta J & J = 50 \sim 120 mA/cm^2 \\ -0.45\Delta J & J = 120 \sim 210 mA/cm^2 \end{cases} \quad (4\text{-}22)$$

4.3.7　寿命

燃料电池寿命的定义为：输出电压降至初始值的 90% 时的运行时间。而初始输出电压值是指在试运行 $100h$ 以后的输出电压值。一般认为电池初期运行至少要 $100h$ 才能达到稳定状态。PAFC 的标准寿命为 4 万 h，相当于连续运行大约 5 年时间。比如，电池初期性能为 $0.7V$，$200mA/cm^2$，在运行 $40000h$ 后，降至 $0.63V$，$200mA/cm^2$。

电池寿命很大程度上与操作条件有关，如工作温度、压力、电压、操作模式如启动、停机条件等。

图 4-16 描绘了输出电压与运行时间的关系。

电压衰减与运行时间的关系为

$$\Delta V_t = -3mV/1000h \quad (4\text{-}23)$$

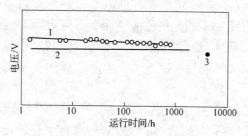

图 4-16 输出电压与运行时间的关系

1—190℃,0.5MPa,200mA/cm² ;2—190℃,0.1MPa,

180mA/cm² ;3—目标值

一般认为燃料电池性能的衰退是由于铂催化剂颗粒的烧结、碳载体的腐蚀及酸涌等现象，而衰退的速度阴极高于阳极。图4-17是铂颗粒的烧结和碳载体的腐蚀示意图。

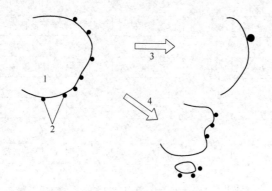

图 4-17 铂烧结和碳载体腐蚀

1—碳载体；2—Pt 颗粒；3—Pt 颗粒烧结；4—碳腐蚀

铂颗粒烧结使催化剂的活性表面减少，因而降低了电池性能。在运行中，碳载体表面的铂颗粒具有迁移并凝聚成大颗粒的趋势，烧结速度与运行时间的对数成正比，并与温度有关。大约在150℃时，开始出现铂颗粒的表面迁移，温度提高时，则以凝聚为主。

载体碳的腐蚀引起铂颗粒的减小，并加速碳表面润湿。这些现象不仅降低了催化剂的活性面积，也阻碍了气体向催化剂层的扩散。载体碳的腐蚀速度决定于电压和工作温度，电压愈高，温度愈高，腐蚀速度愈快。另外，腐蚀速度也与碳的类型有关。

前面已提到过，在制作疏水电极时，要向碳支承的铂催化剂中加入适量的防水材料，如 PTFE，即设计优良的电极要具有充足的疏水性能。然而，此性能却随工作时间的增长而逐渐退化。电解质对三相区的冲刷是造成疏水性能减退、碳载体腐蚀的主要原因。解决的对策就是采用非腐蚀性载体材料并改善对电极的冲刷性能。

影响电池寿命的各种因素、现象及解决对策如图 4-18 所示。

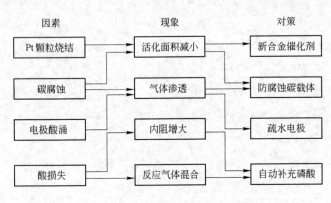

图 4-18　影响电池寿命的各种因素、现象、解决对策

提高电池寿命应考虑的几个重要问题如下：

（1）电池电压不能超过 0.8V。这意味着在 180～190℃甚至更高温度下，电池不能处于开路状态。实验数据表明，180℃开路电压达 1.0V 时测得的衰减速度是低于 180℃、有负荷（100mA/cm²）时的 8 倍。在停机时应采用适当的方法降低电池电压。一般采用的预防措施是向反应气体吹入氮气。短路也是降低端电压的可行方法。启动时也需采用类似的措施以延

长电池寿命。

（2）应避免操作的瞬间剧烈变化，包括快速开 – 关操作。快速停机会扰动反应气流，造成电极间压力差，也影响三相区酸的分布，使电极上出现酸涌或酸缺乏。因此必须有一个专门的控制系统，以阻止这类现象的发生。

（3）必须保证向电池提供充足的反应气体。否则，会发生输出电压的失常，并缩短电池寿命。即使是瞬间，也必须向电池供应充足的气体。由于从重整器到电池堆至少需要几秒（大型系统需要几分钟）时间，在有紧急电力需求时，很难由重整器立即提供充足的反应气体，因此必须进行合理的设计。

总之，燃料电池的寿命问题一直是燃料电池领域研究的课题，因其直接决定着燃料电池的经济实用性。

4.4 PAFC 研发进展

PAFC 仍是世界范围内唯一商业化的燃料电池技术，可满足一部分市场的需求。最著名的 PAFC 发电系统是 ONSI 公司的 200kW 系统（参见 13.2.2.2 节），许多这种电站在世界各地运行。PAFC 的主要开发商是美国的 ONSI 和日本的富士、东芝和三菱。大部分已经运行或正在运行的 PAFC 电站功率在 50 ~ 200kW 之间，还有少量 MW 级和 10MW 级电站（参见 13.1.2 节）。

PAFC 的电极和电解质技术已进入成熟阶段，电池堆部件的生产已形成批量和规模，但在价格上仍不能与传统的电源竞争。因而开发的重点转移到如何提高 PAFC 技术的商业竞争力。重点是优化系统，提高功率密度，降低成本。

1991 年运行的东京湾五井 11MW PAFC 发电厂电池堆的功率密度为 0.142W/cm^2。因而 20 世纪 90 年代初期国际燃料电池公司（IFC，ONSI 的母公司）的研发目标是功率密度 0.188 W/cm^2，寿命 40000h，成本 400 美元/kW。现在部分目标已经达到或突破。功率密度达到 $0.306W/cm^2$，即平均单电池电压 $0.71V$，电流密度 $431mA/cm^2$。千小时电压降为 $4mV$。

三菱电机株式会社对电池堆的元件开发也取得进展，其 $500W$ 小型电池堆在 $200 \sim 250mA/cm^2$ 运行 $10000h$，千小时电压降仅为 $2mV$。

5 熔融碳酸盐燃料电池

5.1 MCFC 工作原理

熔融碳酸盐燃料电池（Molten Carbonate Fuel Cell），简称MCFC。通常被称为第二代燃料电池，因为预期它将继磷酸燃料电池之后进入商业化阶段。MCFC 的工作温度为 $600 \sim 650℃$，因而与低温燃料电池相比，有几个潜在优势。首先，在 MCFC 的工作温度下，燃料的重整，如天然气重整，能在电池堆内部进行，既降低了系统成本，又提高了效率；其次，电池反应的高温余热可用于工业加工或锅炉循环；第三，几乎所有燃料重整都产生 CO，它可使低温燃料电池电极催化剂中毒，但却可成为 MCFC 的燃料。MCFC 的缺点是在其工作温度下，电解质的腐蚀性高，阴极需不断供应 CO_2。

5.1.1 电池反应

MCFC 的电解质通常是将锂钾或锂钠的熔融二元碱金属碳酸盐掺到 $LiAlO_2$ 陶瓷基体中制得，在 $600 \sim 700℃$ 的高温下对 CO_3^{2-} 离子具有良好的传导性。不像其他的燃料电池，MCFC 需要同时向阴极供应 CO_2 和 O_2，由此转变成 CO_3^{2-} 离子，并由它来提供阴阳极间的离子转变，在阳极 CO_3^{2-} 重新转变成 CO_2，1mol 的 CO_2 转变产生 2mol 的电子，MCFC 中的电化学反应为：

阳极反应：　　$H_2 + CO_3^{2-} \longrightarrow H_2O + CO_2 + 2e$ 　　　(5-1)

阴极反应：　　$\frac{1}{2}O_2 + CO_2 + 2e \longrightarrow CO_3^{2-}$ 　　　(5-2)

电池反应：　　$H_2 + \frac{1}{2}O_2 + CO_{2(c)} \longrightarrow H_2O + CO_{2(a)}$ 　(5-3)

式（5-3）中 c、a 分别表示阴、阳极。CO 不直接参与电极反应，但通过水气置换（WGS）反应生成 H_2。除了 H_2 和 O_2 反应生成 H_2O，式（5-3）还显示了 CO_2 从阴极向阳极的转移。反应过程如图 5-1 所示。

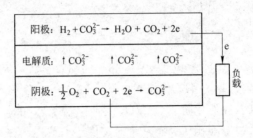

图 5-1　MCFC 电池反应示意图

考虑 CO_2 的转移，MCFC 可逆电池电动势为

$$E = E^{\ominus} + \frac{RT}{2F}\ln\left[\frac{a_{i\,H_2}a_{i\,O_2}^{\frac{1}{2}}}{a_{i\,H_2O}}\right] + \frac{RT}{2F}\ln\left[\frac{a_{i\,CO_{2,c}}}{a_{i\,CO_{2,a}}}\right] \qquad (5\text{-}4)$$

式中，$a_i = p_i/p^{\ominus}$。如果阴、阳极中 CO_2 的分压相同，电池电动势只与 H_2、O_2 和 H_2O 的分压有关。通常两极的 CO_2 的分压不相等，因此影响电池电动势。

5.1.2　CO_2 供应

CO_2 的供应有以下几个途径：

（1）阳极尾气循环到阴极。在 MCFC 中通常将阳极产生的 CO_2 通入阴极进行反应。这样做可能会比较复杂一些，但可通过将阳极尾气通入一个燃烧器，将没有反应的 H_2 或燃料气体转变成 H_2O 和 CO_2。

（2）阳极尾气燃烧后，与阴极进气混合。从燃料器出来的气体再与新鲜的空气混合通入阴极。这个过程并不比其他热燃料电池复杂，因为这个过程还可以用来预热反应物空气，燃烧未反应燃料。

（3）电池堆外 CO_2 源。CO_2 直接外部供给是以上两种方法的替代方法，这种方法当有现成的 CO_2 供给源时非常有优势。

其他不常用的方法有采用一些装置，如薄膜分离器，将 CO_2 从阳极气体中分离出来并通入阴极。用这种方法的好处是，可使未反应的燃料气体重新通入阳极或做别的用途。

5.2 电池堆设计

5.2.1 MCFC 元件技术发展

MCFC 的研究开发始于 1950 年。其后的半个多世纪时间内，在电极反应机理、电池材料、电池堆设计等方面，取得了许多进展，规模不断扩大，几年前即已达到 100kW 水平，目前已达到 250～2000 kW。

表 5-1 给出了 MCFC 电池组成发展的概况。20 世纪 60 年代中期，大多数电极材料是贵金属，但很快发展成以镍基合金作阳极、镍氧化物作阴极。从 70 年代中期始，电极材料及电解质结构基本保持不变。80 年代的一个主要进步是电解质的结构制造技术。

表 5-1　MCFC 电池元件技术发展

元　件	20 世纪 60 年代	20 世纪 70 年代	目　　前
阳　极	Pt、Pd、Ni	Ni-10%Cr（质量分数）	Ni-Cr/Ni-Al 孔径 3～6μm 初始孔积率 45%～70% 载量 0.1～1mg/cm² 厚度 0.20～1.5mm
阴　极	Ag₂O，锂化 NiO	锂化 NiO	锂化 NiO 孔径 7～15μm 孔积率 70%～80%（初始），锂化、氧化后 60%～65% 载量 0.2mg/cm² 厚度 0.5～1mm

元　件	20 世纪 60 年代	20 世纪 70 年代	目　　前
电解质载体	MgO	α、β、γLiAlO$_2$ 混合物 0.005 ~ 0.01mg/cm^2	α、γLiAlO$_2$ 混合物 厚度 0.5 ~ 1mm 0.1 ~ 0.2mg/cm^2
电解质① （摩尔分数）	52% Li-48% Na 43.5% Li-31.5% Na-25% K "电极糊"	62% Li-38% K 60% ~ 65%（质量分数） 热压"瓦" 厚度 1.8mm	62% Li-38% K 50% Li ~ 50% Na 约 50%（质量分数） 带铸 厚度 0.5 ~ 1mm

①电解质为碱金属碳酸盐，组成为摩尔分数。

5.2.2　电极

5.2.2.1　阳极

MCFC 的阳极为 Ni-Cr 或 Ni-Al 合金，加入 2% ~ 10% Cr 的目的是防止烧结，但 Ni-Cr 阳极极易发生蠕变。Cr 还能被电解质锂化，并消耗碳酸盐。减少 Cr 的含量可减少电解质损失，但蠕变增大。Ni-Al 阳极蠕变小，电解质损失少。低蠕变是由于合金中生成了 LiAlO$_2$。

镍基阳极的成本相对较高，许多研究集中在探索镍的代用金属，以降低成本。Cu 的研究较多。Cu 不能完全取代 Ni，因为铜的蠕变比镍大。Cu-50% Ni-5% Al 合金有较好的抗蠕变性能。

MCFC 的镍基阳极存在的主要问题是电极结构的稳定性。微孔性镍基阳极的烧结和机械变形，导致性能的严重降低。

MCFC 系统的耐硫能力很受重视，特别是用煤做燃料时，对硫的耐受力高，可以减少或取消净化设备，提高效率、降低成本。特别需要低温除硫时，重整后的燃料气体温度降低，然后再加热到电池的温度。这一升一降，导致系统效率降低，成本上升。目前，还没有理想的耐硫电极。$LiFeO_2$ 阳极和涂 Mn 或 Nb 的 $LiFeO_2$ 阳极性能不高，电流密度低于 $80mA/cm^2$。未来研究的焦点是提高电极的性能，开发耐硫的阳极材料。

5.2.2.2 阴极

MCFC 对阴极的要求是导电性好、结构强度高、在熔融碳酸盐中溶解度低。目前的 NiO 阴极，导电性和结构强度都合适，但 NiO 可溶解、沉淀，并在电解质基底中重新形成枝状晶体，导致电池性能降低，寿命缩短。阴极溶解是影响 MCFC 寿命的主要因素，特别是在加压运行时。

当使用薄电解质结构时，NiO 在熔融碳酸盐中的溶解很明显。尽管 NiO 在碳酸盐中的溶解度很低（约 $10^{-5}g/g$），Ni^{2+} 仍向阳极扩散，当遇到氢气还原环境时，还原为金属镍并沉积下来，沉积的金属镍反过来加速 Ni^{2+} 离子的扩散。

NiO 在熔融碳酸盐中的溶解度与其酸碱性有关。熔融碳酸盐的碱性定义为 $-lga_{O^{2-}}$ 或 $-lga_{M_2O}$，其中 a 是活度。按这个定义，K_2CO_3 离解出 K_2O 的量少，为酸性。Li_2CO_3 离解出 Li_2O 的量较多，为碱性。在二元碳酸盐熔盐中，NiO 的溶解度与熔盐的酸碱性有关。

在酸性熔盐中，NiO 的溶解过程为

$$NiO \longrightarrow Ni^{2+} + O^{2-} \qquad (5-5)$$

在碱性熔盐中，NiO 的溶解过程为

$$NiO + O^{2-} \longrightarrow NiO_2^{2-} \qquad (5-6)$$

在酸性熔盐中，NiO 的溶解度随碱性增大而减小；在碱性熔盐中，NiO 的溶解度随碱性增大而增加。溶解度随碱性变化有一个最低点。在含 Li 少的二元碳酸盐 Li_2CO_3-K_2CO_3 电解质中，NiO 的溶解度小。例如在 38% Li_2CO_3-62% K_2CO_3 中 NiO 的溶解度低于 62% Li_2CO_3-38% K_2CO_3。

CO_2 的分压对 NiO 的溶解度有较大影响。其一，电解质酸性

与 $\lg p_{CO_2}$ 成正比；其二，NiO 的溶解可能含有以下反应

$$NiO + CO_2 \longrightarrow Ni^{2+} + CO_3^{2-} \qquad (5\text{-}7)$$

CO_2 的分压越高，NiO 的溶解度越大。常压下 MCFC 的寿命可能达到 40000h，在 1MPa 工作压力下，只能达到 5000 ~ 10000h。

解决阴极溶解的可能途径有，开发新的阴极材料，增加基底厚度，在电解质中加入添加剂提高其碱性。$LiFeO_2$ 电极在阴极环境下化学性能稳定，基本上无溶解。但与 NiO 电极相比，反应动力学性能差，加压情况下性能有所提高。涂 Co 的 $LiFeO_2$ 电极正在研究中。NiO 电极表面涂 5% 的 Li、厚度 0.2mm、电流密度 $160mA/cm^2$ 时，电压提高 43mV。

减少基底厚度将降低电池寿命，增加电解质基底厚度则有利于提高寿命。这时由于增加了 Ni^{2+} 离子的扩散路径，因而降低了传输速率。但增加基底厚度，电池性能略有降低。CO_2 的分压减少 1/3，NiO 的溶解度也减少 1/3。

5.2.3 电解质

5.2.3.1 载体

载体是陶瓷颗粒混合物，形成毛细网络容纳电解质。载体为基质电解质提供结构，但不参加电学或电化学过程。基质的物理性质在很大程度上受载体控制。载体颗粒的尺寸、形状及分布决定孔积率和孔隙分布，进而决定基质的欧姆电阻等性质。载体颗粒的物理及化学稳定性很重要，颗粒的不稳定性将导致电解质损失及电池性能下降。

载体一般是粗、细颗粒及纤维的混合物。所有 MCFC 使用的细颗粒材料都是 $\gamma\text{-}LiAlO_2$，它能提供高孔积率。粗粒材料（约 $10\mu m$）用于提高抗压强度及热循环能力。加入 Al_2O_3 纤维的目的是提高抗张强度和抗弯强度。典型的载体组成见表 5-2。

MCFC 与 PAFC 相似，都使用液态电解质、并将其固定在一

个多孔的基体上。在 PAFC 中，PTFE 作为粘结剂和疏水材料，在多孔电极中建立了电极-电解质-反应气体的三相界面。在 MCFC 的工作温度下却没有任何材料能够如此稳定的工作。因此就需要在 MCFC 多孔电极中建立一个稳定的电解质－反应气体界面，如图 5-2 所示，在 MCFC 中多孔电极是依靠毛细管的压力平衡来建立电解质接触面边界的。

表 5-2 典型载体组成

形 状	材 料	粒度/μm	组成/%
细粒	γ-LiAlO$_2$	0.1	55
粗粒	α-Al$_2$O$_3$	10	35
纤维	α-Al$_2$O$_3$	ϕ5	10

通过适当调整电极以及电解质基体中的孔径，就可获得如图 5-2 所示的电解质分布，可使熔融碳酸盐完全充满电解质基体，而多孔电极只是被部分充满。孔径愈大填充的愈少，因此，电解质基体的孔径应尽可能小，使其被完全充满，而电极孔径则稍大些可被部分充满。所以，获得高性能、高寿命 MCFC 的关键是控制熔融碳酸盐电解质的最佳分布。电解质结构改进的另一个方面是其阻止气体穿过的能力。

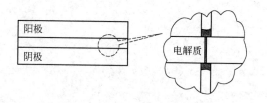

图 5-2 MCFC 电解质动态平衡示意图

1980 年以前，电解质结构的常规制作方法是热压法，将 LiAlO$_2$ 与碱金属碳酸盐混合物（液态时体积比 1:1）在 3.5MPa、略低于碳酸盐熔点的温度下热压成型。这种成型结构，又称电解质瓦，厚度较大，1～2mm，需要大型工具和较大压力，制造尺寸不能大。热压成型电解质结构的缺点是：

（1）无效空间大（孔积率小于 5 ％）；

（2）微观结构不均；

（3）机械强度差；

（4）欧姆损失高。

为了克服热压成型电解质结构的缺点，发展了其他工艺，如带铸，电泳沉积等。带铸是陶瓷工业中常用的加工方法。在制作 MCFC 电解质结构时，将陶瓷粉末分散在有机溶剂中，其中含有溶解性黏合剂（通常为有机物）、增塑剂和能产生适当泥釉流变的添加剂。泥釉铸在移动的光滑衬底上，厚度由刮片机控制。泥釉干燥后，装入燃料电池。在电池启动阶段，有机黏合剂因热分解而去除，碱金属碳酸盐吸附进入陶瓷结构。

带铸和电泳沉积法可制造面积大、厚度小的电解质结构，厚度在 0.25～0.5mm。电解质结构的欧姆电阻及因此而产生的极化，对 MCFC 的输出电压有很大影响。电解质衬底中的欧姆损失占全部欧姆损失的 70%。在 650℃，电流密度 160mA/cm^2，电导率 0.3S/cm 时，电解质的欧姆电压损失 ΔV_{Ohm}（mV）遵循式 (5-8)，

$$\Delta V_{Ohm} = 53.3l \qquad (5-8)$$

式中　l——电解质厚度，mm。

按式（5-8），同一个 MCFC 电池，电解质厚度为 0.25mm 时的输出电压，比厚度 1.8mm 时高 82mV。因此，电解质越薄，电池性能越好。

5.2.3.2　电解质

电解质的成分也从几个方面影响 MCFC 的性能和寿命，富锂电解质的离子电导率高，因而欧姆极化低。Li_2CO_3 的离子电导率比 Na_2CO_3 和 K_2CO_3 高，但在 Li_2CO_3 中，气体溶解度小、扩散系数低、腐蚀速度快。

制造较为温和的电池环境，有利于减缓阴极溶解。途径之一

是向电解质中加入添加剂增加其碱性，少量添加剂不影响电池性能，但添加剂量大时，可降低电池性能。表5-3为添加剂用量范围；另一途径是增加电解质中 Li 的比例，或用 Li-Na 二元碳酸盐代替 62% Li-38% K 熔盐。

表 5-3 MCFC 电解质添加剂用量范围（摩尔分数,%）

添加剂	62% Li_2CO_3-38% K_2CO_3	52% Li_2CO_3-48% Na_2CO_3
$CaCO_3$	0 ~ 15	0 ~ 5
$SrCO_3$	0 ~ 5	0 ~ 5
$BaCO_3$	0 ~ 5	0 ~ 5

MCFC 运行初期，欧姆损失约 65mV，运行 40000h 后，高达 145mV。电压损失主要发生在电解质及阴极。其中，电解质的欧姆损失占 70%。电解质结构孔积率增加 5%，基底电阻减少 15%；用 Li-Na 代替 Li-K，基底电阻率降低 40%。M-C 电力公司正在开发 Li-Na 电解质系统，其离子电导率高，阴极溶解度低，蒸气压低，而电池性能较高。

5.2.4 单电池

单电池结构如图 5-3 所示。

MCFC 的一个特征是使用由载体和碳酸盐构成电解质瓦（又称基底）。电解质被固定在载体内。电解质瓦既是离子导体，又是阴、阳极隔板，其塑性可用于电池的气体密封，防止气体外泄，即所谓"湿封"，

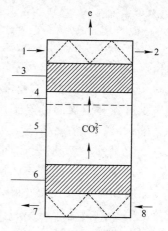

图 5-3 MCFC 单电池结构示意图

1—燃料（540℃，H_2、CO、CO_2）；

2—阳极尾气（600 ~ 700℃）；3—阳极；

4—泡沫减压层；5—电解质；6—阴极；

7—阴极尾气（600 ~ 700℃）；

8—氧化剂（540℃，O_2、CO_2）

如图 5-4 所示。当电池的外壳为金属时,湿封是唯一的气体密封方法。

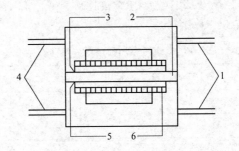

图 5-4　MCFC 湿封示意图

1—进气口;2—电解质瓦;3—阴极;4—出气口;
5—阳极;6—电流收集板

5.2.5　电池堆

单电池结构的简单重复就构成电池堆结构,如图 5-5 所示。隔板,也称双极板,取代单电池的外壳,作为电池间的连接。如果双极板和电极间的电子接触充分,可以取消一极或双极的电流收集器。双极板的两面都做成波纹状,供反应气体通过,如图 5-6 所示。双极板波纹与电解接触,施加恒定的压力以减少接触电阻。

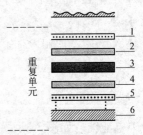

图 5-5　MCFC 电池堆中的重复单元

1—电流收集板;2—阳极;3—电解质;
4—阳极;5—电流收集板;6—隔板

MCFC 电池堆的双极板通常用 15mm 钢板制造,如 316L 不锈钢,面向阳极室反应气体一面镀一层金属镍,作为接触电阻低的导电层,金属镍在阳极还原性气氛中稳定。双极板上易受腐蚀部位镀有一层铝,与 Li_2CO_3 反应后,生成 $LiAlO_2$,能起到防腐蚀作用。但 $LiAlO_2$ 是绝缘体,

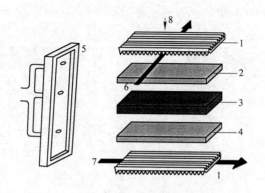

图 5-6　垂直气路双极板

1—双极板；2—阳极；3—电解质；4—阴极；5—进气管；

6—燃料方向；7—氧化剂方向；8—电流方向

需要导电的部位不能用此方法。电池的电流收集器就不能用此法。电流收集器一般是 316L 不锈钢或镀铬不锈钢。MCFC 的长期运行需要防腐性能更好的材料。310 和 446 不锈钢的防腐性能优于 316L。

　　MCFC 的一个主要优点是电池面积可以做成很大而不会产生过大的机械压力，其单电池面积可做到大于 $1m^2$。这是由于电解质瓦的塑性和金属双极板的延展性。而在 SOFC 中，其陶瓷载体线膨胀系数大，电极和电解质的线膨胀系数要精确吻合。

5.2.6　内部重整

　　MCFC 的一个最主要优点是可以内部重整。甲烷的重整反应可以在阳极反应室进行，重整反应所需热量由电池反应提供。在内部重整（IR）MCFC 中，空速较低，重整反应速率很适当。但硫和微量碳酸盐可使重整催化剂中毒。

　　传统 MCFC 也使用外部重整器。内部重整 MCFC（简称 IRMCFC）则没有外部重整器，重整反应在电池堆内部进行。内部重整的方式有两种，间接内部重整（IIR）和直接内部重整

（DIR）。不同类型重整方式示意图如图 5-7 所示。

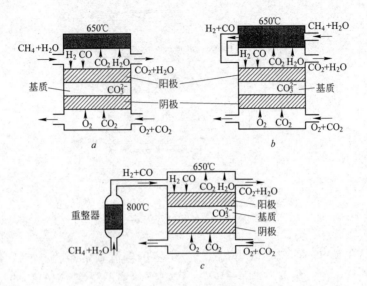

图 5-7　MCFC 不同类型重整方式
a—直接内部重整；*b*—间接内部重整；*c*—外部重整

在间接内部重整中，重整室与阳极反应室是分开的，但紧密相邻，电极反应放热供给吸热重整反应。间接内部重整的优点是重整室和阳极室没有物理影响，缺点是甲烷转化率不及直接内部重整。在直接内部重整中，重整反应在阳极室进行，阳极消耗 H_2，减少 H_2 分压，促使甲烷转化率提高。

在内部重整 MCFC 中，重整反应热量直接由电极反应供给，不需要热交换器。电极反应产生的 H_2O 也参与重整反应和水气置换反应（式 9-4），促使生成更多的氢气。

外部重整器的温度为 800～900℃，甲烷的理论转化率能达到 95%～99%（气碳摩尔比为 2.5～3.0）。MCFC 内部温度 650℃，甲烷理论转化率 85%（气碳摩尔比为 2.5），但在实际系统中，接近 100%。

650℃时，甲烷重整反应使用以 MgO 或 $LiAlO_2$ 为载体的镍催化剂。甲烷转化率（$CH_4 \rightarrow H_2$）与燃料利用率的关系如图 5-8 所示。在开路时，$CH_4 \rightarrow H_2$ 转化率 83%，接近理论值。在有负载回路中，H_2 被消耗生成水，当燃料利用率大于 50% 时，$CH_4 \rightarrow H_2$ 转化率接近 100%。

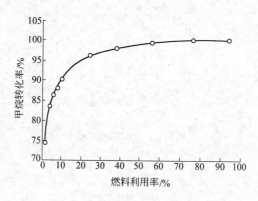

图 5-8　甲烷转化率与燃料利用率的关系

　　MCFC 的常用燃料是天然气，也可用其他燃料，如甲醇、丙烷、煤气等。

5.3　MCFC 的性能

　　与低温燃料电池相比，MCFC 的成本和效率很有竞争力。PAFC 和 PEMFC 都需要贵金属催化剂，还要去除重整富氢燃料中的 CO。而在高温，H_2 的反应活性高，可以使用非贵金属作电化学催化剂。提高反应温度虽使电池热力学效率（$\Delta G/\Delta H$）降低，但同时也降低了过电位损失，实际效率是提高了。

　　MCFC 的工作温度是 600 ~ 650℃，足够产生有价值的余热，又不至于有过高的自由能损失（MCFC 的理论开路电压比 SOFC 高 100mV）。余热可被用来压缩反应气体以提高电池性能，用于燃料的吸热重整反应，用于锅炉或供暖。

　　在过去的 20 年时间里，单个电池的性能由 $10mW/cm^2$ 提高到大于 $150mW/cm^2$，电池堆的性能和寿命都有了显著的提高。

图 5-9 MCFC 单电池性能的发展情况。目前，美国燃料电池能源公司（其前身是能源研究公司（ERC））已制造出总面积 $254m^2$，功率 250kW 的 MCFC 电池堆。美国爱姆西电力公司（M-C Power）电池堆含有 250 个 $1m^2$ 单电池，功率 250kW。

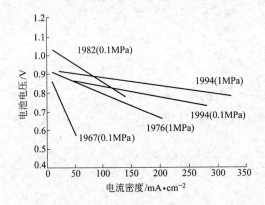

图 5-9　MCFC 单电池性能发展

5.3.1　压力的影响

压力对 MCFC 可逆电动势的影响，从能斯特方程看得很明显。当系统压力从 p_1 变化到 p_2 时，可逆电动势的变化值 ΔV_p（mV）表示为

$$\Delta V_p = \frac{RT}{2F}\ln\frac{p_{a1}p_{c2}^{\frac{3}{2}}}{p_{a2}p_{c1}^{\frac{3}{2}}} \tag{5-9}$$

式中，a、c 分别表示阳极、阴极。当阴、阳极反应室压力相等时，有

$$\Delta V_p = \frac{RT}{4F}\ln\frac{p_2}{p_1} \tag{5-10}$$

当温度为 650℃时，

$$\Delta V_p = 46\lg\frac{p_2}{p_1} \tag{5-11}$$

因而在 650℃ 时，当压力提高 10 倍时可逆电池电动势增加 46mV。

提高 MCFC 的工作压力，反应物分压提高，气体溶解度增大，传质速率增加，因而电池电动势增大。

提高压力也有利于一些副反应的发生，如碳沉积（式 5-12）、甲烷化反应（式 5-13）等。碳沉积可能堵塞阳极气体通路。1 个甲烷分子形成，将消耗 3 个 H_2 分子。这些副反应都应避免发生。燃料中加入 H_2O 和 CO_2 可调节平衡气体组成，限制甲烷化反应。增加水蒸气分压可避免碳沉积反应。

$$2CO = CO_2 + C \tag{5-12}$$

$$CO + 3H_2 = CH_4 + H_2O \tag{5-13}$$

图 5-10 是不同压力及气体组成时 MCFC 的性能。电池电动势随压力和 CO_2 分压增加而增大。在 $160mA/cm^2$，压力从 0.3MPa 增加到 1.0MPa 时，两种气体的电动势变化都是 44mV。

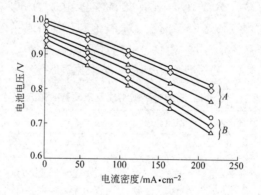

图 5-10　压力对 MCFC 性能的影响

A—高 CO_2 含量；B—低 CO_2 含量

○—1MPa；◇—0.5MPa；△—0.3MPa

由于 ΔV_p 是总压力的函数，气体组成对 ΔV_p 几乎无影响（如图 5-10 所示）。总压力从 p_1 变化到 p_2，电池电动势变化的经验公

式为

$$\Delta V_p = k \lg \frac{p_2}{p_1} \qquad (5\text{-}14)$$

式中，k 为常数，与温度、电流密度有关。不同研究者给出的值有一定差异。在 160mA/cm^2、$650℃$，$k = 76.5$。

5.3.2 温度的影响

温度对 MCFC 可逆电池电动势的影响来自几个方面。一个重要影响是平衡气体组成。水气置换反应（式9-4）是个快速平衡反应，其平衡常数

$$K^{\ominus} = \frac{p_{CO_2} p_{H_2}}{p_{CO} p_{H_2O}} \qquad (5\text{-}15)$$

$K^{\ominus}$ 随温度升高而降低，见表 5-4。假设阴极氧化气体组成为 30% O_2、60% CO_2、10% N_2，阳极燃料气体组成为 80% H_2、20% CO_2，当燃料气体在 25℃ 时被水蒸气饱和，其组成变化为 77.5% H_2、19.4% CO_2、3.1% H_2O。可以计算阳极平衡时各组分的分压，代入式（5-4），计算电动势。结果见表 5-4。

表 5-4　温度对平衡组成及电动势的影响

温度/ K	摩尔分数 / %				E/V	K⊖
	H_2	CO_2	CO	H_2O		
800	0.669	0.088	0.106	0.137	1.155	4.05
900	0.649	0.068	0.126	0.157	1.143	2.08
1000	0.643	0.053	0.140	0.172	1.133	1.30

结果显示，可逆电池电动势随温度升高而降低。在实际电池中，高温时的极化低，因而总的结果是，高温时电池电压高。阴极的极化高于阳极，但阴极极化随温度升高而降低的幅度大于阳极。在电流密度 160mA/cm^2，当温度从 550℃ 升高到 650℃ 时，

阴极过电位降低 160mV。同样电流密度下，温度从 600℃升高到 650℃，阳极过电位值降低 9mV，无明显变化。

以天然气为燃料，氧化气体为 70% 空气、30% CO_2，电流密度 $200mA/cm^2$，电池面积 $8.5cm^2$ 的 MCFC 单电池电压（mV）随温度的升高由式（5-16）表示

$$\Delta V_T = \begin{cases} 2.16\Delta T & 575 \leqslant T < 600℃ \\ 1.40\Delta T & 600 \leqslant T < 650℃ \\ 0.25\Delta T & 650 < T \leqslant 700℃ \end{cases} \quad (5\text{-}16)$$

温度对电池电压的影响主要来自欧姆极化和电极极化。在 575~650℃ 之间，电池电压变化的 1/3 来自欧姆极化，2/3 来自两极的极化。目前大多数 MCFC 电池堆的工作温度是 650℃。碳酸盐的熔点一般高于 520℃。电池性能随温度提高而提高。但当温度大于 650℃ 时，性能提高有限，而且电解质因挥发而损失，腐蚀性也增强了。因此，650℃ 是 MCFC 的最佳工作温度，同时满足性能和寿命的要求。

5.3.3 气体组成和利用率的影响

MCFC 的电压与反应气体的组成有关。气体分压的影响较难分析，原因之一是在阳极有 WGS 反应，另一个原因是在阴极同时消耗 O_2 和 CO_2。在电池的工作状态下，随着反应气体消耗，电池电压降低。提高反应气体利用率一般导致电池电压下降。

5.3.3.1 氧化气体

阴极反应（式 5-2）消耗 CO_2 和 O_2 的比例为 2:1，在这一比例时阴极反应性能最佳。CO_2/O_2 摩尔比对阴极性能的影响如图 5-11 所示。随着 CO_2/O_2 摩尔比降低，阴极性能降低。图中虚线为极限电流。在极限状态，氧化气体中不含 CO_2，阴极电解质分解（式 5-17），此时由于电解质组成改变，极

化达到最大。

$$CO_3^{2-} \rightleftharpoons O^{2-} + CO_2 \qquad (5-17)$$

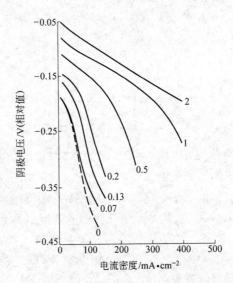

图 5-11 CO_2/O_2 摩尔比对阴极性能的影响

（图中数字为 CO_2/O_2 摩尔比）

氧化气体利用率对电池性能的影响如图 5-12 所示。当利用率从 30% 增加到 50% 时，电池电压下降 30mV。氧化气体利用率

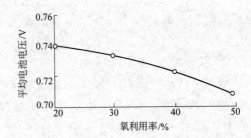

图 5-12 氧化气体利用率对 MCFC 性能的影响

（电流密度 170mA/cm²）

引起的电池电压降由式（5-15）表示：

$$\Delta V_c = \begin{cases} 250\lg \dfrac{(\bar{p}_{CO_2}\bar{p}_{O_2}^{\frac{1}{2}})_2}{(\bar{p}_{CO_2}\bar{p}_{O_2}^{\frac{1}{2}})_1} & 0.04 \leqslant (\bar{p}_{CO_2}\bar{p}_{O_2}^{\frac{1}{2}}) \leqslant 0.11 \\[3mm] 99\lg \dfrac{(\bar{p}_{CO_2}\bar{p}_{O_2}^{\frac{1}{2}})_2}{(\bar{p}_{CO_2}\bar{p}_{O_2}^{\frac{1}{2}})_1} & 0.11 < (\bar{p}_{CO_2}\bar{p}_{O_2}^{\frac{1}{2}}) \leqslant 0.38 \end{cases}$$

$$(5\text{-}18)$$

式中　$\bar{p}_i$——i 组分的平均分压。

5.3.3.2　燃料气体

表5-5 的数据可以说明阳极电动势与 5 种典型燃料成分及两个平衡反应的关系。表中列出了不同气体组成时的开路电压测量值、考虑平衡和甲烷蒸汽重整平衡后的计算值。计算值与测量值十分吻合，说明在 MCFC 阳极反应室，水气置换反应和蒸汽重整反应是快速平衡反应。阳极电动势是 $[H_2]/[H_2O][O_2]$ 比值的函数，比值越大，电动势越高。

表 5-5　燃料气体组成对阳极电位的影响（650℃）

燃　料	序号	加湿温度 /℃	气体组成的摩尔分数 /%						$-E$[①] /mV
			H_2	H_2O	CO	CO_2	CH_4	N_2	
干燥气体	1	53	0.800			0.200			1116[②]
	2	71	0.740			0.260			1071[②]
	3	71	0.213		0.193	0.104	0.011	0.479	1062[②]
	4	60	0.202			0.196		0.602	1040[②]
水气置换 平衡	1	53	0.591	0.237	0.096	0.076			1112[③]
	2	71	0.439	0.385	0.065	0.112			1075[③]
	3	71	0.215	0.250	0.062	0.141	0.008	0.326	1054[③]
	4	60	0.128	0.230	0.035	0.123		0.484	1042[③]
水气置换 及蒸汽重 整平衡	1	53	0.555	0.267	0.082	0.077	0.020		1113[③]
	2	71	0.428	0.394	0.062	0.112	0.005		1073[③]
	3	71	0.230	0.241	0.067	0.138	0.001	0.322	1059[③]
	4	60	0.127	0.230	0.035	0.123	0.0001	0.485	1042[③]

①阴极气体 $[CO_2]/[O_2]$ =2（67% CO_2、33% O_2）。

②实测阳极电位。

③根据平衡气体组成计算的阳极电位。

考虑能斯特方程，在给定的燃料气体组成时，阴极气体 $[CO_2]/[O_2]=2$ 时，电池电动势最大。固定 $[CO_2]/[O_2]$ 比例，向阴极气体中加入惰性气体，可逆电池电动势下降。固定 $[H_2]/[H_2O][O_2]$ 比值，向阳极气体加入惰性气体，电池可逆电动势增大。但向任何一极加惰性气体，都会导致工作电池的浓度极化增大。

图 5-13 显示了燃料利用率对电池电压的影响。燃料利用率从30%增加到60%，电压损失30mV。燃料利用率与电池电压损失的关系为

$$\Delta V_a = 173 \lg \frac{\left[\bar{p}_{H_2}/(\bar{p}_{CO_2}\bar{p}_{H_2O})\right]_2}{\left[\bar{p}_{H_2}/(\bar{p}_{CO_2}\bar{p}_{H_2O})\right]_1} \tag{5-19}$$

式中　$\bar{p}_i$——i 组分的平均分压。

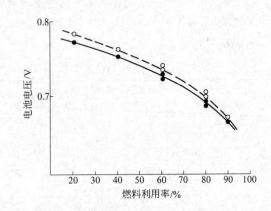

图 5-13　燃料利用率对电池电压的影响
电流密度 $150mA/cm^2$，[空气]/[CO_2] =70/30，氧化剂利用率40%
○—$H_2:CO_2=80:20$；●—$CH_4:H_2=97:3,S/C=2$

上述讨论示意 MCFC 应该在较低反应物利用率下运行，以保证电池电压。但这样做导致燃料效率低。与其他类型燃料电池一样，应综合各种因素，优化电池性能。通常燃料利用率为75% ~ 85%，氧化气体利用率为50%。

5.3.4 杂质的影响

预期煤气化气将是 MCFC 的主要原料。煤中含有许多杂质，煤衍生燃料也含有相当数量的杂质。人们主要关心的是 MCFC 对这些杂质的耐受浓度水平，既不影响电池性能，也不影响电池寿命。表 5-6 列出了煤衍生燃料中杂质对 MCFC 的可能影响。表 5-7 列出了鼓风气化炉煤气净化后杂质的含量及 MCFC 对各种杂质的耐受水平。

表 5-6 煤制燃料气体杂质及其可能影响

类　别	杂　质	对 MCFC 的可能影响
颗粒物	煤粉、灰尘	堵塞气体通道
硫化物	H_2S、COS、CS_2、C_4H_4S	电压损失、通过 SO_2 与电解质反应
卤化物	HF、HCl、HBr、$SnCl_2$	腐蚀，与电解质反应
含氮化合物	NH_3、HCN、N_2	通过 NO_x 与电解质反应
金　属	As、Pb、Hg、Cd、Sn、Zn、H_2Se、H_2Te、AsH_3	沉积并覆盖电极与电解质反应
碳氢化合物	苯、萘、$C_{14}H_{10}$	碳沉积

表 5-7 吹氧气化炉煤气组成、杂质含量及 MCFC 对杂质的耐受水平

燃料成分（摩尔分数）/%	杂　质	杂质的质量浓度 /mg·m^{-3}	MCFC 耐受水平 /mg·m^{-3}
CO 19.2	颗粒物（包括 ZnO）	<500	<100
H_2 13.3	NH_3	2000	<7500
CH_4 2.6	AsH_3	<15	<3
CO_2 6.1	H_2S	<15	<1
H_2O 12.9	HCl	800	<15
N_2 45.8	Pb	<2	<1
	Cd	<2	30
	Hg	<2	35
	Zn	<50	<20
	焦油	4000	<2000[①]

① 以苯计算。

5.3.4.1 硫

已经确认，燃料中的硫化物，即使只有几个 mg/m³，对 MCFC 也是有害的。影响 MCFC 对硫的耐受能力的因素包括温度、压力、气体组成、电池元件、系统运行（循环、排气、气体净化）等。影响电池性能的硫化物主要是 H_2S。在常压和较高利用率（约75%）条件下，阳极可耐受低于 15 mg/m³ 的 H_2S，阴极氧化气体中的 SO_2 应低于 3 mg/m³。这些浓度极限随温度升高而提高，随压力升高而降低。

H_2S 对电池性能的影响主要在以下几个方面：

（1）在镍催化剂表面发生化学吸附，堵塞电化学反应活性中心；

（2）堵塞水气置换反应活性中心，阻碍水气置换反应；

（3）燃烧后变成 SO_2，与电解质中碳酸根反应。

H_2S 对 MCFC 性能的影响如图 5-14 所示。在 650℃，向燃料（10% H_2、5% CO_2、10% H_2O、75% N_2）中加入 7.5 mg/m³ H_2S，电池电压降低。低浓度的 H_2S 对开路电动势无影响。电流密度越大，对电压的影响越显著。H_2S 的影响不是永久性的，当燃料中不含 H_2S 时，电压恢复正常。这一结果可用 H_2S 和 S^{2-} 的化学

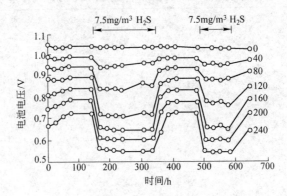

图 5-14　H_2S 对 MCFC 性能的影响（650℃）

（图中数字为电流密度（mA/cm²））

及电化学反应解释。在镍阳极

$$H_2S + CO_3^{2-} \longrightarrow H_2O + CO_2 + S^{2-} \tag{5-20}$$

$$Ni + xS^{2-} \longrightarrow NiS_x + 2xe \tag{5-21}$$

当硫化镍阳极处于开路状态时，NiS_x 被 H_2 还原，

$$NiS_x + xH_2 \longrightarrow Ni + xH_2S \tag{5-22}$$

类似地，当使用无 H_2S 燃料时，也发生反应（式5-21）。

阳极反应室发生的水气置换快速平衡反应，提供氢气。如果 H_2S 堵塞了催化活性中心，水气置换反应不能达到平衡，燃料中的氢气含量减少。但 H_2S 对水气置换反应的影响不显著。Cr-Ni 阳极对 H_2S 也有较强的耐受能力。

阴极反应需要的 CO_2 可以由阳极尾气循环供应，一般是经燃烧去除未反应的燃料。所以，如不经除硫，阳极尾气中的硫化物将以 SO_2 的形式进入阴极。SO_2 定量与电解质反应，生成碱金属硫酸盐。硫酸根离子（SO_4^{2-}）通过电解质转移到阳极，被还原为 S^{2-}，增加 S^{2-} 的浓度。

在现有 MCFC 技术水平下，为保证其长期运行（4 万 h），燃料气体中的硫含量（以 H_2S 计）应低于 $0.01mg/m^3$。如果定期除硫，硫化物含量可放宽到 $1mg/m^3$。

5.3.4.2 卤化物

卤化物严重腐蚀阴极室材料，对 MCFC 的影响是破坏性的。HCl 和 HF 与熔盐（Li_2CO_3、K_2CO_3）反应，生成 H_2O、CO_2 和相应的卤化物。由于 KCl 和 KF 蒸气压高，使电解质损失率提高。煤衍生物中氯化物的含量一般为 $15 \sim 800mg/m^3$。一般认为燃料气体中 HCl 的含量应低于 $15mg/m^3$。MCFC 长期运行对 HCl 的耐受水平还没确定。

5.3.4.3 含氮化合物

少量的含氮化合物，如 NH_3、HCN，对 MCFC 无影响。阳极气体燃烧产生 NO_x，将在阴极与电解质反应生成硝酸盐。不同研

究中 MCFC 对 NH_3 的耐受水平差别很大，从 0.1 mg/m^3 到 1% （体积分数）。

5.3.4.4　固体颗粒物

固体颗粒物对 MCFC 的影响主要是堵塞气体通路或覆盖阳极表面。碳沉积及其控制已在 5.3.1 节中讨论过。除硫器中的 ZnO 颗粒可随净化气体进入阳极。燃料气体中粒径大于 $3\mu m$ 的固体颗粒含量一般应低于 $100mg/m^3$。

5.3.4.5　其他杂质

燃料中的 AsH_3 含量低于 $3mg/m^3$ 时，对 MCFC 性能无影响。但含量达到 27 mg/m^3 时，影响显著，在 $160mA/cm^2$，电压损失可达 120mV。微量金属，如 Pb、Cd、Hg 和 Zn，其影响主要是在电极表面的沉积，或与电解质反应，其最高允许含量见表5-7。

5.3.5　电流密度的影响

电流密度增大时，欧姆极化、活化极化和浓度极化均增加。最主要的是欧姆极化，其影响用式（5-23）表示

$$\Delta V_J = \begin{cases} -1.21\Delta J & 50 \leqslant J \leqslant 150 \\ -1.76\Delta J & 150 < J \leqslant 200 \end{cases} \qquad (5\text{-}23)$$

式中　J——电流密度，mA/cm^2。

5.4　MCFC 开发的趋势

MCFC 的研究开发在美国、欧洲和亚洲都很活跃。美国的主要开发商是燃料电池能源公司（FCE）和爱姆－西电力公司（M-C Power）。欧洲的主要开发商有荷兰燃料电池公司（BCN），德国 MTU 公司，意大利安萨尔多（Ansaldo）研究所。日本的主要开发商有东芝、日立、三菱、石川岛－多摩重工。FCE 公司开发的 MCFC 系统功率已达到 2MW。

5.4.1　降低成本

MCFC 的发展进入了第一个综合试验阶段。试验系统的规模

从 250kW 到 2MW 不等。总的来说，这些系统都很复杂，因而成本高。它们可能并不完全代表未来有商业竞争力的应用系统。影响 MCFC 发展的因素有成本、性能、可靠性、运行及维护，其中成本最为重要。

系统成本最常用的定义是单位功率成本（如美元/kW）。用户可以用它来衡量是否使用，制造商用它来确定投资额。硬件、工程等成本是定量的，还有一些不能定量的因素。另外，外部因素、厂址、地域性价格因素等也应考虑。

电池堆和配套设备的成本降低潜力不同。电池堆含有许多元件，如果批量生产，成本就会显著降低，而仅决定于原材料价格。而配套设备，主要是通用设备，已经有批量生产，没有多少成本降低的空间。在这种情况下，成本降低只有通过更简单、集成度高的系统设计来实现。

在更先进的 MCFC 系统设计中，传质、传热、压力和功率控制、系统控制和调节是最重要的因素。在系统优化中，要应用最大功分析或微量技术。

内部重整最大限度地减少了传质和传热，而且生成的氢气被就地消耗，促使重整反应更完全，而不仅仅是达到平衡，进而提高效率。与外部重整相比，内部重整取消了重整器及相关设备、除水系统，因而成本显著降低。

在大型 MCFC 系统中，电池堆的成本约占总成本的三分之一。一般认为，原材料成本占电池堆成本的 80% 是可以接受的。电池堆的成本很大程度上决定于设计。现在的大面积平面设计，没有多少进一步降低成本的空间，除非提高产量。

材料成本是决定因素。降低成本的出路在于减少材料用量及使用价格便宜的材料。减少材料要求元件小或薄，有可能影响寿命及可靠性。但有些元件的材料有足够的降低余地，如双极板、电流收集器、电极及电解质瓦。但首先应解决电解质瓦的强度及电极的溶解问题。如果锂盐产量大幅度提高，成本会显著降低。另外，解决阴极溶解也可能会用贵金属。

5.4.2 提高性能

单电池和电池堆性能由能斯特方程、欧姆损失和极化来决定。能斯特因素是由系统设计决定的，一般不被用来优化电池堆性能。改进电极设计，降低电极厚度，两极欧姆损失可望在目前基础上降低 50%。有进一步降低阳极极化的可能性，但阴极极化降低的可能性更大一些。

与其他燃料电池一样，MCFC 中没有转动元件，因而可靠性是很高的。可靠性很大程度上决定于耐久性因素。其他的因素及其出现率、统计数据，基本上是空白，也没有理论模型。

NiO 阴极在运行中缓慢溶解到电解质中，导致阴极性能下降，电池寿命降低。在实际运行条件下，寿命难以超过 25000h。$LiCoO_2$ 阴极的溶解速率比 NiO 低一个数量级，而且与运行条件关系不大。尽管 Co 的价格比 Ni 高，但其寿命预期能达到 10 万 h。

电解质的损失途径有，阳极锂化、阳极生成偏铬酸锂、偏铝酸锂。K_2CO_3 与水反应生成 KOH 而挥发，严重影响电池堆寿命。但此过程可通过控制运行条件来减弱。电池寿命是决定发电成本的一个重要因素。电池堆寿命从 3 年提高到 5 年，投资期望将从 25% 增加到 30%。电池堆寿命的目标是 25000～40000h，单电池千小时电压降小于 4mV。影响寿命的主要因素是阴极溶解、双极板腐蚀、电解质损失及催化剂中毒。

5.4.3 网络化

电池堆网络化是 20 世纪 90 年代出现的技术。在常规的 MCFC 系统中，电池堆对于反应气体来说是并联的。在电池堆网络化设计中，电池堆是串联的，在电池堆之间增加了相对较冷的氧化气体，这样系统的冷却需求大大降低了。另外，在总的燃料利用率不变的前提下，每个电池堆的燃料利用率降低了，因而电池堆效率有了提高。两种设计示意图如图 5-15 所示。总的来说，在网络电池堆系统中，冷却需求及相应的能耗降低，可以取消高温阴极循环鼓风机和除水系统，控制电池堆的高温阀门也可以用低温阀门代替。而且电池堆和总的系统效率提高，成本降低。对内部重整，系统效率提高10%，对外部重整，提高5%。

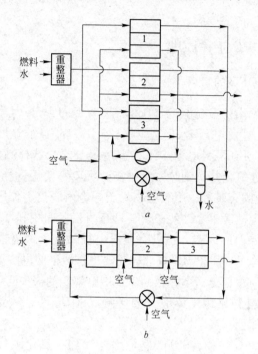

图 5-15　常规及网络电池堆比较

a—常规电池堆；*b*—网络电池堆

6 固体氧化物燃料电池

6.1 SOFC 工作原理

6.1.1 SOFC 的特点

固体氧化物燃料电池（Solid Oxide Fuel Cell），简称 SOFC，适用于大型发电厂及工业应用。SOFC 的工作温度为 800～1100℃，在所有燃料电池中工作温度最高。在这样高的温度下，燃料能迅速氧化并达到热力学平衡，可以不使用贵金属催化剂。SOFC 是全固态装置，用氧化物离子导电陶瓷材料作电解质，比其他燃料电池简单之处就在于其只有两相（固相和气相），没有保持三相界面的问题，也没有淹没电极微孔、覆盖催化剂等问题，无须像 PAFC 和 MCFC 那样需要进行严格的电解质管理。氧化物电解质很稳定，不存在 MCFC 中电解质的损失问题，其组成也不受燃料和氧化气体成分的影响。SOFC 可以承受超载、低载，甚至短路。

和 MCFC 一样，SOFC 也是用氢气和一氧化碳气体作为燃料，燃料在电池内重整。由于 SOFC 运行温度高，其耐受硫化物的能力比其他燃料电池至少高两个数量级，因而可以使用高温除硫工艺，有利于节能。而其他类型燃料电池，为了使硫含量降至 $10mg/m^3$ 以下，需使用低温除硫工艺。SOFC 对杂质的耐受能力，使其能使用重燃料，如柴油、煤气，特别是 SOFC 可以与煤气化器连接，电池反应放热可用于煤的气化。

另外，由于固体氧化物电解质气体渗透性低，电导率小，开路时 SOFC 电压可达到理论值的 96%。与 MCFC 相比，SOFC 的内部电阻损失小，可以在电流密度较高的条件下运行，燃料利用率高，也不需要 CO_2 循环，因而系统更简单。

与 MCFC 相比，SOFC 的一个缺点是自由能损失，其开路电压比 MCFC 低 100mV。因此，除非极化和欧姆损失相当低，SOFC 的发电效率比 MCFC 低，一般低 6%，但这部分效率损失可以由 SOFC 高质量的余热补偿。另外，由于工作温度高，SOFC 对材料的要求高，中温（650～800℃）SOFC 正在研究中。

与其他发电技术相比，SOFC 的优势是效率高。美国西屋公司管式 100kW SOFC 运行效率达到 50%。对于兆瓦级电厂，可以与汽轮发电机联合使用，效率可达 70%，但运行压力一般在 1MPa 以上。预期该公司 250kW 高压 SOFC 电池堆的效率可达到 60%。

如此高的效率在燃料电池发电厂中是最高的。其他传统技术，如蒸汽机、柴油机更是达不到。兆瓦级的柴油发电机机组的效率一般不超过 43%。在未来建筑业中，用热越来越少，用电越来越多，高温燃料电池正好适应这种发展趋势。

SOFC 技术仍处于发展的初期。目前 100kW 管式 SOFC 经过了综合性试验，板式 SOFC 的功率刚达到 10～20kW。西门子（Siemens）公司计划到 2000 年试验 50kW 板式 SOFC，2003 年达到 100kW，2010 年达到兆瓦级。

6.1.2　电池反应

SOFC 工作时，电子由阳极经外电路流向阴极，氧离子（O^{2-}）经电解质由阴极流向阳极，因此阳极产物是水。图 6-1 为 SOFC 工作原理示意图。

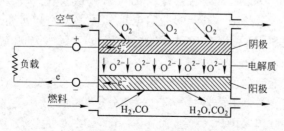

图 6-1　SOFC 的电池反应示意图

从图 6-1 中看出，与 MCFC 不同，SOFC 不需要 CO_2 参与循环，这使系统大为简化。阴极无 CO_2，则开路电池电压可以能斯特公式的简单形式给出。

以重整气体（H_2 和 CO 混合物）为燃料时，电池反应为

阳极 $\qquad\qquad\qquad H_2 + O^{2-} \longrightarrow H_2O \qquad\qquad\qquad (6\text{-}1)$

$$CO + O^{2-} \longrightarrow CO_2 \qquad\qquad\qquad (6\text{-}2)$$

阳极总反应

$$aH_2 + bCO + (a+b)O^{2-} \longrightarrow aH_2O + bCO_2 + 2(a+b)e$$

$$(6\text{-}3)$$

阴极 $\quad \dfrac{1}{2}(a+b)O_2 + 2(a+b)e \longrightarrow (a+b)O^{2-} \qquad (6\text{-}4)$

电池反应

$$\frac{1}{2}(a+b)O_2 + aH_2 + bCO \longrightarrow aH_2O + bCO_2 \quad (6\text{-}5)$$

SOFC 一般在 1000℃ 左右运行。在这个温度下，反应的自由能变化比低温时小得多。与 MCFC 相比，SOFC 的缺点是在较高的工作温度时，水的吉布斯生成自由能是较小的负值，这意味着 SOFC 在 1000℃ 时的开路电压大约比 MCFC 在 650℃ 的电压低 100mV。例如，对于 H_2 的氧化反应，1200K 时，吉布斯（Gibbs）自由能变化为 −181.3kJ/mol，300K 时，为 −228.4 kJ/mol，而反应焓变基本上与温度无关。因而高温时，理论效率（$\Delta G / \Delta H$）较低。由于电池有极化及欧姆损失，实际效率还要低，不过，这些被 SOFC 的低内电抗和使用薄电解质部分抵偿了，致使 SOFC 可以在相对高的电流密度（高达 1000mA/cm²）下工作。

保持电池温度，需要对电池堆冷却，去除的热量在数值上等于反应焓变与发电能量的差值。这部分热量可继续用于汽轮机发电，也可以用于供热。热力学分析表明，SOFC 的总效率可达到 80%。

6.2 SOFC 元件

6.2.1 元件技术发展

由于 SOFC 工作温度高，对构成电池的元件的材料要求很高，包括在氧化还原环境中的化学稳定性、电导率、高温机械性能相容性等。表 6-1 为 SOFC 电池元件的发展概况。

表 6-1 管式 SOFC 元件技术发展概况

元件	20 世纪 60 年代	20 世纪 70 年代	目 前
阳极	多孔 Pt	Ni-ZrO$_2$	Ni-YSZ[①] EVD[②] 线膨胀系数[③]12.5 × 10^{-6}K^{-1} 厚度约 150mm 孔积率 20% ~40%
阴极	多孔 Pt	掺倍半氧化物、涂 SnO-In$_2$O$_3$ 的 ZrO$_2$	亚锰酸镧 挤压、烧结 线膨胀系数 11 × 10^{-6}K^{-1} 厚度约 2mm 孔积率 30% ~40%
电解质	YSZ 0.5mm	YSZ	YSZ（Y$_2$O$_3$摩尔分数为 8%） EVD 线膨胀系数 10.5 × 10^{-6}K^{-1} 厚度 30 ~40μm
连接器	Pt	掺锰铬酸钴	掺镧铬酸盐 等离子体喷涂 线膨胀系数 10 × 10^{-6}K^{-1} 厚度约 100μm

①YSZ 为氧化钇稳定氧化锆。
② EVD 为电化学气相沉积。
③室温到 1000℃范围内。

SOFC 电池结构为薄膜设计，即将电极、电解质及连接材料层沉积后烧结成型，制造技术随 SOFC 构造和开发者各异。管式 SOFC 用电化学气相沉积（EVD）法制造。在管的一侧引入适当的气态金属氯化物，另一侧导入 O_2-H_2O，管两侧气态形成电对，反应生成均匀、密实的金属氧化物薄层。

$$MCl_x + \frac{1}{2}x\, O^{2-} \longrightarrow MO_{x/2} + \frac{1}{2}x\, Cl_2 + xe \qquad (6\text{-}6)$$

$$\frac{1}{2}O_2 + 2e \longrightarrow O^{2-} \qquad (6\text{-}7)$$

$$H_2O + 2e \longrightarrow H_2 + O^{2-} \qquad (6\text{-}8)$$

SOFC 的正常运行要求电池各元件的高温机械相容性好，即在 1000℃时，各元件的线膨胀系数相近，以减少界面应力，形成稳定界面。如表 6-1 所示，从室温到 1000℃，SOFC 的各元件（电解质、连接器、电极）的线膨胀系数均为 $10^{-5}\,K^{-1}$。用 100% Ni 做阳极，导电性极优，但其膨胀系数比陶瓷电解质高出 50%，高温机械性能不匹配。解决的办法是在 Ni 或 NiO 中加入 YSZ 粉末，既保证阳极有较高的电导率，又使其膨胀系数与其他元件匹配，体积配比为 Ni：YSZ = 30：70。

SOFC 的主要电压损失来自欧姆极化，而欧姆极化则主要来自阳极与电解质的界面电阻。界面电阻与 Ni 在阳极的分布有关。在金属皂浆热解（PMSS）工艺中，NiO 颗粒被 YSZ 薄膜或细沉淀包覆，改善 Ni 的分布，强化了阳极与电解质的附着力，也减小了阳极与电解质的膨胀系数差异。

界面上的问题还有扩散、挥发、微组元偏析等。例如，在阴极、电解质界面可生成 La_2ZrO_7 和 $SrZrO_3$，Sr 和 Mn 扩散穿过界面。据推测，如果在 1550℃以下，将相邻元件的界面烧结成高密度，界面活性可能降低，化学烧结方法或物理烧结方法都可使用。

取代烧结和电化学气相沉积的低成本制造方法越来越引人注目，这些方法包括射流气相沉积（JVD）、等离子喷涂和化学气相沉积（CVD）。射流气相沉积是一种成膜技术，在低真空下以声速气流为沉积源，射流气相沉积制成的 YSZ 膜密度高、气密性好，但电导率需要提高。射流气相沉积的研究目标是以连续工艺制造薄膜型 SOFC，包括电解质和电极。

等离子喷涂工艺也可以制造密度高、气密性好的薄膜，喷涂材料在工艺中保持晶体结构不变。由于能把高熔点材料镀到低熔点材料上，该方法适用于多层镀膜。

Ni-YSZ 浆料沉积在 YSZ 电解质表面，经烧结做成的电极，电导率与电化学气相沉积方法制造的电极相当。多工艺制造的 SOFC（等离子喷涂法连接器、电化学气相沉积法电解质、烧结法电极），将取代高成本的全电化学气相沉积法 SOFC。

6.2.2 电极

6.2.2.1 阳极

SOFC 的电极为微孔气体扩散电极。阳极通常是由金属镍及氧化钇稳定的氧化锆（YSZ）骨架——陶瓷合金（功能相似的陶瓷和金属的混合物）组成。在众多的金属元素中选择金属镍是由于其良好的电子传导能力及其在化学还原条件下的稳定性，另外，镍还可催化内部重整反应，使该反应直接发生在电极上。YSZ 的作用是防止金属颗粒烧结，并可使阳极与电池其他元件的热膨胀系数相一致。阳极的孔积率较高，一般为 20% ~ 40%，以满足反应物气体和产物气体的传质要求。

欧姆极化损失主要发生在阳极与电解质的界面，正在研究用双极板来减少这种损失，近来集中在能使甲烷直接氧化的新型陶瓷阳极的开发上，例如掺 Gd 的 CeO_2 中添加 Zr 和 Y 以及各种 TiO_2 基的材料，这样的阳极具有对电子和氧离子的混合传导性，而混合导体阳极的优点在于拓展了反应物-阳极-电解质的三相界面，如图 6-2 所示。

6.2.2.2 阴极

与阳极相似，阴极也是微孔结构，以使反应物气体和产物气体有很高的传质速度。大部分的阴极材料是电子导电氧化物或者

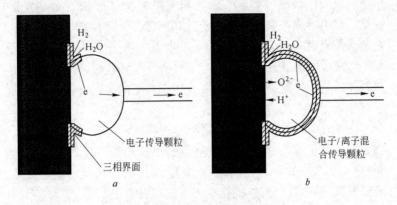

图 6-2 阳极三相界面示意图
a—电子传导；*b*—电子/离子混合传导

是电子和离子混合导电的陶瓷材料。目前普遍使用的新型阴极材料是具有 P 型半导体结构的锶掺杂亚锰酸镧。在 SOFC 中 P 型导体钙钛矿结构得到青睐，是由于它同时具有对离子和电子的传导能力，而这对低温 SOFC 是很关键的。因为当 SOFC 温度下降时，阴极极化作用明显增强，在工作温度 650℃ 左右时，使用这种混合传导氧化物的优势就很明显了。

6.2.3 电解质

SOFC 对电解质的要求如下：
（1）氧离子电导率高；
（2）电子电导率低；
（3）不渗透反应气体。

氧化锆基电解质适用于 SOFC，主要是由于其单纯的离子导电性。早在 1899 年能斯特首先使用氧化锆（ZrO_2）作为氧离子导体。近年来，SOFC 的电解质采用的是添加少量氧化钇稳定的氧化锆（YSZ），温度高于 800℃ 时，电解质中起传导作用的是移动的氧离子（O^{2-}）。对于高温 SOFC 来说，尽管也对 Bi_2O_3、

CeO_2 和 Ta_2O_5 等材料也进行了大量的研究，但最高效的电解质仍然是掺杂8% ~ 10%（摩尔分数）氧化钇的氧化锆（YSZ），因为，氧化锆在燃料电池分别发生还原、氧化反应的阳极和阴极的环境中都显示出良好的稳定性。

纯氧化锆是绝缘体。当 Y_2O_3 与 ZrO_2 混合后，晶格中一部分 Zr^{4+} 被 Y^{3+} 取代。当2个 Zr^{4+} 被2个 Y^{3+} 取代的离子交换发生时，因为3个氧离子代替4个氧离子，而在晶格中产生一些氧离子空位，因此导致氧离子导电。YSZ 的离子电导率（800℃时0.02 S/cm、1000℃时0.1S/cm）与液态的电解质相当，YSZ 可做得很薄（25 ~ 50μm），以保证 SOFC 的欧姆损失与其他类型的燃料电池相当。少量氧化铝的添加可以增强电解质的机械稳定性，在 YSZ 中添加四方晶氧化锆也可提高电解质的强度，使电解质做得更薄，以减少电阻。用电化学气相沉积（EVD）、带铸及其他陶瓷加工工艺制备的 SOFC 的电解质厚度一般可达到40μm。西屋公司首先用 EVD 管式沉积 SOFC 的电解质、阳极及连接器的耐火氧化物薄层，现在这种方法只用于制备电解质。这种工艺的起始材料是管式的阴极材料。在管表面引入适当的金属氯化物气体形成电解质，在另一侧导入 O_2-H_2O，管两侧气体形成电对，最后在管表面生成均匀、致密的金属氧化物薄层，其沉积率决定于不同离子的扩散率和电子载流子的浓度。

其他材料，如 Bi_2O_3、CeO_2 的氧离子传导率虽比 YSZ 高，但在 SOFC 阳极的较低氧分压下不稳定，不利于氧化物的形成、增加了电子电导率，而使电池的电位降低。近来，电解质材料得到了新进展：向稳定的氧化铈中添加镓，或向掺杂镧的 Bi_2O_3 中添加锌等。近期研制出的最突出的材料是 LaSrGaMgO（LSGM），在比氧化锆低的温度下仍具有较高的氧离子传导性，可在中温 SOFC 中应用（参见6.5节）。

6.2.4　连接器

连接器用以实现相邻电池之间的连接。在板式燃料电池的连接器是双极板状，一般采用昂贵的铬镍铁（inconel）不锈钢，适用于工作温度在 800 ~ 1000℃ 的电池堆。低温 SOFC 的优点是可以使用例如奥氏体钢这样的便宜材料。管式设计中的连接器，最好是选择陶瓷材料，如亚铬酸镧。而当其中的镧被 Mg 或其他碱土元素部分取代时，其电子导电性就会增强。不过，这种材料需要在高温（1625℃）烧结得到致密相，这是 SOFC 在制备上的较大问题之一，另外还要兼顾电池各元件间的化学稳定性和机械性能及其相容性，不致使其因在过高温度烧结而降低。此领域的研究非常活跃，很多制备方法都有专利。

6.3　电池堆设计

与其他燃料电池一样，SOFC 也需要做成电池堆以增加电压和功率输出。由于没有液态元件，SOFC 可做成多种构型。目前 SOFC 的构型主要有两种，即管式和板式，如图 6-3 所示。

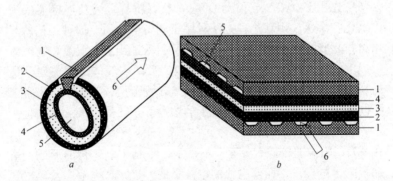

图 6-3　SOFC 构型

a—管式；b—板式

1—连接器；2—阴极；3—电解质；4—阳极；5—空气；6—燃料

板式 SOFC 出现在 20 世纪 60 年代初期，这种构型的缺点是气体密封难度大，受当时技术条件限制，难以制造面积大、厚度小的电池，而管式设计则很好的解决了密封和薄层结构问题。

6.3.1 管式SOFC

6.3.1.1 单电池

图6-4为早期管式SOFC的剖面图。重叠元件，即电极、电解质、连接器，沉积在支撑管上，厚度约10～50μm。支撑管材料为微孔性氧化钙稳定氧化锆。在这种设计中，燃料电池是沿支撑管排列的，以陶瓷连接器串联。另一种早期管式设计称为"套管型"，如图6-5所示，套管型燃料电池可以一个个接成长管。

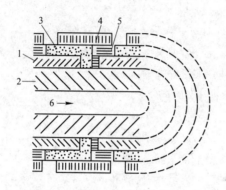

图6-4　早期管式SOFC剖面图

1—阳极；2—微孔支撑管；3—电解质；4—阴极；5—连接器；6—燃料

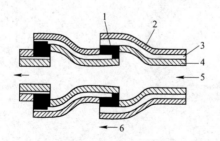

图6-5　早期套管式SOFC剖面图

1—连接器；2—阴极；3—电解质；4—阳极；5—氢气；6—空气

20 世纪 80 年代初出现了不同的工艺，空气电极沉积在氧化锆管的第一层，燃料电极在外层。在最近的设计中，氧化锆支撑管被空气电极材料取代。首先用电化学气相沉积法将电解质沉积在空气电极上，随后进行阳极的等离子喷涂。这种设计称为空气电极支撑型（AES）。新一代西屋公司的 AES 型 SOFC 管长 150cm，直径 2.2cm，其构型如图 6-3a 所示，横剖面如图 6-6 所示。

SOFC 管式设计最显著的优点是消除了高温气密性问题。图 6-7 是无密封管式 SOFC 的纵剖面图。SOFC 单电池像一个尾部密封的大试管，每个管内有一个氧化铝细管向阴极供给空气，燃料（H_2）沿着管的外部（阳极室）流动。由于电池不完全密封（b 处），阳极残余燃料一部分经 d 重新回到阳极进行循环，另一部分于阴极残余氧气在电池出口（c 处）燃烧，使电池出口温度达 1000℃以上，燃烧产生的热量用来预热空气供应管内的空气。如果燃料不是氢气，而是甲烷或甲

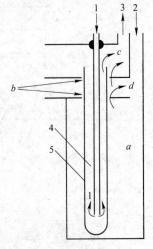

图 6-7　无密封管式 SOFC 纵剖面图

a—阳极室；b—缝隙；c—燃烧区；d—循环区

1—空气；2—燃料；3—尾气；4—氧化铝管；5—阴极管

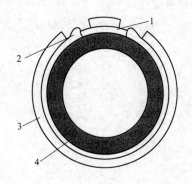

图 6-6　AES 型 SOFC 剖面图

1—连接器；2—电解质；
3—阳极；4—阴极

醇，可在阳极室内进行蒸汽重整，阳极尾气的循环可提高重整的效率和燃料的利用率。

管式设计的缺点是，电流的路径较长，SOFC 的性能受到一定限制。

日本的三菱重工（Mitsubishi Heavy Industries）、英国的 Keele 大学等拥有先进的管式 SOFC 设计。但无疑西屋公司的技术是最先进的。

6.3.1.2 电池堆

AES 型 SOFC 设计与早期设计相比，优点是单电池可以做得较大，后续层与前一层之间没有化学及材料干扰，支撑管一端封死，各电池之间不需密封。管式 SOFC 电池堆的电池连接如图 6-8 所示。电池堆集合式供气设计如图 6-9 所示，与图 6-7 的燃料供给方式稍有不同。氧化气体经 Al_2O_3 中央喷气管导入，燃料气体自支撑管密封端导入，Al_2O_3 管出气口接近支撑管底部，空气（或氧气）向回流过阴极，从支撑管开口逸出。燃料气体与氧化气体流向一致。阳极和阴极尾气中都含有未反应的反应物，经混

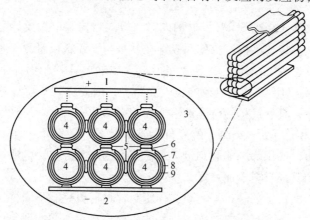

图 6-8　管式 SOFC 电池堆的电池连接

1—阴极母线；2—阳极母线；3—燃料；4—空气；5—镍带；
6—连接器；7—阳极；8—电解质；9—阴极

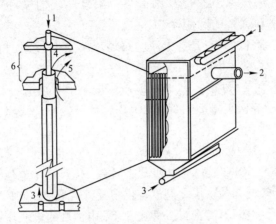

图 6-9　SOFC 集合式供气设计

1—空气；2—尾气；3—燃料；4—过量空气；

5—未反应燃料；6—空气预热区

合，燃烧发热，用于氧化气流预热和驱动汽轮机发电。

6.3.2　板式 SOFC

在管式结构 SOFC 发展的同时，板式结构和单片设计也得到了发展。板式结构，也称双极结构，是与 PAFC 和 MCFC 通用的构型，这种结构可在电池之间形成简单的电连接，而无需如图 6-6 所示的流经管式电池的长电流路径，因而比管式设计的欧姆损失少，具有优越的电池堆性能和较高的功率密度。与其他构型 SOFC 相比，板式 SOFC 的元件制造和装配比较简单，在平板设计中可以使用筛网印刷和带铸等低成本的制备方法，电池堆成型方法与其他燃料电池一样。

板式设计的缺点是需要气体密封，这需要克服不同材料的界面热应力。在高压电池堆中，易发生应力分布不均的现象，因此高压密封的难度是很大的，在不同的电池和堆片材料界面间的热应力会使其机械性能降低，所以热固性是很重要的性质。特别是板式 SOFC 在张力作用下会很脆，氧化锆 SOFC 的抗拉强度仅是抗压强度的20%，加压密封易产生应力分布不均，造成电池断裂，玻璃陶瓷有助于高温密封技术的发展。板式 SOFC 的热循环也有问题。热应力和薄部件的制备限制了板式 SOFC 的规模扩大。如今的常规尺寸是 10cm×10cm。一般用框架结构将多个电池固定在一个堆中。

与管式设计相比，板式设计在功率密度和效率上占优，但是许多研究机构还是因为其内部的技术问题而放弃了板式设计的开发，其中包括 1999 年就建了 20kW 电池堆的欧洲西门子公司。但是板式技术还是在一些公司得到发展，例如澳大利亚的陶瓷燃料电池公司（Ceramic Fuel Cell），欧洲的 Sulzer Hexis 和荷兰能源研究基金会（ECN），美国的联合信号公司（Allied Signal），英国的 Rolls Royce 公司以及日本的村田制造所。

6.4 SOFC 的性能

SOFC 的理论效率比 MCFC 和 PAFC 低（参见 6.1.2）。但高温 SOFC 的极化低，电压损失主要受元件的欧姆损失控制。管式 SOFC 各元件的欧姆损失情况见表 6-2。阴极欧姆极化是最主要原因。尽管电解质和连接器的电阻率高，但其路径短，而阴极的导电路径很长。

表 6-2 管式 SOFC 各元件欧姆损失

元 件	阴 极	阳 极	电解质	连接器
厚度 /mm	2.2	0.1	0.04	0.085
电阻率 /$\Omega \cdot m$	0.00013	3×10^{-8}	0.1	0.01
欧姆损失 /%	45	18	12	25

6.4.1 压力的影响

与 MCFC 和 PAFC 一样，提高压力可以提高 SOFC 的性能。

1000℃时，压力对 SOFC 性能的影响可以近似用式(6-9)表示

$$\Delta V_\mathrm{p} = 59\lg \frac{p_2}{p_1} \qquad (6\text{-}9)$$

式中　ΔV_p——压力引起的电压变化，mV；

p_2、p_1——电池压力，Pa。

式（6-9）假设过电位主要受压力影响，并且随压力升高而降低。图 6-10 是压力对 AES 型电池性能的影响。

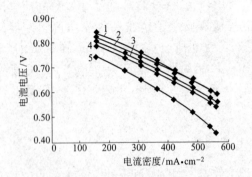

图 6-10　压力对 AES 型电池性能的影响图

条件：89% H_2-11% H_2O；85% 利用率；空气，5 倍量

1—1.5MPa；2—1MPa；3—0.5MPa；4—0.3MPa；5—0.1MPa

6.4.2　温度的影响

温度对 SOFC 性能的影响如图 6-11 所示。在 800℃时，电压-电流密度曲线的斜率增大，主要原因是电解质离子电导率显著降低，欧姆极化升高。相反，在 1050℃时，欧姆极化降低，电池性能提高。

图 6-11 还显示，从 800℃升高到 900℃时性能的变化，比从 900℃升高到 1000℃时的性能变化显著。说明性能随温度的变化不仅与电流密度有关，还与温度范围有关。经验公式为

$$\Delta V_T = k\,(\,T_2 - T_1\,)\,J \qquad (6\text{-}10)$$

式中　ΔV_T——温度引起的电压变化，mV；

T_1、T_2——电池温度，K；

J——电流密度，mA/cm^2；

k——与温度、反应气体组成有关的常数。

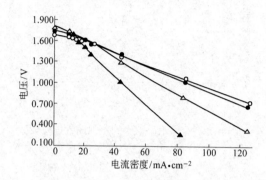

图 6-11　温度对纯氧燃料电池的影响（串联双电池）

条件：67% H_2-22% CO-11% H_2O；85% 利用率；氧气，25% 利用率

○—1050℃；●—1000℃；△—900℃；▲—800℃

即使是同一气体组成，不同研究者的报告值也有很大差别。当燃料气体为 67% H_2、22% CO、11% H_2O，氧化气体为空气时，在 900～1050℃，k = 0.008；在 800～900℃ 范围内，k = 0.04。上述值仅作为参考。

6.4.3　气体组成及利用率的影响

6.4.3.1　氧化气体

与其他燃料电池一样，用纯氧代替空气时，SOFC 的性能提高。工作温度 1000℃，燃料气体为 67% H_2、22% CO、11% H_2O 时，空气和氧气的性能比较如图 6-12 所示。图 6-12 中虚线为外推能斯特电动势的理论值。在管式 SOFC 的目标电流密度 160mA/cm^2 时，使用纯氧和空气的电压差值为 55mV。当电流密度增加时，电压的差别增大，说明空气中的氧还原过程中存在浓差极化。

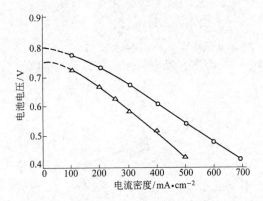

图 6-12　空气和氧气燃料电池的性能比较

条件：1000℃；67% H_2-22% CO-11% H_2O；85% 利用率

○—氧气，25% 利用率；△—空气，25% 利用率

根据能斯特方程，1000℃时，氧化气体利用率变化对电压的影响为：

$$\Delta V_c = 63\lg \frac{(\bar{p}_{O_2})_2}{(\bar{p}_{O_2})_1} \qquad (6\text{-}11)$$

式中　ΔV_c——阴极极化，mV；

$\bar{p}_{O_2}$——系统中氧气的平均分压。

根据实验总结的经验公式为：

$$\Delta V_c = 92\lg \frac{(\bar{p}_{O_2})_2}{(\bar{p}_{O_2})_1} \qquad (6\text{-}12)$$

6.4.3.2　燃料气体

燃料气体组成对 SOFC 理论开路电压的影响如图 6-13 所示。燃料组成由 O/C 原子比和 H/C 原子比确定。如果燃料中没有 H_2，则 H/C = 0。如果燃料为纯 CO，则 O/C = 1。如果为纯 CO_2，则 O/C = 2。随着 O/C 原子比的增加，燃料中 CO_2 增加，理论开路电压下降。H/C 原子比增加，则理论开路电压提高。

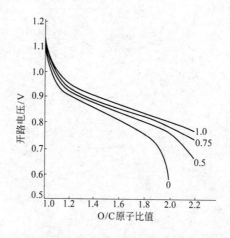

图 6-13　燃料气体组成对 SOFC 理论开路电压的影响（1000℃）

（图中数字为 H/C 比值）

不同燃料气体对管式 SOFC 性能的影响见表 6-3。表中第二组数据显示，CO 可以作为 SOFC 的燃料。当 H_2 和 CO 的含量很低时，浓差极化显著，电池性能下降。

表 6-3　燃料气体组成对 SOFC 性能的影响[1]

燃　料	气体组成的摩尔分数 /%				电流密度
	H_2	CO	H_2O	CO_2	/mA·cm^{-2}
1	97	0	3	0	220
2	0	97	3	0	170
3	1.5	3	20	75.5	100

[1]管式 SOFC，1000℃，电压效率80%。

图 6-14 为燃料利用率对 SOFC 电池电压的影响。燃料组成为 67% H_2、22% CO、11% H_2O，氧化气体为纯氧或空气，利用率恒定在 25%。在电流密度不变的情况下，电池电压随燃料利用率提高而下降，而且高温时（1000℃）下降幅度大。

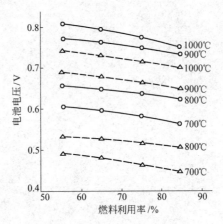

图 6-14　温度和燃料利用率对 SOFC 电池电压的影响

○—氧气；△—空气

6.4.4　其他因素的影响

6.4.4.1　杂质的影响

煤气中常见的杂质有 H_2S、HCl 和 NH_3。$4000mg/m^3$ NH_3 对 SOFC 无影响，$2mg/m^3$ HCl 在 400h 运行期间也基本无影响，1.5 mg/m^3 H_2S 对 SOFC 的性能有显著影响。继续实验证明，如果从燃料中去除 H_2S，SOFC 的性能恢复正常。而且保持 NH_3 $4000mg/m^3$，HCl 2 mg/m^3，将 H_2S 质量浓度降至 0.15 mg/m^3，对 SOFC 性能无影响。

6.4.4.2　电流密度的影响

SOFC 的电压损失由欧姆损失、活化损失和浓度损失构成，它们随电流密度的增加而增大。1000℃时，电流密度变化引起的电压变化由经验公式（6-13）表示

$$\Delta V_J = -0.73 \Delta J \qquad (6-13)$$

式中　ΔV_J——电流密度引起的电压变化，mV；

　　　　J——电流密度，mA/cm^2。

电流密度对管式 SOFC 的影响如图 6-15 所示。

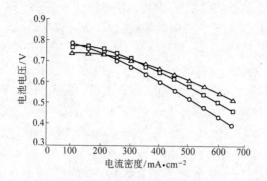

图 6-15 AES 型 SOFC 电压-电流特性

条件: 89% H$_2$-11% H$_2$O, 85% 利用率; 空气, 5 倍量

△—1000℃; □—950℃; ○—900℃

6.4.4.3 寿命

电池堆寿命是 SOFC 的一个主要问题。任何燃料电池要实现商业化, 都必须保证相当的使用寿命。美国西屋公司的一个管式 SOFC 运行 6900h, 千小时电压损失不超过 0.5%。该 SOFC 使用氧化钙稳定的氧化锆微孔性支撑管 (PST)。目前 PST 已被亚锰酸镧空气电极支撑管 (AES) 取代。AES 型设计比 PST 设计功率密度增加近 1/3。25kW AES 型 SOFC 电池堆运行 13000h, 千小时电压损失不超过 0.2%。

6.5 中温 SOFC

中温 SOFC 是指工作温度 600~800℃ 的 SOFC。美国阿根纳 (Argonne) 国家实验室 (ANL) 在研究开发工作温度 500℃ 的 SOFC。降低 SOFC 的运行温度, 可以使用价格较为低廉的材料, 配套设备的要求和成本也随之降低。由于电极和电解质界面组分相互扩散, 高温 SOFC 的寿命受很大限制。低温可消除界面扩散现象, 提高 SOFC 寿命。

在 600~800℃ 范围内, YSZ 电解质的离子电导率显著降低。

不过降低电解质的厚度可以保证导电性能。制造 YSZ 薄膜的方法有，溶胶-凝胶法、等离子体强化 CVD 法或简单的带铸法。为了减少电解质的电阻，其厚度从 150μm 减少到 10～20μm。美国劳伦斯伯克利（Lawrence Berkley）国家实验室试验的 SOFC 单电池，在 700℃，电流密度 710mA/cm²，电压可达 0.51V。

得克萨斯（Texas）大学奥斯汀（Austin）分校在开发电导率高于 YSZ 的电解质中发现，LaSrGaMgO（LSGM）电解质是较好的氧离子导体，800℃ 时的性能与 YSZ 在 1000℃ 时相当。LSGM 结构没有 YSZ 牢固，难以制成超薄膜。但由于电导率高，厚度可以增加。图 6-16 是 LSGM 单电池性能。

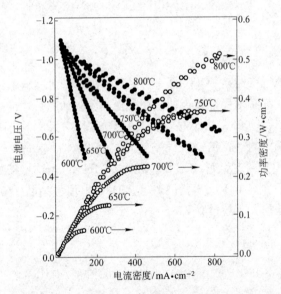

图 6-16　以 LaSrGaMgO 为电解质的 SOFC 单电池性能

条件：空气；97% H_2-3% H_2O，电解质厚度 0.5mm；

燃料利用率 75%

●—电压；○—功率密度

作为 SOFC 电解质材料，要求其 M-O 键易极化断裂、离子移动速度大、移动离子配位数小，这些是保证电导率的重要因素。

电解质合成方法一般是同时使用导电良好的氧化物和稳定性高的氧化物，使之形成新的化合物或固溶体。700℃时，掺 Zn 的 $La_{1-x}Bi_xAlO_3$ 的电导率为 10S/m，YSZ 为 1.8S/m。

在 600~800℃ 时使用金属元件，如连接器、双极板，有两个问题需要解决，一个是金属的腐蚀，一个是热应力。腐蚀问题可以通过镀膜解决，如镀 CrO_3，同时保证导电性能。

中温 SOFC 获得与高温（1000℃）SOFC 同样性能的另一途径，是寻找混合导体型电极材料，即能同时导通离子和电子，取代目前的单一电子导体电极。混合型导体的最大优点是，氧的还原反应可以发生在阴极的任意一点，而不限制在相界面。混合导体型电极材料除了对导电性能要求外，还要求与 YSZ 电解质的热膨胀性能匹配，这些材料包括 LaSrFeO、LaSrCoO、P 型半导体和 N 型半导体。

在目前存在的技术问题都解决之后，降低过高的成本仍是 SOFC 开发商面临的关键问题。用户购买意向受投资成本及寿命周期成本影响。合理的价格，加环境方面的优势，才能使 SOFC 具有更大的竞争力。

7 质子交换膜燃料电池

7.1 PEMFC工作原理

质子交换膜燃料电池（Proton Exchange Membrane Fuel Cell），简称PEMFC，也有人称之为聚合物电解质膜燃料电池（Polymer Electrolyte Membrane Fuel Cell），还有一些其他的叫法。历史上最早称为离子交换膜燃料电池IEMFC（Ion Exchange Membrane Fuel Cell），现在基本没人使用这一名称。常见的叫法还有：聚合物电解质燃料电池PEFC（Polymer Electrolyte Fuel Cell）；固体聚合物电解质燃料电池SPEFC（Solid Polymer Electrolyte Fuel Cell）；固体聚合物燃料电池SPFC（Solid Polymer Fuel Cell）。本书采用最为常用的名称，质子交换膜燃料电池，即PEMFC。

不管用什么名称，这种燃料电池都是以固体电解质膜作电解质。这种膜不是通常意义上的导体，不传导电子，是质子，即氢离子的优良导体。目前用的成膜材料是在类似聚四氟乙烯（Teflon）的氟碳聚合物骨架上，加上磺酸基团，磺酸分子固定在骨架上不能移动，但H^+可以在膜内自由移动。聚合物膜中酸的量用当量（EW）表示，即含有1mol磺酸的聚合物干重。膜的EW是固定的，在燃料电池运行中不变。通常低EW的膜性能较好。

7.1.1 电池反应

图7-1是PEMFC剖面示意图。膜电极MEA（Membrane Electrode Assembly）是PEMFC的心脏部位。H_2在阳极氧化成H^+并放出电子，H^+离子通过膜转移到阴极，与O_2和电子反应生成水。

阳极反应 $\quad H_2 \longrightarrow H^+ + 2e$ $\qquad\qquad$ (7-1)

阴极反应 $\quad \dfrac{1}{2}O_2 + 2\,H^+ + 2e \longrightarrow H_2O$ $\qquad$ (7-2)

电池反应 $\quad H_2 + \dfrac{1}{2}O_2 \longrightarrow H_2O$ $\qquad\qquad$ (7-3)

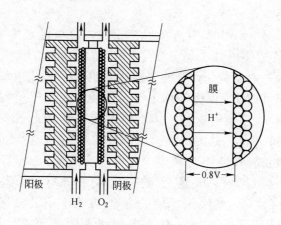

图 7-1　PEMFC 剖面图

PEMFC 中膜的作用是双重的，一是作为电解质提供氢离子通道，二是作为分离膜，防止两极反应气体接触发生化学反应。

PEMFC 的主要优点有：

（1）固体电解质无腐蚀；

（2）电池制造简单；

（3）对压力变化不敏感；

（4）电池寿命长。

PEMFC 的主要缺点是：

（1）膜的价格高，供应商少；

（2）膜的水管理难度大；

（3）对 CO 敏感；

（4）催化剂成本高。

7.1.2　PEMFC 的发展

PEMFC 最早是在 20 世纪 60 年代，由通用电气（GE）公司为美国宇航局（NASA）开发的，与其他燃料电池相比，其优点是能量密度高，不使用流动的、腐蚀性的电解质，结构简单。最初，由于电解质膜稳定性差，电池堆寿命很短。1964 年，通用电气公司开发了新型膜，用聚乙烯-双乙烯基苯与氟碳基底交联，使膜的寿命达到 500h。通用电气公司研制的 1kW PEMFC 作为辅助电源，先后七次用于美国基米尼（Gemini）太空发射试验。60 年代中期，通用电气公司试验杜邦（Du Pont）的 Nafion 膜，PEMFC 的优点又增加了长寿命和低维护。1968 年通用电气公司打算将 Nafion 膜用于卫星发射试验。当时，美国宇航局已选择 AFC 用于阿波罗（Apollo）计划，这一选择使 PEMFC 在太空中的应用搁置了 20 年。到 1984 年以前，除了美国洛斯阿拉莫斯（Los Alamos）国家实验室（LANL）的少量工作外，PEMFC 的研究基本处于停滞状态。1983 年，加拿大国防部（DND）认识到 PEMFC 可能满足军队对能源的需求及商用前途。1984 年，保拉德（Ballard）公司在加拿大国防部的资助下，开始研究开发 PEMFC。其后，特别是进入 20 世纪 90 年代以后，PEMFC 快速发展。戴姆勒-奔驰（Daimler-Benz）汽车公司到 1998 年已研制了四代 PEMFC 动力汽车。丰田于 1997 年推出了全燃料电池动力 FCEV 汽车，2001 年 11 月，推出第五代 FCHV 燃料电池汽车。PEMFC 电站功率已达到 250kW。2002 年 5 月，通用公司展示了号称世界上第一台"以汽油制氢的燃料电池汽车"，型号为 ChevroletS-10，并计划在 2008～2010 年将 ChevroletS-10 投放市场。

PEMFC 在便携式电源、微型电器电源、潜艇电源等方面的开发和应用也十分活跃。

7.2 质子交换膜的导电作用

7.2.1 膜的结构

质子交换膜的起点是最基本、最简单的聚合物——聚乙烯。乙烯和聚乙烯的分子结构为

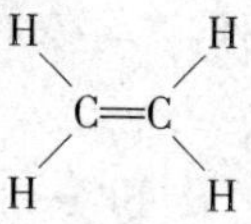

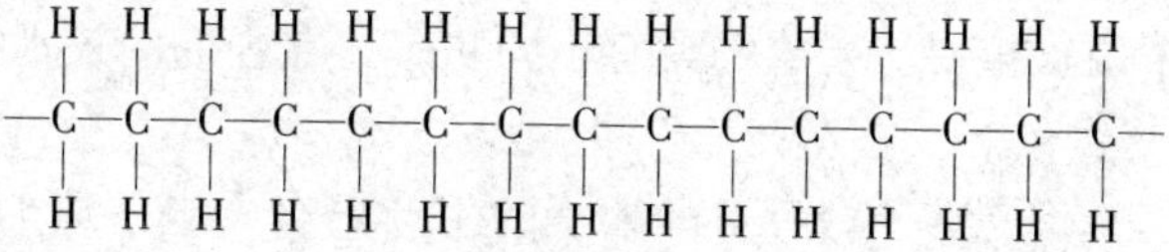

乙烯　　　　　　　　　　　　聚乙烯

乙烯分子中的 H 全部被 F 取代得到四氟乙烯，称为"全氟化"。四氟乙烯聚合得到聚四氟乙烯，其分子结构为

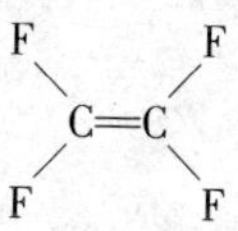

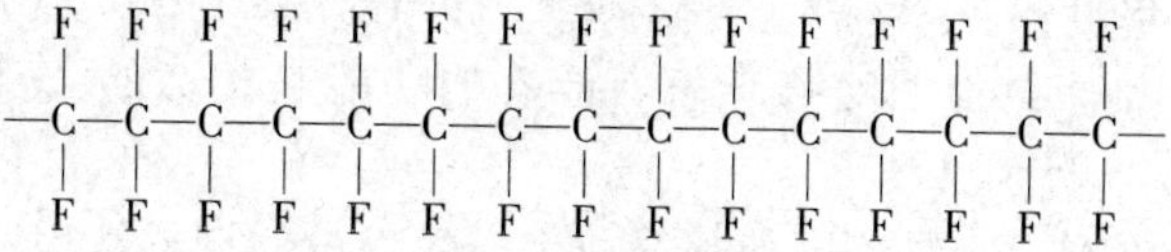

四氟乙烯　　　　　　　　　聚四氟乙烯

在使用中，常用聚四氟乙烯的英文名称 Teflon，或用它的商标名 PTFE。这种材料对燃料电池的发展相当重要。F 和 C 之间的化学键很强，阻止化学侵蚀且稳定性好，另一个重要的性质是其具有很强的疏水性，能排出电极上的产物水，防止电池被淹没，因而在 PEMFC 和 PAFC、AFC 上得到广泛使用。

制成电解质还需要下一步，即将简单的 PTFE 结构磺化，也就是增加一个侧链，其末端是磺酸 HSO_3 基团，称为全氟聚乙烯磺酸，其分子通式为

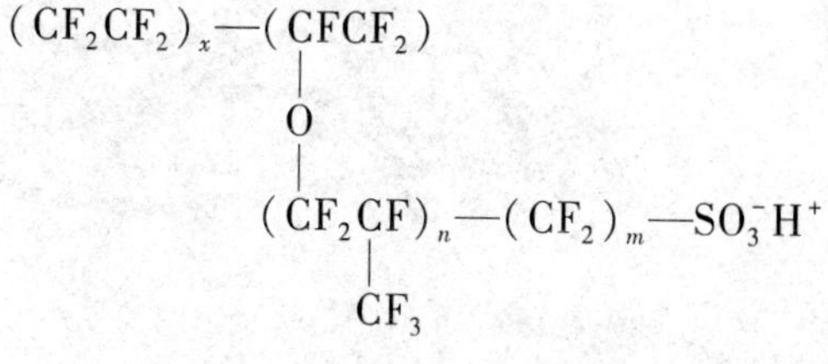

$$(CF_2CF_2)_x—(CFCF_2)$$
$$|$$
$$O$$
$$|$$
$$(CF_2CF)_n—(CF_2)_m—SO_3^-H^+$$
$$|$$
$$CF_3$$

增加的 SO_3H 基团为离子键,因而形成离子聚合物结构。SO_3^- 和 H^+ 的存在,使每个分子的正负离子间有很强的吸引力,磺酸的主要特点是很强的亲水性,能吸附大量的水,也就是说,这样使得在疏水物内存在亲水区域了。

磺化侧链能吸附大量的水,使其干重增加50%。在水化区域内,SO_3^- 和 H^+ 的吸引力减弱,使 H^+ 运动,这对稀酸的形成来说很重要。合成物具有不同状态,在强韧的疏水结构内存在稀酸区域。

不同的公司有自己独特的生产聚合物电解质的方法和专利,但是他们都使用磺酸盐,通常是含氧聚合物,其中最著名的是杜邦公司的 Nafion 膜。使用氟代聚苯乙烯,如全氟聚苯乙烯磺酸后,PEMFC 的寿命提高了 4~5 倍。杜邦公司自60年代初开发 Nafion 以来,发展了很多种类,并且在某个意义上讲是一个行业标准,其他的电解质与 Nafion 的功能是相似的,目前最常用的是 Nafion 117。

图7-2 是美国杜邦公司生产的 Nafion 型膜结构示意图,图中在长链分子中含有亲水磺化侧链,并因水在其周围的集中而形成

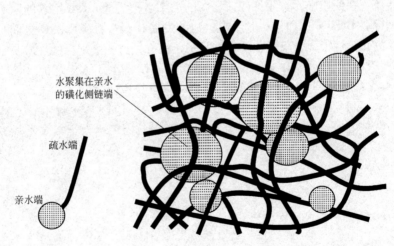

水聚集在亲水的磺化侧链端

疏水端

亲水端

图 7-2　Nafion 型膜结构示意图

水化区域。虽然含水区域稍微分离了，但是 H^+ 离开长分子骨架结构是可能的。很明显，这种情况在水化区域尽可能大的情况下才能发生。

7.2.2　膜的导电性能

从燃料电池的应用观点来看，Nafion 和其他氟化磺酸盐离子聚合物的特点主要有：

（1）异常优越的化学和热学稳定性，在 125℃ 以下，在强碱、强酸及强氧化还原环境中性能稳定；

（2）机械性能好，因此可制成 $50\mu m$ 的薄膜，使用方便安全；

（3）可吸附大量的水，能被很好的水化，H^+ 能自由快速的运动，是 H^+ 的良导体；

（4）酸性：其导电行为类似于酸溶液，所以其使用温度应低于水的沸点。膜的导电性能相当于 $1mol/L$ 硫酸。

不同的 Nafion 类型，不同的制造商膜产品是不同的，侧链的形成和增加都被申请了专利。道尔（Dow）公司生产的质子交换膜（$n=2$、$m=3$）和日本东海（Asahi）化学工业株式会社生产的 Aciplex-S 质子交换膜（$n=0 \sim 2$、$m=2 \sim 5$）与 Nafion 的比较见表 7-1 和图 7-3。

表 7-1　质子交换膜性能

制造商	产　品	当　量 / $g \cdot mol^{-1}(SO_3^-)$	干态厚度 /μm	水的体积 分数/%	电导率 /$S \cdot cm^{-1}$
道尔	Dow	800	125	54	0.114
东海	Aciplex-S	1000	120	43	0.108
杜邦	Nafion 115	1100	100	34	0.059
杜邦	Nafion 117	1100	205	37	0.107

图 7-2 显示 DOW 膜和 Aciplex-S 膜的性能优于 Nafion 膜，

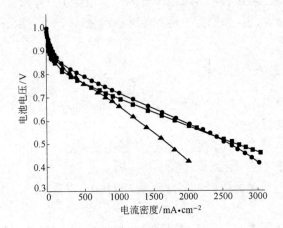

图 7-3　不同类型质子交换膜性能比较

条件：E-TEC 电极，20% Pt/C 催化剂；Pt 载量 0.4mg/cm²

●—Aciplex-S 1004；■—DOW；▲—Nafion 115

主要原因是其电池的电阻低。图 7-2 还显示，Dow 膜燃料电池的电压-电流密度曲线几乎成一直线。Aciplex-S 膜燃料电池在电流密度高于 2A/cm² 时，受传质速率限制。图 7-4 是 H_2 和 O_2 在 Nafion 膜和 Aciplex-S 膜中扩散系数的阿仑尼乌斯（Arrhenius）曲线。

　　杜邦的最新产品是 Nafion 105，比 Nafion 117 薄，其质子电导率优于 Nafion 117。但其开路电压低于 Nafion 117，原因是薄，有 H_2 穿过（参见 2.3.5 节）。

　　目前杜邦和道尔生产的质子交换膜价格昂贵。高性能、低价格的代用膜正在研究开发中。

　　加拿大保拉德先进材料公司（BAM）在开发价格较低的替用膜，目标成本是 110～150 加元/m²。BAM 膜与 Nafion 117 膜和 Dow 膜的性能比较如图 7-5 所示。

　　瑞士保罗雪伦（Paul Scherren）研究所采用放射-嫁接方法

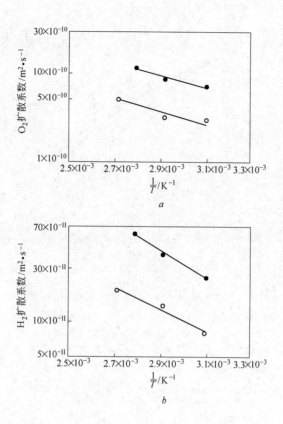

图 7-4　H_2 和 O_2 在 PEM 膜中扩散系数的阿仑尼乌斯曲线

a—H_2 的阿仑尼乌斯曲线；b—O_2 的阿仑尼乌斯曲线

●—Aciplex-S；○—Nafion 117

制造离子交换膜，用全氟乙烯丙烯共聚物-苯乙烯-双乙烯系统制造了高交联度膜（TAC-DVB），EW 为 800～1000，与 Nafion 117 性能的比较如图 7-6 所示。

　　PEMFC 的核心是膜电极。无论是用什么工艺制成的，无论是哪家公司生产的，MEA 看起来都是相似的，工作原理是相同的。

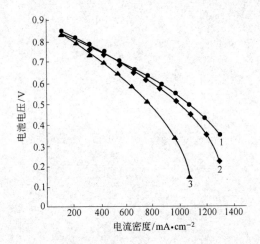

图 7-5 BAM 膜与 Nafion 117 膜和 Dow 膜的性能比较

条件：电极面积 50cm²；Pt 载量 4mg/cm²；工作温度 70℃；

氢气压力 0.16MPa；空气压力 0.16MPa

1—BAM，0.15mm；2—DOW，0.11mm；3—Nafion 117，0.18mm

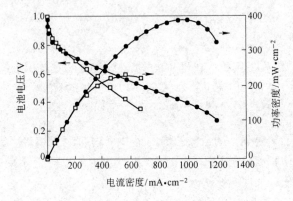

图 7-6 TAC-DVB 与 Nafion 117 性能比较

●—DVB-TAC；□—Nafion 117

7.3 膜电极及其结构

7.3.1 催化剂

PEMFC 电极是典型的气体扩散电极。到目前为止，H_2 氧化和 O_2 还原的最好催化剂是铂，因此，将起催化作用的铂分散在涂有疏水层的多孔性炭布衬底上是最基本的思路。最早的膜电极是直接将铂黑与起疏水和黏结作用的聚四氟乙烯微粒混合后，热压到质子交换膜上，Pt 载量高达 $10mg/cm^2$。PEMFC 成本高的关键在于 Pt 的载量，使用炭黑作载体，催化剂表面积提高了，载量得到降低。20 世纪 80 年代中期，Pt 载量降为 $4mg/cm^2$。由于电极反应仅在催化剂-反应气体-质子交换膜三相界面上进行，只有位于质子交换膜界面上的铂微粒才有可能成为催化电极反应的活性中心，Pt 的有效利用率只有 10% ~20%。碳载体催化剂的理想结构如图 7-7 所示，细小颗粒的 Pt 催化剂附着在炭黑粉末颗粒的表面，Pt 分布均匀，可为反应物质提供较大的接触面积。

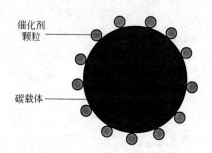

图 7-7　碳载 Pt 催化剂的理想结构

到 80 年代中后期，洛斯阿拉莫斯国家实验室采用 Nafion 质子交换聚合物溶液浸渍 Pt-C 多孔气体扩散电极，再热压到质子交换膜上形成膜电极。该方法扩展了三相反应区域，大大提高了

Pt 利用率，Pt 载量降低了 10 倍，仅为 $0.4mg/cm^2$，但仍保持了高载量电极的性能。1992 年洛斯阿拉莫斯国家实验室对该方法进行了改进，Pt 载量进一步降低到 $0.13mg/cm^2$。目前，实验室研究 Pt 载量已降到 $0.1mg/cm^2$。加拿大保拉德电力网公司的第五代电池堆，阴极载量 Pt $0.6mg/cm^2$，阳极载量 Pt 0.25 mg/cm^2 - Ru $0.12mg/cm^2$，在电流密度 $600mA/cm^2$ 时，单电池电压为 $0.7V$，相当于 Pt $1.5g/kW$。

7.3.2 膜电极

PEMFC 的电极是三合一膜电极（MEA，Membrane Electrode Assembly），简称膜电极。不同的 PEMFC 设计中，膜电极的细节虽不相同，但基本结构是相似的，阴阳极大致相同。事实上对于 PEMFC 来说，大部分的阴阳极是一样的。

典型膜电极的制造有两种方式，但制得的膜电极的结构基本一致。

第一种方法是首先将催化剂固定在炭纸或炭布上，再与膜连接。在这一方法中，碳载催化剂与一定量 PTFE 制成乳浊液，涂在导电性的多孔材料上，通常是涂在炭纸或炭布上，制成电极。PTFE 的作用是利用其疏水性将电池产生的水排出。炭纸和炭布在为电极提供基本结构的同时，也将气体扩散到催化剂上，因此也被称为扩散层。在聚合物电解质膜的两侧各固定一个电极。许多文献报道了这种电极制作的颇为标准的程序：首先电解质膜浸渍在沸腾的 3% 过氧化氢水溶液中清洁 1h，然后在沸腾的硫酸中处理 1h，以确保磺化基团尽可能质子化，接下来在沸腾的去离子水中漂洗 1h，以去除残留的酸。然后将电极与电解质膜装好后，在 140℃、高压下热压 3min，即制成完整的膜电极。

第二种方法是将电极直接涂在电解质上，再与炭纸一起热压成膜电极。糊状的 Pt/C 催化剂（通常加一定量的 PTFE），用滚压、喷涂或印刷方法均匀涂在质子交换膜的两侧。催化剂固定后，要加上扩散层，通常是炭布或炭纸。这与前一个方法相同。

"气体扩散层"这一词并不十分准确，因为它的作用不仅是气体扩散，它的作用还包括，连接碳载催化剂和双极板，还将产物水从电解质表面排出，保护和支撑薄层催化剂。气体扩散层可以是也可以不是膜电极整体的一部分。

图7-8是两种方法制备电极的理想结构。碳载催化剂颗粒的一侧是电解质，另一侧是气体扩散层（通常是炭纸或炭布）。疏水性的PTFE起到排水作用，但图7-8中无法显现。

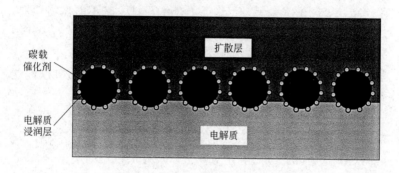

图 7-8　MEA 的理想结构示意图

图7-8中碳载催化剂颗粒表面发亮的一层，是电解质浸润层。它不是覆盖催化剂颗粒，而是电解质在催化剂表面浸润，在催化剂和电解质之间形成了直接连接区，因而膜电极的性能显著提高，因为只有与电解质膜和反应气体都相连时催化剂才具有反应活性。浸润层的获得，也经过两种途径。在第一种方法制造膜电极的过程中，经过增溶的电解质首先刷在电极表面，然后与电解质膜热压。在第二种膜电极制造过程中，则是在催化剂涂布电解质膜之后，加扩散层之前，将增溶电解质刷在催化剂表面，再与扩散层热压。

气体扩散层材料通常是导电性好的炭素材料，按厚度递增依次是炭纸、炭布和炭板。最常用的是炭布或炭纸。炭纸在紧凑设计时使用。炭布较厚些，可吸收略多的水分。使用炭布可以简化安装过程，因为炭板能填补双极板表面不规则造成的缝隙。在超薄电池设计中，炭布甚至能扩张到双极板的其他扩散通道。在微型燃料电池设计中，可能会选择更厚的碳板，为的是加强空气的循环。

7.3.3 双极板

PEMFC 通常用机制石墨板作双极板，其作用是电流收集和传送、气体分布和热管理。石墨双极板使用高纯度石墨，其缺点是价格高、密度大。另外，由于石墨的脆性，它不能做得很薄，对于减少电池堆的重量和体积是个限制因素。寻找高纯石墨代用品的研究也在进行，导电塑料、不锈钢、铅都在考虑之中。但这些材料在接触电阻、耐久性方面不如石墨。不锈钢的机械性能高，但密度大，加工成本高，而且易腐蚀。

石墨-聚合物复合材料显示了较好的应用前景。洛斯阿拉莫斯国家实验室使用乙烯基酯树脂和石墨粉合成材料制造双极板，能满足 PEMFC 的要求，电导率 $60 \sim 120S/cm$，抗弯强度 $36.5MPa$，密度 $1.8g/cm^3$。

7.4 PEMFC 的性能

图 7-9 是 20 世纪 70 年代中期以后 PEMFC 性能的进展情况。

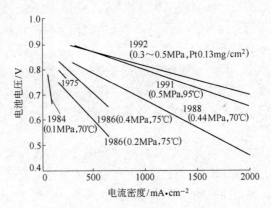

图 7-9　PEMFC 性能的进展

由于运行条件（温度、压力、反应气体组成等）的差异，性能差别、变化很大。用于美国基米尼（Gemini）太空计划的 PEM-FC，工作温度为 50℃，压力 0.2MPa，电流密度 37mA/cm²，单电池电压 0.78V。现在，PEMFC 的性能已经发生了巨大变化。根据洛斯阿拉莫斯国家实验室的研究结果，Pt 载量 0.13mg/cm²，工作温度 80℃，阳/阴极压力 0.3/0.5MPa，电压 0.5V 时，电流密度高达 3000mA/cm²。

7.4.1 温度的影响

温度对 PEMFC 的性能有显著影响，如图 7-10 所示。随温度升高，斜率降低，电池性能提高。温度升高，电解质的欧姆电阻降低，使电池内部电阻降低，传质速度也增大。实验数据统计结果显示，温度每升高 1℃，电压增加 1.1～2.5mV。另外，工作温度升高，降低了 CO 的化学吸附，因为吸附反应是放热的。但 PEMFC 的工作温度受到质子交换膜中水的蒸汽压限制，温度过高，膜脱水将导致离子电导率降低。

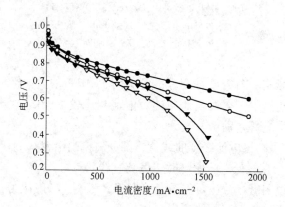

图 7-10　温度对 PEMFC 性能的影响

条件：电极 Pt 载量 0.45mg/cm²；DOW 膜；工作压力 0.5MPa

●—95℃，氧气；○—50℃，氧气；▼—95℃，空气；▽—50℃，空气

7.4.2 压力的影响

PEMFC 在陆地应用时，一般使用空气，在太空或水下应用时，则使用纯氧气。图 7-11 显示了两种气体不同压力时对电池

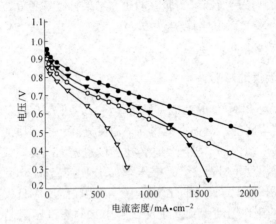

图 7-11　压力对 PEMFC 性能的影响

条件：电极 Pt 载量 $0.45mg/cm^2$；DOW 膜；50℃

●—0.5MPa，氧气；　○—0.1MPa，氧气；

▼—0.5MPa，空气；　▽—0.1MPa，空气

性能的影响。图 7-11 中显示，压力对 PEMFC 的电池性能有较大影响。还显示，空气电池与纯氧电池相比较，电压-电流密度曲线有两个显著差别：

（1）电压-电流密度曲线直线部分斜率高出 50%；

（2）在较低电流密度时，偏离直线。

这说明氧气分压对传质速率有很大影响。一般认为，空气中的 N_2 阻碍 O_2 的传质。

增加压力提高电池性能，还应考虑压缩系统的成本和能耗，综合性能、成本和体积等各种因素。

7.4.3 一氧化碳的影响

PEMFC 的一个主要应用方向是机动车，预期主要燃料是甲醇。甲醇重整氢气中含少量 CO（1%）。CO 是 PEMFC 催化剂的严重毒化剂，即使只有几个 mg/m^3 的含量，也对电池性能有很大影响，特别是在高电流密度时，如图 7-12 所示。

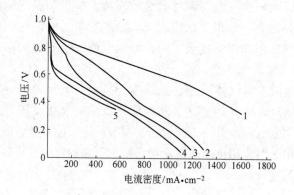

图 7-12 CO 对 PEMFC 性能的影响

条件：电极 Pt 载量 $4mg/cm^2$；Nafion117 膜；89℃；

氢气压力 0.2MPa；氧气压力 0.2MPa

氢气中 CO 质量浓度（mg/m^3）：1—1；2—10；

3—100；4—1000；5—10000

解决 CO 中毒的根本办法是降低燃料中 CO 的浓度。增加反应温度和压力可减轻 CO 的影响。

7.5 水管理

当质子交换膜被水饱和时，离子电导率高，欧姆电阻低，因而电池效率高。电池中的水分由水平衡及水传输决定。水传输包括 H^+ 离子从阳极向阴极拖带、阴极向阳极反向扩散以及燃料气体中水分通过阳极的扩散。水传输与电池电流、膜和电极的特性有直接关系。膜中的质子是水合质子 H $(H_2O)_n^+$, $n = 1 \sim 2.5$。拖带水随电流密度增加而增多。

水管理对电池性能有重要影响。在高电流密度时，与水的生成和分布有关的传质作用制约电池的输出。没有有效的水管理，电池内水的生成与蒸发失去平衡，可能发生水蒸气稀释反应气体、淹没电极，或膜脱水。膜脱水对膜与电极之间的附着有不利影响。由于没有液态电解质连接，电极和膜之间的紧密接触十分重要，如果失水量大于水的产生量，必须对阳极燃料气体加湿。但如果湿度太大，将淹没电极，给气体向电极的扩散造成困难。

小电流、高气体流速、低湿度、高温、低压，将导致水缺乏；大电流、低气体流速、高湿度、低温、高压，将导致水过剩。控制电池内水分的方法包括，调节反应气体湿度，膜外接毛芯，利用毛细作用排出或供应水。更为可靠的方法是正在开发中的连续流场设计。

7.5.1 PEMFC 中的水平衡

PEMFC 的一个显著特点是电极反应产物是液态水，而不是水蒸气。在质子交换膜中，必须保持聚合物电解质中充足的含水量以确保其传导率，因为 Nafion 膜的电导率是与水含量呈线性关系。膜失水将引起电导率急剧下降；而与电解质固定在一起的电极却并不需要过多的水，那样会淹没电极，阻塞电极或气体扩散层的孔洞，因而在此类燃料电池中，湿度要适度，水管理就显得非常重要。

理想的情况是水使电解质处于适宜的水化作用状态。空气从阴极吹入，提供必需的氧气，并脱去过多的水分。因为膜电解质很薄，水会从阴极扩散到阳极，在通过电解质的过程中很容易获得良好的水合作用。当然，这需要对其进行精心的工程设计，因为这一过程会有很多问题出现。

其中之一就是在电池工作过程中，H^+ 从阳极移动到阴极，同时携带了水分子，此被称为电渗拖带。每个质子拖带 1 ~ 2.5 个水分子，也就是说在较高的电流密度时，会有阳极一侧的电解质脱水，同时阴极则实现了良好的水化作用。

另一个主要的问题是高温时空气的干燥效应。在 7.5.2 节中将对此进行定量的分析，在此可以给出的结论是，工作温度高于 60℃时，空气使电极干燥的速度比 H_2/O_2 反应产生水的速度快。解决的办法一般是将反应气体空气、氢气两种或其中一种在通入电池之前加湿。在进料中添加副产品，这看起来很奇怪，然而有时确实是必需的，对提高燃料电池的性能很有效。

第三个情况是，整个电池中必须保持电解质良好的水平衡。实际情况是，有的部位水平衡良好，有的则干燥，有的则是水过剩。空气通过燃料电池的过程就是一个很明显的例子。空气刚刚进入电池时相当干燥，经过一些电极后水分含量就变得很适当，而当气体到达出口时，将会变得饱和而不能再带走任何多余的水分了，这对大型电池堆的设计来说是很关键的问题。

图 7-13 是 PEMFC 的水平衡示意图。这些水是能够实现预测和控制的，产物水和水拖带都直接与电流成比例，水蒸气可用 7.5.2 节中的理论计算得到，从阴极到阳极水的反向扩散是与电解质膜的厚度和电解质膜两侧的相对湿度有关。总之，如果反应

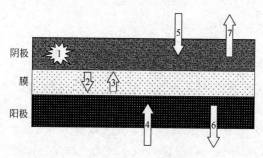

图 7-13　PEMFC 中水平衡示意图

1—阴极反应产生水；2—水从阴极反扩散到阳极；3—质子拖带水到阴极；
4—氢气湿度过大；5—空气湿度过大；6—阳极尾气排水；7—阴极尾气排水

气体在进入燃料电池之前进行外部加湿，可以看出这个过程是可以控制的。

7.5.2 湿度控制

在 PEMFC 中，除了在供纯氧的特殊情况下，一般都是用空气运走产物水。空气供给速度总是比电池需要的速度快，以保证供给电极反应必需的氧气。如果空气的供给刚好是化学反应计量值，就会因出口气体中氧的几乎消耗殆尽而发生严重的"浓度损失"现象。因而实际的空气系数（λ，空气供给量与理论用量的比值）的值至少为 2。

由于空气的脱水效应与温度之间的关系是非线性的，因而必须明确湿度、含水量与饱和蒸汽压等量的精确含义及它们之间的定量关系。

7.5.2.1 绝对湿度

空气中的水蒸气含量随温度、气候条件及其他因素变化很大，简单的描述和计算水蒸气含量的方法是给出空气中水与其他气体（N_2、O_2、Ar、CO_2 等）的质量比，称为绝对湿度，也称作湿度比或者比湿度，其定义式为

$$\omega = \frac{m_w}{m_a} \tag{7-4}$$

式中　ω——绝对湿度，%；

　　　m_w——混合气体中水的质量，kg；

　　　m_a——干燥空气的质量，kg。

空气的总质量为 $m_w + m_a$。

但此值并不能很好地反映空气的脱水能力以及对空气的干湿度的"感觉"。例如，热的空气即使含水量相当高，也会使人感觉干燥，并且实际也具有很强的脱水能力；相反，冷的空气，其含水量很低也会感觉很潮湿，其原因是水的饱和蒸汽压变化造成的。

7.5.2.2 相对湿度

饱和蒸汽压是空气与液态水混合物达到平衡时水蒸气的分

压。此时，水的蒸发速率等于冷凝速率，空气已不能再承载更多的水蒸气，即达到了饱和状态。

不再具有脱水效应的空气，即不能再承载更多的水分的空气，称为完全湿化，此时有：

$$p_w = p_{sat} \tag{7-5}$$

把两者的比值定义为相对湿度，即：

$$\phi = \frac{p_w}{p_{sat}} \tag{7-6}$$

式中　ϕ——相对湿度，%；

　　　p_w——水的分压，Pa；

　　　p_{sat}——水的饱和蒸汽压，Pa。

体会一下湿度的概念：沙漠在超干燥时的相对湿度为30%，而在上海日常气候下的相对湿度为70%。空气的脱水能力或水的蒸发速率对燃料电池是很重要的，而它们则与水的饱和蒸汽压 p_{sat}、水分压 p_w 的差值成正比。

表7-2给出了一段温度范围内的 p_{sat} 值。由表可以看出水的饱和蒸汽压 p_{sat} 与温度之间呈非线性关系，温度较高时水的饱和蒸汽压随温度增加的幅度远大于温度较低时的。

表 7-2　不同温度下水的饱和蒸汽压

$T/℃$	15	20	30	40	50	60	70	80	90
饱和蒸汽压/kPa	1.705	2.338	4.246	7.383	12.35	19.94	31.19	47.39	70.13

下面的例子可以比较准确地说明蒸汽压与湿度、温度间的关系：

20℃、相对湿度为70%的混合气体，其中水的分压为

$$p_w = 0.70 \times p_{sat} = 0.70 \times 2.338 = 1.64 \text{ kPa}$$

将此空气在常压下加热到60℃，由于没有水的加入，所以 p_w 不变，则相对湿度为

$$\phi = \frac{p_w}{p_{sat}} = \frac{1.64}{19.94} = 0.082 = 8.2\%$$

显然这比沙漠超干燥时的相对湿度 30% 还要干燥得多。p_{sat} 随温度迅速升高的结果是室温下相对湿度为 70% 的具有湿度适宜的空气，在被加热到 60℃ 时出现了剧烈的干燥。对于燃料电池来说，这可能会给聚合物电解质膜带来巨大的灾难性的影响，因为电解质膜不仅完全依赖于高的含水量，而且它很薄，容易脱水。

7.5.2.3 湿度控制

是否需要向输入的气体中添加水，主要考虑的是燃料电池产生的水。

燃料电池产生水的速率为

$$Q_w = 9.34 \times 10^{-8} \times \frac{P_s}{V_c} \tag{7-7}$$

式中 Q_w——阴极反应产生水速率，kg/s；

      P_s——电池堆功率，W；

      V_c——单电池的平均电压，V。

阴极尾气的流速为

$$Q_{out} = (3.58 \times 10^{-7} \times \lambda - 8.29 \times 10^{-8}) \times \frac{P_s}{V_c} \tag{7-8}$$

式中 Q_{out}——阴极尾气流出速率，kg/s；

      λ——空气系数，通常最小值为 2。

假设忽略输入空气中的水蒸气的含量，根据式（7-4）、式（7-7）和式（7-8），阴极尾气的绝对湿度为

$$\omega = \frac{m_w}{m_a} = \frac{Q_w}{Q_{out}} = \frac{9.34 \times 10^{-8}}{3.58 \times 10^{-7} \times \lambda - 8.29 \times 10^{-8}} \tag{7-9}$$

注意这里假设所有生成的水都是气体，若进一步地假设水蒸气和空气均为理想气体，则根据水和干燥空气的（平均）相对分子质量，可以得到

$$\omega = \frac{18.016}{28.97} \times \frac{p_w}{p_a} = 0.622 \frac{p_w}{p_a} \tag{7-10}$$

式中 p_w——阴极尾气中水的分压，Pa；

      p_a——阴极尾气中干燥空气的分压，Pa。

而阴极尾气总压（p_t）为干空气与水蒸气分压之和，即

$$p_t = p_a + p_w \qquad (7\text{-}11)$$

将式（7-11）代入式（7-10），得到

$$\omega = 0.622 \times \frac{p_w}{p_t - p_w} \qquad (7\text{-}12)$$

$$p_w = \frac{\omega p_t}{\omega + 0.622} \qquad (7\text{-}13)$$

将式（7-9）代入式（7-13），得

$$p_w = \frac{0.421}{\lambda + 0.188} p_t \qquad (7\text{-}14)$$

此式说明出口空气中的水蒸气压只简单地与空气系数以及工作压力 p_t 有关。入口水蒸气压也应该加到此分压中，不过在 λ 值较低时，此部分影响就很小了。p_t 的影响很重要，在其他条件相同的情况下，电池的工作压力高则可获得较高的湿度（p_w）。

用式（7-14）和表7-2中的水的饱和蒸汽压 p_{sat} 值可计算出不同温度下出口空气的湿度。表7-3给出了一些数据，可以看出大部分情况，不是过于湿润就是过于干燥。图7-14为电池的工作压力为0.1MPa、空气系数分别为2和4时的湿度与温度的关系曲线。

表 7-3　不同温度和空气系数时阴极尾气相对湿度

T/℃	相对湿度 / %					
	$\lambda = 1.5$	$\lambda = 2$	$\lambda = 3$	$\lambda = 6$	$\lambda = 12$	$\lambda = 24$
20					218	145
30				199	120	79
40		282	201	114	69	46
50	215	169	120	68	41	27
60	133	104	74	42		
70	85	67	48			
80	56	44	31			
90	38	30				

注：入口气体温度20℃，相对湿度70%，压力0.1MPa。

从图 7-14 的曲线来看，空气流量（$\lambda = 4$）较大的曲线在下方，说明空气流量较大时，湿度相对较低；并且从曲线曲度来看，温度较高时相对湿度下降更快。

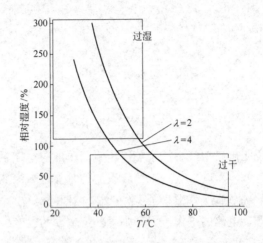

图 7-14　PEMFC 阴极尾气温度与相对湿度关系
（进口为干燥空气，压力 0.1MPa）

PEMFC 中的湿度应该接近100%。如果出口气体的相对湿度小于100%，说明电极反应所产生的水少于尾气带出的水分。解决的唯一办法就是供给的反应气体要加湿，阴极加湿或两极都加湿。当出口空气的相对湿度远小于100%时，意味着电池干燥，PEM 将停止工作。这种情形并不易见，只在电池反应生成的产物水全部蒸发的条件下出现。

相对湿度大于100%，是理论计算，实际上是不可能的，因为这时会在空气流中包含有冷凝水滴，可用通空气的方法进行处理。然而，当理论湿度远大于100%时，就会产生电极淹没现象。

湿度过高和过低，对 PEMFC 都是不利的。电池的湿度被限制在很小的范围内。不过，若工作温度保持在60℃以下，气流就容易稳定地维持在大约100%这样的适度的湿度范围内了，当然，要获得所需湿度是需要采用一些实际措施的。

从图 7-14 和表 7-3 中得出的非常关键的一点就是在温度高于 60℃时，在所有合理的空气系数范围内，出口气体的相对湿度都低于或在 100% 附近。如果空气系数小于 2，则对于燃料电池反应来说，氧气分压太低了。由此得出重要的结论：对于工作温度高于 60℃ 的 PEMFC，必须额外对反应气体加湿。这一点也得到了广大 PEMFC 使用者的证实。

这样就给 PEMFC 的最优工作温度的选择增加了难度，电池工作温度高，则由于阴极过电位的减少而性能提高。但一旦超过了 60℃，就增加了加湿的问题，而额外的重量和加湿设备的成本，又增加了轻小型燃料电池造价。

7.5.3 电池加湿

7.5.3.1 内部加湿

加湿是 PEMFC 设计者必须考虑的重要问题。内部加湿 PEMFC 结构简单、体积小、成本低。对于内部加湿的利弊众说纷纭。有研究表明，工作温度在 60℃ 以下的电池若没有外部加湿，其最大功率将减少 40%。但对于小型 PEMFC 系统来说，这个代价是值得的，由于消除了加湿设备成本和功率消耗，电池总的效率并没有减少

内部加湿 PEMFC 运行的关键是确定适宜的空气系数，以保证出口气体相对湿度在 100% 附近，同时保证电池内部的水平衡。图 7-15 提出了一种内部加湿方法的思路。空气和氢气沿着相反的方向通过 MEA。水从阳极到阴极的流动，是通过水和质

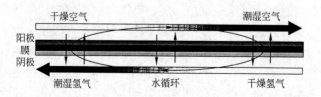

图 7-15　反应气体对流加湿示意图

子的方式，即所谓电渗拖带，在 MEA 的各个部位都是均匀的，并与电流成正比。水从阴极到阳极的反向扩散不均匀，但是可以通过反应气体循环来补偿。MEA 结构设计采用较薄的电极和较厚的扩散层。扩散层厚度增加可保持更多的水分。

从表 7-3 中还可以看出，温度低于 60℃时，要找到一个能使 PEMFC 阴极出口空气湿度为 100% 的空气系数总是可能的。在常温时，λ 为 24 左右，这看上去可能浪费了空气，但实际并非如此。以小型燃料电池为例。在美国的电风扇商品中，最小型号风扇的流量是 2.2 L/s。假设只有 1.0 L/s 空气吹向阴极，当单电池电压为 0.6V 时，使用该型号风扇的 PEMFC 的输出功率可由式（11-6）计算

$$P_s = \frac{Q_v V_c}{3.02 \times 10^{-4} \times \lambda} = \frac{1.0 \times 0.6}{3.02 \times 10^{-4} \times 24} = 83 \text{ W}$$

风机的功率是 0.7W，在空气化学反应计量比为 24 时，燃料电池只有不到 1% 的功率用于空气循环，显然是在适当的功率损失范围内。因此说，对燃料电池来说，这一空气流量值是合适的。

7.5.3.2　外部加湿

虽然小型的 PEMFC 可以不需要外部加湿，但在大型 PEMFC 系统必须进行外部加湿。为了降低过电位，特别是活化过电位，运行工作温度须高于 60℃。考虑加湿系统所带来的额外重量、体积、复杂性和成本提高等不利因素，和在较高温度时系统获得的最大功率密度等有利因素，大型系统的外部加湿具有一定的经济性。

在实验室的测试系统中，燃料电池反应气体的加湿是简单地将气体通入温度可控的水中使其发泡。但这种方法在实际中不可行。通常是用空调中使用的加湿器。最简单的方法是像喷雾一样将水直接注入，其优点是可以冷却燃料气体，特别是当燃料气体经过压缩机压缩，或来自重整器（重整器合成气和经过压缩的气体的温度均高于 PEMFC 的运行温度）。还有一个特别要考虑

的问题是用于加湿的水的纯度，水中的杂质对质子交换膜的性能有不利影响。一般用燃料电池自身产生的纯净的冷凝水加湿。

空调系统的加湿技术，是 PEMFC 加湿方式的主流。此外还有其他只适用于 PEMFC 的加湿方法。下面简单介绍两种加湿方法。

将液态水直接注入到燃料电池中，听起来不是一个好的方法。一般地，这样会导致淹没电极，使电池停止工作。但这种技术是借助于双极板的流场型设计，既实现燃料电池的加湿，又不影响电池的性能。其原理如图 7-16 所示。加湿水注入流场型双极板的气体通道，增压反应气体夹带着水通过整个电极。研究者

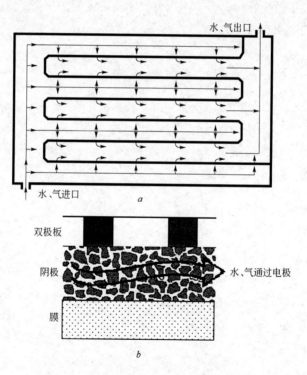

图 7-16　流场型双极板注水加湿示意图
a—俯视剖面图；b—侧视剖面图（放大）

用这种方法得到了良好结果，但该方法的能量消耗以及长期运行对电极和燃料电池性能的影响还不清楚。

自加湿方法的要点是对电解质进行修饰，使其不仅能保持水分，而且能产生水。在电解质中浸渍吸水性材料，如 SiO_2 和 TiO_2，使电解质保持水分的能力提高。同时，Pt 纳米颗粒也浸渍在极薄的电解质中。当少量氢、氧从两极向电解质中渗透扩散时，由于 Pt 的催化作用，氢和氧反应生成水。该过程显然消耗氢气，增加内部电流（参见 2.3.5 节）。但据研究者称，电解质性能的提高足可弥补这部分寄生燃料损耗。

实践中采用的加湿方法和加湿的程度，受多方面因素的影响，包括系统的规模、工作压力、燃料来源等，在提高性能和简化设计之间找到平衡点。

8 直接甲醇燃料电池

8.1 DMFC 的发展

直接甲醇燃料电池（DMFC，Direct Methanol Fuel Cell）是将甲醇与氧反应的化学能直接转化为电能的一种发电装置。由于它的电解质是质子交换膜，一般把 DMFC 归类于质子交换膜燃料电池（PEMFC）。随着 DMFC 技术的发展，已逐渐被看成独立的一种燃料电池。

与其他燃料电池相比，DMFC 的显著特点是直接使用液态甲醇作阳极燃料，不用氢气，甲醇贮存安全方便，因而 DMFC 体积小，质量轻。DMFC 是一种极有发展前途的清洁能源，尤其适用于便携式电源和电动汽车。甲醇是最简单的液体有机化合物，可从石油、天然气、煤等制得，有较完整的生产销售网。对于燃料电池动力汽车，可以利用现有遍布各处的加油站。

DMFC 研究始于 20 世纪 60 年代。早期 DMFC 采用酸性或碱性液体电解质，常压，60℃运行，电极性能很差。20 世纪 90 年代初，采用全氟磺酸膜（如 Du Pont 公司的 Nafion 膜）作为电解质，工作温度室温至 100℃，电池性能显著提高。

DMFC 的主要研究开发机构有美国洛斯阿拉莫斯国家实验室（LANL, Los Alamos National Laboratory）、喷气推进实验室（JPL, Jet Propulsion Laboratory）、德国西门子等。许多国际著名公司加入了 DMFC 的研发行列，如美国英特尔（Intel），摩托罗拉（Motorola），日本日立（Hitachi），东芝（Toshiba），索尼（Sony），韩国三星（Sumsung）等。

表 8-1 是 LANL 提出的 DMFC 的部分应用领域及主要性能技术指标。

表 8-1 DMFC 的部分应用领域及主要性能技术指标

应 用	功率/W	比功率 /$W \cdot kg^{-1}$	功率密度 /$W \cdot L^{-1}$
蜂窝电话充电器	0.1	1	2
移动电话，个人无线设备	2~5	>10	>20
笔记本电脑，士兵电源	15~25	>15	>35
多功能应急电源，现场充电器	50~100	>10	>20
移动设备和机器	200~400	>40	>30
医院检查机器和维持生命机器电源	300~500	>30	>30
移动信号发射塔备用电源	500~1000	>15	>5

LANL 主要研究开发军用和民用便携式和自备（APU，Portable and Auxiliary Unit）电源，如军队单兵电池、笔记本电脑电池、手机电池。其研究涉及 DMFC 的各个方面，包括电催化剂、替代膜、电池性能、电池堆设计等。在美国国防部先进研究项目机构（DARPA）资助下，LANL 为 20W 便携式电源制造的 11W DMFC 电池堆质量 380g，比功率 29W/kg，单电池电压 0.55V，空气系数小于 3。LANL 研究开发 500~1000W APU 电源的目标是 180~230mW/cm²，比功率达到 300W/kg。摩托罗拉公司和 LANL 合作成立了一个 DMFC 研究中心，开发蜂窝式电话和个人电脑电源。

JPL 自 1991 年开始研究 DMFC，主要目标是开发军用小型 DMFC。在 DARPA 资助下，JPL 在 DMFC 研究方面取得了一系列成就。2003 年 JPL 试验了装甲车用 300W DMFC，并在装甲车上进行试验，试验项目包括扬尘环境、剧烈颠簸（±45°倾斜）条件下运行，战场"加油"，连续 100h 在额定功率运行。单电池功率密度 55W/cm²，整个 DMFC 系统体积 123L，重 55.6kg，比容量 540W·h/kg 或 243W·h/L。同年，JPL 试验了 kW 级 DMFC 系统。单电池功率密度 54mW/cm²，系统功率 1450W，体积 19.3L，质量 26kg，比功率 56W/kg 或 75W/L。

德国西门子公司最近几年一直致力于改善催化剂性能、优化电极结构和改进电池设计的研究。其高温增压 DMFC，在 140℃和加压纯氧条件下，单电池功率密度达 $200mW/cm^2$（$0.5V$，$400mA/cm^2$）。在 80℃和常压空气条件下，单电池功率密度为 $50mW/cm^2$（$0.5V$，$100mA/cm^2$）。西门子公司已将阳极催化剂贵金属担载量降至 $1mg\ Pt\text{-}Ru/cm^2$，但阴极担载量仍为 $4mg\ Pt/cm^2$。

2002 年初，加拿大 Energy Vision 公司（EVI）与奥地利格拉茨大学共同研制了一种新型 DMFC 电极，并应用于流动电解质 DMFC，产生的电压高于质子交换膜基 DMFC，而且功率密度是 EVI 原 DMFC 样机的 7 倍。液体电解质置于两块基体之间，基体目前是质子交换膜，但最终目标是寻找一种新型价廉材料，以减少甲醇向电解质的渗透并降低成本。液体电解质用泵抽到系统中，因此燃料电池可以随时终止发电。电解质中的少量甲醇回收后，电解质可在电池中循环使用。

日本 NEC 公司于 2003 年秋报道一种 DMFC 样机，质量约 900g，甲醇容量 300mL，输出电压 12V，最大输出功率达 24W，可连续工作 5h。

我国 DMFC 的研究始于 20 世纪 90 年代末期，起步较晚，目前仍处于基础研究阶段。

由于甲醇是世界各国发展电动汽车用燃料电池的首选燃料，因此，作为长期的发展，直接甲醇燃料电池的研究开发也将是各国的研究开发重点，如美国能源部（DOE）、日本新能源产业技术开发署（NEDO）以及欧盟第五框架项目（European Commission's 5th Framework Programme）。

尽管 DMFC 的优势明显，但其发展却比其他类型燃料电池缓慢，主要原因是目前 DMFC 的效率低。甲醇的电化学活性比氢至少低 3 个数量级。另外，甲醇的催化重整反应温度比其他有机物低，因而，在短期内，从技术和效益方面考虑，使用甲醇重整燃料电池更合适。但从长远看，理想的燃料电池将直接应用甲醇为阳极反应物。

目前 DMFC 研究开发依然面临严重的挑战。常温下燃料甲醇的电催化氧化速率较慢，贵金属电催化剂易被 CO 类中间产物毒化，电流密度较低，电池工作时甲醇从阳极至阴极的渗透率较高等。

DMFC 发展需要克服的难题有：

（1）开发活性高、稳定性好、使用寿命长、成本低、抗 CO 等中间体毒化的阳极电催化剂和耐甲醇阴极电催化剂材料；

（2）开发质子电导率高、甲醇渗透率低、化学稳定性好、机械强度适中、价格易被市场接受的电解质膜材料；

（3）开发高性能、长寿命电极，MEA 和电池堆制备技术，运行千小时电压降少于 10mV；

（4）系统集成与微型化技术的突破。

8.2 DMFC 工作原理

8.2.1 电池反应

DMFC 单电池由质子交换膜、电极、极板和电流收集板组成，如图 8-1 所示。电极由扩散层和催化层组成，其中催化层是电化学反应发生的场所。常用的催化剂为炭载贵金属催化剂，阳极催化剂为 Pt-Ru/C，阴极催化剂为 Pt/C。扩散层的作用是传导反应物、支撑催化层，一般是由导电的多孔材料，如炭纸或炭布。目前质子交换膜多采用全氟磺酸高分子膜，如 Nafion 膜。

电极和电池反应为

$$\text{阳极} \qquad CH_3OH + H_2O = CO_2 + 6H^+ + 6e \qquad (8\text{-}1)$$

$$\text{阴极} \qquad \frac{3}{2}O_2 + 6H^+ + 6e = 3H_2O \qquad (8\text{-}2)$$

电池反应 $\quad CH_3OH + \dfrac{3}{2}O_2 = CO_2 + 2H_2O$ (8-3)

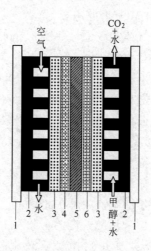

图 8-1 DMFC 结构示意图

1—电流收集板；2—石墨极板；3—扩散层；4—阴极 Pt 催化层；
5—Nafion 膜；6—阳极 Pt-Ru 催化层

总反应相当于甲醇燃烧生成 CO_2 和 H_2O。反应（式8-3）的可逆电动势为 1.214V，与氢氧燃烧反应的可逆电动势（1.229V）相近。这也是人们对 DMFC 感兴趣的原因之一。

一个甲醇分子完全氧化成 CO_2 放出 6 个电子。但在电极过程中，甲醇的氧化过程可能不完全，往往有中间产物如 CO、HCHO、CHOOH 等低碳化合物生成。所以电极表面常会吸附有反应的中间产物，降低催化剂的活性。电极上存在的活化过电位、欧姆过电位和浓差过电位也会使燃料电池的工作电压降低。

计算 DMFC 电池工作电压的经验公式为

$$V = E - \frac{RT}{nF}\left[\frac{1}{\alpha_c}\ln\left(\frac{J}{J_{o,c}}\right) + \frac{1}{\alpha_a}\ln\left(\frac{J}{J_{o,a}}\right)\right] - rJ - \frac{NRT}{\alpha_a F}\ln\left(\frac{J}{ncFD} - 1\right)$$

(8-4)

式中 $J_{o,c}, J_{o,a}$——阴极、阳极交换电流密度，A/m^2；

V——DMFC 工作电压，V；

E——DMFC 开路电压，V；

R——气体常数，$8.314J/(mol \cdot K)$；

T——热力学温度，K；

n——电池反应电池转移数，mol；

F——法拉第常数，$96485\ C/mol$；

α_c, α_a——阴极、阳极电子传递系数；

J——DMFC 电流密度，A/m^2；

r——面积电阻率，$\Omega \cdot m^2$；

N——阳极氧化反应级数；

c——甲醇溶液浓度，mol/m^3；

D——甲醇扩散系数，$m/(mol \cdot s)$。

式（8-4）中含有活化过电位、欧姆过电位和浓差过电位。

图 8-2 为 DMFC 输出电压的实验值和理论值的比较。结果显示理论值和实验值一致。

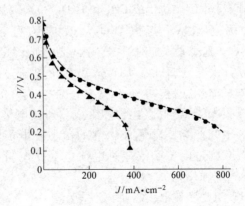

图 8-2　DMFC 电压实验值与理论值比较

条件：1 mol/L 甲醇，0.1MPa 氧气

▲— 60℃；●— 90℃；虚线为理论值

8.2.2 甲醇电催化氧化机理

甲醇的电催化氧化是一个复杂的化学过程，反应步骤多、中间产物多。除了主要产物以外，还会发生副反应，生成 CO、HCHO、CHOOH 等副产物，使阳极氧化效率降低。影响甲醇氧化效率的主要原因是自毒化现象，即某些中间产物与催化剂 Pt 形成较强的吸附，阻止电极氧化反应的进行。

甲醇的电催化氧化机理可简单地分为吸附过程和催化氧化过程。吸附过程中，甲醇吸附到电极催化剂上并逐步脱质子形成含碳中间产物。氧化过程中，含氧物种参与反应，氧化除去含碳中间产物。

甲醇在 Pt 上的吸附有 3 种形式，如图 8-3 所示。甲醇在 Pt 催化剂上的吸附与催化剂的种类、温度、浓度等因素有关。吸附首先表现为物理吸附，然后在一定条件下转变为化学吸附。

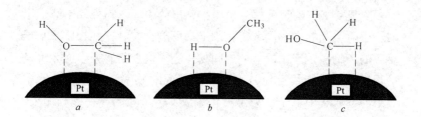

图 8-3　甲醇在 Pt 表面的吸附

a—C—O 吸附；*b*—H—O 吸附；*c*—C—H 吸附

关于甲醇解吸后反应过程的基础研究较多，不同的研究者给出了不同的反应机理。一般认为甲醇在 Pt 基合金催化剂（Pt-Ru）上的反应包括如下步骤：

$$Pt + CH_3OH \longrightarrow PtCH_2OH + H^+ + e \qquad (8-5)$$

$$Pt + PtCH_2OH \longrightarrow Pt_2CHOH + H^+ + e \qquad (8-6)$$

$$Pt + Pt_2CHOH \longrightarrow Pt_3COH + H^+ + e \qquad (8\text{-}7)$$

$$Pt_3COH \longrightarrow 2Pt + PtCO + H^+ + e \qquad (8\text{-}8)$$

$$Ru + H_2O \longrightarrow RuOH + H^+ + e \qquad (8\text{-}9)$$

$$RuOH + PtCO \longrightarrow Pt + Ru + CO_2 + H^+ + e$$

$$(8\text{-}10)$$

C—H 的断裂是甲醇电催化氧化的关键步骤，对甲醇的氧化效率有很大影响。催化剂表面吸附物解离生成中间体的过程是迅速的。甲醇氧化的初始电流密度很大，但迅速减小 4~5 个数量级，是由于生成了中间体。Pt_3COH 是氧化过程中的活性中间体，在氧化过程中可能生成 PtCO。PtCO 是毒性中间体，是催化剂中毒的主要原因。CO 类中间体在金属表面吸附最为牢固，不容易氧化除去，且占据反应活性位置，阻碍甲醇和水的进一步吸附分解。

除反应式（8-5）~式（8-10）列出的中间产物外，甲醛、甲酸、甲酸甲酯等在不同的催化剂上都可能存在。这些物质是平行反应的产物还是连续反应的中间物，还需进一步研究。但无论是平行反应还是连续反应，均降低 DMFC 的效率。平行反应使甲醇不能释放 6 个电子，完全氧化生成 CO_2，降低燃料的利用率。连续反应中的强吸附中间物则需要克服较高的过电位才能氧化除去。

水在甲醇的氧化过程中，既是产物又是反应物，起着提高活性氧的作用（反应式 8-9）。

Pt 基合金催化剂中其他金属成分在反应过程中的作用可能有几个方面。通过电子作用修饰 Pt 的电子性能影响甲醇的吸附和质子脱离过程，减弱中间产物在金属表面的吸附强度，促进水的吸附解离生成含氧物质。添加不同的组分可以起到上述一种或几种作用。

8.3 DMFC 电池材料和元件

8.3.1 催化剂

8.3.1.1 阳极催化剂

和其他燃料电池一样，催化剂是 DMFC 的关键材料之一，直接影响电极反应速率、电池的工作性能和使用寿命。目前研究和使用最多的是 Pt 基催化剂。

甲醇电化学氧化反应活性低、中间产物（如 CO）容易引起 Pt 催化剂中毒，因而单一金属 Pt 不宜作为 DMFC 的阳极催化剂，须要加入其他的金属，组成二元或多元催化剂。典型的催化剂组成为 Pt-Ru，Pt-Ru-W，Pt-Ru-Os-Ir。

Pt-Ru 是目前研究最广泛的阳极电催化剂体系，其他 Pt 基二元催化剂中，Pt-Sn、Pt-W 和 Pt-Mo 研究较多。Ru 的作用主要有两方面。一是 Ru 将部分 d 电子传递给 Pt，减弱 Pt 和 CO 之间相互作用，同时使吸附的含碳中间物中的 C 原子上正电荷增加，使其更容易受到水分子的亲核攻击。二是增加催化剂表面含氧物种覆盖度。Pt-Ru 二元催化剂中的 Pt 主要是还原态的，而 Ru 主要是氧化态的。少量的还原态 Ru 存在于催化剂的体相而不是表面。Ru 的氧化态形式有 RuO_2、$RuO_2 \cdot xH_2O$、RuO_x 和 RuO_xH_y。RuO_x 和 RuO_xH_y 对甲醇的催化作用已得到证实。

Sn 的助催化作用不同于 Ru。Sn 的 d 电子转移到 Pt 的 d 轨道，并引起 Pt-Pt 金属键的伸长。Pt-Pt 键的伸长不利于甲醇在 Pt 表面的吸附，也不利于 C—H 键的断裂。但 Sn 对 Pt 的电子修饰作用能减弱 CO 等中间产物在催化剂上的吸附强度。Pt-Sn 的原子比对该种催化剂的性能有很大影响，有研究发现 Pt : Sn = 3 : 2 时对甲醇的电催化作用最好，并认为此配比时催化剂中从 Sn 转移到 Pt 的电子最多。另有研究认为 Pt 和 PtSn 合金两相共存可能是提高催化活性的关键。

W 的加入能显著地增加 $-OH_{ads}$ 的数量，有利于 CO 的氧化

(反应式 8-10)。W 的电催化氧化作用可能来源于 W 的氧化态在反应过程中的迅速转变，即氧化态在 W（IV）、W（V）和 W（VI）之间变化。有研究发现仅将氧化钨粉末与铂黑机械混合，就能明显的提高催化剂的抗 CO 中毒能力。通过对不同原子比的 $Pt-WO_{3-x}$ 催化剂研究，发现 Pt：W = 3：1 时催化活性最高，Pt：W = 3：2 时催化剂活性最低，且有较大的欧姆极化。催化剂中 W 的含量较高时，过量的 WO_{3-x} 覆盖 Pt 的活性位置，减弱对反应物的吸附，降低催化剂的导电性能。

Mo 的作用可能类似于 W。有研究表明 Pt_3Mo 催化剂抗 CO 中毒的能力和 PtRu 相当，并认为 Mo 的助催化作用来自 Mo 的氧化态在 Mo（III）和 Mo（VI）之间的转变。但 Pt-Mo 合金催化剂的组成和催化机理及稳定性还需进一步研究。

8.3.1.2　阴极催化剂

DMFC 的阴极催化剂和 PEMFC 的一样，为炭载 Pt 催化剂，但 Pt 载量较高。

DMFC 阴极电催化剂的研究除了要考虑催化活性以外，还要考虑耐甲醇能力。一般认为，当 Pt 粒子直径降低到纳米级（2.5～3.0nm）时，对氧的电化学还原催化活性较高，但同时抗甲醇能力也较差。甲醇通过 Nafion 膜从阳极渗透到阴极，在 Pt 的催化下，与 O_2 直接反应，导致阴极的去极化损失，降低电池的输出电压和甲醇的利用率。

解决甲醇渗透对阴极性能衰退的影响，可从催化剂和膜两个方面考虑。从催化剂角度考虑有两种途径。一是开发选择性的氧还原反应催化剂，即只对氧的还原有催化活性，对甲醇氧化没有催化活性。二是开发比 Pt 有更高交换电流密度的催化剂，提高阴极电势。

新型阴极催化剂的研究主要有过渡金属大环螯合物和 Pt 基合金。研究发现，Fe 和 Co 的四甲氧苯基卟啉化合物以及它们的衍生物表现出很强的活性，以及很好的氧还原反应的选择性。合金中催化剂主要是 Cr 和第Ⅷ族金属，如 Pt-Cr、Pt-Co、Pt-Ni、

Pt-Co-Cr、PtCoNi。

8.3.1.3 催化剂制备

DMFC 电催化剂的制备方法对其催化活性、电子导电性、稳定性和使用寿命有重要影响。使用较多的制备方法有胶体法、直接液相还原法、有机硼化物液相还原法、羰基化合物分解法、电化学还原沉积法和物理方法等。不同方法制备的电催化剂在化学组成、微区结构、晶面取向、金属粒径大小、孔隙率、催化活性、稳定性等方面有所不同。直接液相还原法最为常用。将金属的盐与载体（导电炭黑）制成悬浊液，再利用还原剂还原。

8.3.2 电解质膜

电解质膜也是 DMFC 的关键材料之一，目前采用的电解质膜主要是美国 Du Pont 公司生产的 Nafion 系列全氟磺酸膜。

8.3.2.1 膜的传质

在 DMFC 中，Nafion 膜分隔阳极与阴极，传输离子与分子。当 Nafion 膜被水溶胀之后，在微观上形成一种胶束网络结构。憎水的聚四氟乙烯骨架支撑球状胶束的外围，侧链及侧链上的磺酸根向内外两个方向延伸，向内至胶束内部，向外与相邻胶束形成通道。球状胶束直径约 $4 \sim 6nm$，连接胶束之间的通道直径约 $1nm$。离子及分子在膜内的传输主要依赖于这些球状胶束和通道，胶束和通道的直径大小决定分子及离子传输速度。膜内部的胶束网络结构分成三个极性不同的区域，即全氟化碳骨架、氟化醚支链和胶束内部。这三个区域对于甲醇分子和水分子的选择透过性不同。胶束的内部具有较高的极性，是溶液分子和离子传输的主要区域，大部分甲醇分子的传输依赖于这一区域。氟化醚支链部分极化性较弱，甲醇分子比水分子更容易穿过这一部分。全氟化碳骨架部分没有极性，水分子不能透过，但允许少量甲醇分子透过。

8.3.2.2 甲醇渗透

DMFC 中甲醇的渗透受甲醇浓度、温度、膜厚度和电流密度等因素的影响。

电池的开路电压随着甲醇的浓度增大而降低。这主要是由于浓度越高，甲醇透过膜的渗透会加剧，从而导致了较低的电池性能。在高浓度的甲醇情况下，通过直接穿透 Nafion 膜的甲醇量占燃料总量的比例可高达 40%。同时，甲醇对阴极产生的毒化作用增强，阴极的性能会明显降低。

甲醇的渗透率随温度的上升而增加。Nafion 115 膜在 1mol/L 甲醇中的渗透和膜面积电阻率随温度的变化如图 8-4 所示。在 80℃ 以下，甲醇溶液以液体进料。甲醇的渗透随温度的升高而增加，在 20℃ 时为 56mA/cm²，在 80℃ 时提高到 211mA/cm²，同时 Nafion 115 的面积电阻率由 0.40Ω·cm² 降低到 0.14Ω·cm²。在 105℃，甲醇和水均以气体进料，此时甲醇的渗透减少而电阻增加。这是由于膜中没有足量的水，膜的表面特性发生变化，疏水性增强，质子导电性降低。

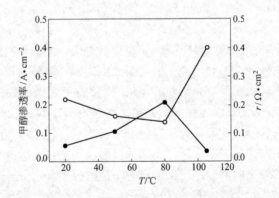

图 8-4　Nafion 115 甲醇渗透和面积电阻率与温度的关系

阳极：3mL/min，1mol/L 甲醇；阴极：100mL/min N₂

小于 80℃，液体进料；105℃，气体进料

●—甲醇渗透率；○—面积电阻率

膜的厚度对甲醇的渗透有重要的影响，甲醇的渗透速率与膜的厚度成反比，随着膜厚度的增加，甲醇渗透量减少。有研究发

现，当膜的厚度从 127nm 增加到 356nm 时，甲醇的渗透可减少约 40%~50%。这是因为当膜的厚度增加时，甲醇在膜中的传质阻力会不断增大。膜的当量对甲醇渗透也有影响，当量大的 Nafion 膜具有较低的甲醇渗透率，因为当量大的膜其膜内传质阻力较大。

电流密度对甲醇渗透率的影响来自两个方面。一方面，随着电流密度的增加，阴极生成的水量会增加，这样可以减少甲醇渗透。另一方面，随着电流密度的增加，甲醇的利用率也会提高，从而降低了甲醇渗透量。

8.3.2.3 Nafion 膜的改进和新型膜开发

Nafion 膜具有良好的质子电导率、耐酸碱性、化学稳定性、机械强度和使用寿命。然而，由于甲醇从阳极至阴极的渗透率较大，降低电池性能和燃料利用率。为了解决 DMFC 甲醇渗透的问题，从电解质的角度考虑，有两种解决方案，一是对 Nafion 膜进行改性，二是开发具有低甲醇渗透率的新型膜。

甲醇在 Nafion 膜中主要通过亲水区进行扩散，改变 Nafion 膜中亲水区内微孔的形态可有效地抑制甲醇渗透。在 Nafion 膜中掺杂适量 Cs^+ 离子会明显降低 Nafion 膜中甲醇的渗透率。Cs^+ 相对质子来说，水合能较低、亲水性较弱。因此，在 Nafion 膜中用 Cs^+ 部分替代 H^+ 可降低膜中含水量，从而减少膜中亲水区的大小，达到控制甲醇渗透的目的。在 Nafion 膜中掺杂无机酸性材料，如 SiO_2、Al_2O_3、$Zr(HPO_4)_2$ 等，可降低甲醇的渗透率，并提高膜在高温下离子导电性和稳定性。

新型电解质膜材料的开发一直是电解质膜研究的一个热点。Du Pont 公司研制了至少由两层不同当量值的树脂制备的复合膜，高当量值的一层甲醇渗透率低、质子导电率低，在 DMFC 阳极一侧。低当量值的一层甲醇渗透率高、质子导电率高在阴极一侧。使用该复合膜的 DMFC 电流效率得到显著提高。聚苯并咪唑（PBI）磺化后附加在 Nafion 膜上制成的复合膜，既保持较高的电导率，又降低甲醇渗透率。聚醚醚酮（PEEK）、聚醚砜（PES）、聚砜（PS）、聚酰亚胺（PI）和聚磷腈（POP）等具有良好的热稳定性和机械强度的聚合物，通过磺化引入磺酸根基团，也可用做 DMFC 的电解质膜。

8.3.3　膜电极

膜电极（MEA）为多孔扩散电极，是 DMFC 的核心部件。膜电极通常由炭纸或炭布组成的扩散层和电催化剂、质子导体、黏结剂等组成的催化层构成。膜电极的制备过程对其性能有很大影响。膜电极的制备方法主要有薄层印刷法、电化学沉积法、化学沉积法、溅射法等。聚四氟乙烯（PTFE）通常被用做黏结剂，同时增加电极的疏水性和气体通道。

目前 DMFC 膜电极还存在电极催化剂担载量较高和催化剂利用率较低等问题。阳极贵金属担载量一般 $2 \sim 6mgPt\text{-}Ru/cm^2$，阴极担载量 $4mgPt/cm^2$。将 Nafion 聚合物均匀分散在炭载催化剂中，可形成较多的三相反应区，提高电极贵金属利用率，降低担载量。

8.4　DMFC 的性能

除催化剂、电解质膜和膜电极外，DMFC 的性能还受温度、甲醇浓度和氧气压力、流量等因素的影响。

DMFC 的可逆电动势甲醇浓度的增大而提高，但由于甲醇的膜渗透损失，开路电压和工作电压严重偏离理论可逆电势。表 8-2 是 JPL650W 电池堆中甲醇浓度与工作电压和渗透损失的关系。甲醇浓度低时，由于传质和浓差极化，在较高电流密度时，工作电压急剧降低，DMFC 不能获得高性能。甲醇的渗透损失随甲醇浓度的增大而加剧，当甲醇浓度大于 0.6mol/L 时，工作电压不增反降。另有研究显示，在 65 ～ 90℃、空气压力 0.05 ～ 0.25MPa 范围内，甲醇溶液浓度分别为 1mol/L 和 2mol/L 时，DMFC 的性能并无明显差别。

表 8-2　甲醇浓度与工作电压和渗透损失的关系

甲醇浓度/mol·L^{-1}	渗透损失/mA·cm^{-2}	工作电压/V
0.3	152	27.6
0.6	245	28.3
0.9	305	26.8

注: JPL 650W 电池堆。

　　为降低甲醇渗透的影响，提高甲醇利用率，DMFC 不能使用高浓度甲醇，甲醇溶液浓度一般为 0.5 ~ 1.5mol/L （质量分数 1.6% ~ 4.8%）。

　　温度升高和氧气分压增大，都使 DMFC 的性能提高。

　　提高电池的工作温度可以提高阳极的催化活性，使 H_2O 能在更低的电位下克服反应式（8-9）的活化能，生成了 RuOH。同时也提高了 RuOH 与甲醇氧化中间产物的反应速率，减小了阳极的活化过电位，电池性能大幅度提高。

　　提高电池工作温度也可以降低欧姆极化。DMFC 的电阻包括电子电阻和离子电阻。离子电阻来源于质子交换膜和电极催化活性层中离子聚合物。电子电阻则产生于电极和流场型极板，且主要是接触电阻。图 8-4 显示，Nafion 膜电阻随温度升高而降低。

　　在 DMFC 阴极催化层中，一部分 Pt 分散在 Nafion 离子聚合物胶束的外表面，氧气可以与 Pt 直接接触，形成三相反应区。另一部分 Pt 被 Nafion 离子聚合物包裹，氧气必须经过孔隙扩散至 Nafion 聚合物表面并溶解，然后吸附在 Pt 表面，电化学反应才能进行。阴极氧气压力会影响氧在电极内的扩散速度，改变三相反应区和 Nafion 内催化剂表面的氧浓度。氧在 Pt-Nafion 界面上的还原反应接近 1 级反应，氧浓度提高使阴极反应速率增大，电池性能改善。另外，阴极氧气压力可阻止甲醇的渗透。但当氧气压力提高到一定程度时，阴极压力对甲醇渗透的阻碍作用不再明显增加。

8.5 DMFC 系统集成

DMFC 直接使用液态燃料，无须重整或储氢装置，具有系统结构简单、燃料补充方便、能量密度高等优点，适用于 APU 电源（参见表 8-1）。系统集成是 DMFC 的关键技术之一。DMFC 电池堆的集成涉及系统的设计、优化，系统内传质、反应、水热管理、物料平衡等。周边系统包括微型的泵、阀、扇、直流转换器、传感器等部件或集成。美国摩托罗拉公司开发了一款 1W 微型 DMFC 样机，用于蜂窝电话的台式充电器。另一款改进型的样机也在计划中。表 8-3 是它们的技术参数。

表 8-3 摩托罗拉公司 1W DMFC 技术参数

项　目	样机	改进型	项　目	样机	改进型
总功率/W	1.53		比能量/$W \cdot h \cdot kg^{-1}$	102.5	249
寄生消耗功率/W	0.53		能量密度/$W \cdot h \cdot L^{-1}$	77	168
净功率/W	1	1	使用时间/d	2~6	7
输出电压/V	8.4	8.4~10	质量/kg	0.605	0.675
燃料容量/mL	100	290	体积/L	0.812	0.996

样机系统中，各部分占系统总体积的比例分别为，电池堆 19%，燃料容器 22%，连接件和死体积 49%，混合器 4%，空气扇 2%，电子元件 2%，泵 1%，其他 1%。连接件和死体积占了几乎一半，优化和集成的空间很大。

9 燃料供应

9.1 燃料电池对燃料的要求

　　燃料电池是能量转换装置，通过电极反应，燃料电池将燃料的化学能直接转化为电能。向燃料电池供应的燃料，最重要的条件是它的电极反应活性要高。在所有研究过的燃料中氢气的反应活性最高，而且反应简单，唯一的产物是水，没有副反应。

　　在300℃以下，碳氢化合物及醇类（如甲醇）的电极催化反应速率很低，并伴随有害的副反应，在 MCFC 的工作温度为600~650℃时，碳氢化合物将发生热裂解，生成炭黑沉积在电极表面，钝化燃料电池电极催化剂。为了防止碳沉积，需在燃料气体中混有一定比例的水蒸气。碳氢化合物与水蒸气在高温发生重整反应，生成 H_2、CO 和 CO_2。因此，在高温条件下氢气仍是实际有效的燃料。在目前阶段，燃料电池直接利用的燃料是氢气及富氢合成气体。不同类型的燃料电池对氢气纯度的要求不同，电池反应进行的温度越低，则对燃料的要求越苛刻，加工的技术难度和成本越高。AFC 对酸性成分特别敏感，要求彻底消除 CO_2；氢气中少量的 CO 会引起 PEMFC 的催化剂中毒，氢气中 CO 应低于 $10mg/m^3$；MCFC 的燃料气体中可含有较高浓度的 CO，这些 CO 在 MCFC 中可全部转化为 H_2，而且在 MCFC 的氧化气体中还要含有大量的 CO_2，以补偿向另一电极转移的碳酸盐。表 9-1 是燃料中气体成分的作用和限量。氢气的净化途径有多种，如使用适当的溶液、半透膜或分子筛吸附，或经过特殊的化学反应去除杂质。

表 9-1　燃料中气体成分的作用和限量

气体成分	燃 料 电 池				
	PEMFC	AFC	PAFC	MCFC	SOFC
H_2	燃料	燃料	燃料	燃料	燃料
CO	有毒，$<10mg/m^3$	有毒	有毒，$<0.5\%$	燃料[1]	燃料[1]
CH_4	稀释	稀释	稀释	燃料[2]	燃料[2]
CO_2	稀释	有毒	稀释	氧化气体成分[3]	稀释
H_2S，COS	不明确	未知	有毒，$<50mg/m^3$	有毒，$<0.5mg/m^3$	有毒，$<1.0mg$

[1] CO 与 H_2O 反应生成 H_2 和 CO_2（水气置换反应）。

[2] 经内部重整生成 H_2 和 CO。

[3] MCFC 氧化气体含有大量 CO_2 以补充向阳极流动的 CO_3^{2-}。

氢气生产的主要原料有天然气、液化石油气、汽油、柴油、煤、生物质及醇类。生产方法有蒸汽重整、不完全氢化、热裂解和催化裂解等。这些方法可以单独使用，也可以联合使用。如在自供热重整中，就使用了蒸汽重整和不完全氧化两种方法。

碳氢化合物是工业生产氢的主要原料，从长远看，随着化石燃料价格上升、资源枯竭及全球温室效应的加剧，将使用可再生资源生产氢气，如水电解。从近、中期看，化石燃料仍将是制氢的主要原料，一个重要原因是，碳氢化合物制氢所消耗的能量比水电解的能耗要低得多。不同原料制氢的理论能耗见表 9-2。水电解制氢因消耗大量的电能，在现阶段不会大量采用，一般在电力资源丰富，电价较低的地区应用，或在用量很少，作为临时替代的情况下应用。随着核电站及太阳能利用技术的发展，人们距离水电解制氢的目标越来越近。

表 9-2　不同原料制氢的理论能耗

原　料	天然气 CH_4	LPG $CH_{2.6}$	石脑油 $CH_{2.2}$	重油 $CH_{1.4}$	煤 $CH_{0.7}$	水 H_2O
热值[1]/kJ·kg^{-1}	50050	46130	44300	41300	38100	
副产物/mol·mol^{-1}（H_2）	CO_2 0.25	CO_2 0.30	CO_2 0.32	CO_2/S 0.37/0.002	CO_2/S 0.43/0.002	O_2 0.5

· 182 ·

原　料	天然气 CH_4	LPG $CH_{2.6}$	石脑油 $CH_{2.2}$	重油 $CH_{1.4}$	煤 $CH_{0.7}$	水 H_2O
理论能耗/$kJ \cdot kmol^{-1}(H_2)$	41280	37500	38350	59300	57150	242000
相对值	17.0	15.5	15.8	24.5	23.6	100

① 298K、0.1MPa，HHV（高热值，High Heat Value）。

　　甲醇重整制氢，在工业上很少使用，因为原料甲醇较贵。但甲醇重整制氢适宜在燃料电池上应用，特别是在车载燃料电池上使用。

　　由于自然界中没有氢气资源，加上氢气在生产、贮存、运输上的困难，人们一直在寻找能直接用于燃料电池的其他燃料，从而取消燃料重整器，降低燃料电池的体积和造价。研究最多的是甲醇。甲醇在常温下为液态，便于携带，尤其适用于便携式电源及电动车。天然气可用于 SOFC，SOFC 的工作温度达 800～1000℃，在这么高的温度下，电极反应产物水与甲烷发生蒸汽重整反应，仍生成 H_2。

9.2　天然气制氢

　　天然气蒸汽重整是生产氢气最经济有效的途径，世界氢气总产量的四分之三来自天然气蒸汽重整。地球有丰富的天然气资源。1992 年商业天然气的产量是 $2106 \times 10^9 m^3$。天然气可以在国内及国家间进行管道运输，1992 年前苏联通过管道向德国输送了 $60.7 \times 10^9 m^3$ 天然气，向东欧国家输送了 $38.4 \times 10^9 m^3$ 天然气。除了管道运输，还有大量的液化天然气 LNG （Liquefied Natural Gas）贸易，1992 年仅印度尼西亚就向日本出口了 $25 \times 10^9 m^3$ 天然气。1999 年中国天然气产量为 $16 \times 10^9 m^3$。

　　天然气储量丰富，有方便快捷的运输及贸易途径，据估计，在未来 15～20 年内，天然气蒸汽重整 （SRM，Steam Reforming of Methane） 将一直提供最经济的氢气。

9.2.1　天然气净化

　　天然气的成分因产地不同而有所不同，但主要是甲烷，其他成分有低分子碳氢化合物、氮气和二氧化碳。多数天然气含有少量硫，以 H_2S、COS 的形式存在。在所有的化石燃料中，天然气最为洁净，其燃烧产物对环境的影响也最小。这一性质对天然气制氢很重要，可以减少副产物、减少环境污染。需要注意的是，有时天然气中的硫化物是人为加进去的，作为检测泄漏的气味剂。

基于提高热值或提高燃烧速度等考虑，许多天然气公司在天然气中加入其他成分。例如在用气高峰期，加入丙烷-空气混合物或丁烷-空气混合物。因此，尽管甲烷是天然气的主要成分，其他成分对燃料电池的影响也必须考虑，这也可能增加了天然气制氢的困难。

天然气中最主要的杂质是含硫化合物，包括 H_2S、COS 和有机硫化物。硫是蒸汽重整 Ni 催化剂及许多阳极反应催化剂（如 Pt）的抑制剂。低浓度的硫在 Ni 催化剂上的吸附是可逆的，改用不含硫的进料或只通水蒸气，数小时后，吸附的硫即被除去。当硫在 Ni 表面累积形成胶状硫时，将使催化剂永久失效。硫对 Ni 催化剂的毒性随温度的升高而降低。SOFC 耐硫浓度高于 MCFC。时间对催化剂中毒有显著作用。在固定床蒸汽重整反应器中，开始时只是在催化床底部吸附窄窄的一条，慢慢扩大到整个催化床。再随着反应气体进入下一段反应，毒化水气置换反应的催化剂，甚至毒化燃料电池阳极催化剂。

因此，对于任何碳氢化合物的重整制氢，都必须进行原料脱硫。脱硫后硫的含量应低于 $0.3~mg/m^3$。

9.2.1.1 高温脱硫

对于大规模制氢，氢化脱硫（HDS，Hydrodesulfurisation）是首选方法。该工艺是在天然气中混合少量氢气，通过 $350 \sim 400\,℃$ 的催化床。催化剂通常是氧化铅载体氧化钴或氧化钼。所有的有机硫都与氢气反应生成 H_2S 和碳氢化合物。如：

$$(C_2H_5)_2S + 2H_2 = 2 C_2H_6 + H_2S \qquad (9\text{-}1)$$

生成的 H_2S 被 ZnO 吸附：

$$H_2S + ZnO = ZnS + H_2O \qquad (9\text{-}2)$$

催化剂和 ZnO 吸附剂可置于同一反应器中，在 350～400℃，经此处理后，硫含量（以 H_2S 计）可低于 0.75 mg/m^3。

当进料中硫化物的浓度很低，氢浓度较高时，HDS 催化剂被氢还原为金属，将发生氢化裂解；而当进料中有烯烃时，将发生氢化还原，降低除硫效果。但大多数天然气不会出现这种情况。

9.2.1.2　低温脱硫

低温脱硫是采用吸附剂吸附硫化物，主要吸附剂是活性炭和分子筛。提高反应器温度，吸附剂可再生。由于需要大量的吸附剂，及有吸附剂再生、吸附硫的处理等问题，低温脱硫工艺仅适用于短期、小规模制氢，不适于大规模制氢。

9.2.2　甲烷转化反应

甲烷的化学性质稳定，转化反应的条件比较苛刻。主要反应有蒸汽重整、不完全氧化和热解。

9.2.2.1　蒸汽重整

蒸汽重整用于将甲烷或其他碳氢化合物转化为氢。甲烷重整以 Ni 为催化剂，在 500℃ 以上进行。主要反应有重整反应（式9-3）及水气置换反应 WGS（Water Gas Shift）（式9-4）。

$$CH_4 + H_2O = CO + 3 H_2$$
$$\Delta H_{298}^{\ominus} = 206\text{kJ/mol} \qquad (9\text{-}3)$$

$$CO + H_2O = CO_2 + H_2$$
$$\Delta H_{298}^{\ominus} = -41\text{kJ/mol} \qquad (9\text{-}4)$$

重整反应（式9-3）是强吸热反应，WGS 反应略放热。这两个反应都是可逆反应。在适宜的条件下，反应速率很大，很快能达到平衡。因而蒸汽重整反应受热力学控制。反应的热力学数据都是已知的，在一定进料气/碳（S/C）摩尔比、温度、压力下，可计算出重整反应的产物组成。通常理论计算值与实际测量值很接近。进料摩尔比 $H_2O : CH_4 = S/C = 3$，系统平衡如图 9-1 所示。

重整反应（式 9-3）的化学计量比为 $H_2O : CH_4 = 1$，但通常使蒸汽过剩，$S/C = 3 \sim 5$。这样的目的有两个，一是使 WGS 反应（式 9-4）向右进行，减少 CO，二是避免碳化反应（式 9-5）：

$$2CO \Longrightarrow C + CO_2 \qquad (9-5)$$

碳化反应也受 Ni 催化剂催化。实际发生碳沉积的最小 S/C 比值比热力学计算值要小。因为理论计算是以石墨的热力学数据为基础，而沉积在 Ni 微晶上的碳的 Gibbs 生成自由能比石墨的低。在蒸汽分压较低时，针状或晶须状碳在 Ni 微晶上生长，并迅速使催化剂分解。沉积碳和失效催化剂会造成重整反应器部分或全部堵塞，因此，蒸汽重整反应应避免反应式（9-5）的发生。

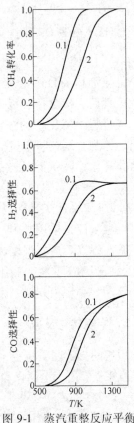

图 9-1 蒸汽重整反应平衡
进料摩尔比 $CH_4 : H_2O = 1 : 3$
（图中数字为系统压力，MPa）

甲烷在 Ni 表面的离解吸附历程为

$$CH_4 \longrightarrow \cdot CH_3 \longrightarrow \cdot CH_2 \longrightarrow \cdot CH \longrightarrow \cdot C \qquad (9-6)$$

甲烷分子脱氢的活化能约为 50kJ/mol，吸附态甲基 $\cdot CH_3$ 一步一步脱氢，生成碳。各步脱氢反应都是可逆的。甲烷在 Ni（110）

面的吸附率比 Ni(111)面高一个数量级。

CO_2 可以代替部分或全部水蒸气进行甲烷重整反应:

$$CH_4 + CO_2 = 2CO + 2H_2 \quad \Delta H_{298}^{\ominus} = 247kJ/mol \quad (9-7)$$

二氧化碳重整产物 H_2/CO 比较低,适用于生产 CO 及某些特殊过程。反应(式 9-7)的意义还在于消耗了 CO_2。

9.2.2.2 不完全氧化

甲烷或其他碳氢化合物能通过不完全氧化反应(式 9-8)转化为氢气:

$$CH_4 + \frac{1}{2}O_2 = CO + 2H_2$$

$$\Delta H_{298}^{\ominus} = -36kJ/mol$$

$$(9-8)$$

同样是 1mol 甲烷,不完全氧化反应(式 9-8)产生的氢气比重整反应(式 9-3)要少。因而,利用不完全氧化反应制氢的燃料电池的效率低于蒸汽重整制氢的燃料电池,后者利用燃料电池的余热供给蒸汽重整反应。不完全氧化法的优点是反应器简单,起动快,对负载变化响应快,成本低。不完全氧化反应热力学模拟如图 9-2 所示。反应的适宜温度在 1000K 以上。图 9-2 的热力学模拟是一种理想的情况,即只发生反应(式 9-8)。实际上还有其他反应发生,如

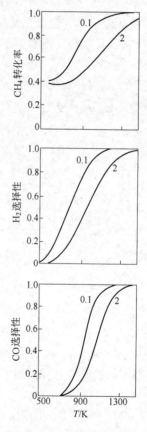

图 9-2 不完全氧化反应平衡
进料摩尔比 $CH_4 : O_2 = 2 : 1$
(图中数字为系统压力,MPa)

$$CH_4 + \frac{3}{2}O_2 = CO + 2H_2O$$

$$\Delta H_{298}^{\ominus} = -519\text{kJ/mol} \qquad (9\text{-}9)$$

$$CH_4 + 2O_2 = CO_2 + 2H_2O$$

$$\Delta H_{298}^{\ominus} = -800\text{kJ/mol} \qquad (9\text{-}10)$$

少量水的生成还将引发蒸汽重整反应(式9-3)。

不完全氧化反应分有、无催化剂两种情况。

在非催化不完全氧化反应中,燃料和氧气预热后混合,在燃烧器内点燃,其全部过程如图9-3所示。CH_4与O_2在火焰中反应,除硫后,进行WGS反应(式9-4),将绝大部分CO转化为H_2,并去除CO_2。如果对氢气的纯度要求高,要完全去除CO,再进行Ni催化的甲烷化反应(式9-11),可将CO的浓度降低至10 mg/m^3以下。

$$CO + 3H_2 === CH_4 + H_2O \qquad (9\text{-}11)$$

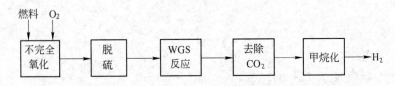

图9-3　甲烷非催化不完全氧化流程

不完全氧化反应的催化剂有多种,包括贵金属、非贵金属及其混合物。从催化性能和价格等方面综合考虑,Ni催化剂应用最多。工业用Ni催化剂的载体是耐高温的氧化物(如氧化铝、氧化镁),或混合陶瓷。催化床的形状要综合考虑到催化剂的最大活性、反应器内的传热及催化床本身的机械稳定性等。

工业上常用的催化反应器有3种:固定床微反应器、蜂窝反应器和流化床反应器,如图9-4所示。典型的固定床微反应器是直径2~6mm的石英管,装有20~80mg催化剂。蜂窝反应器外部是直径10~20mm的石英管,催化床由氧化铝等耐热材料挤压成型。流化

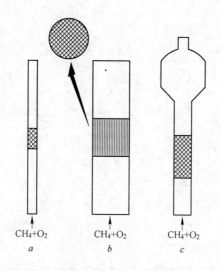

图 9-4　甲烷催化不完全氧化反应器示意图

a—固定床微反应器；b—蜂窝反应器；c—流化床反应器

床反应器外观是一个上粗下细的石英管，催化剂粒径 80～150μm。

9.2.2.3　热解

当甲烷和其他碳氢化合物在隔绝空气的情况下加热，发生热解反应（式 9-12）、（式 9-13），产生氢气和碳：

$$CH_4 = C + 2H_2 \qquad (9-12)$$

$$C_nH_{2m} = nC + mH_2 \qquad (9-13)$$

从理论上讲，热解反应可以制造高纯度的氢气，因为没有 CO 和 CO_2 生成。但这一有利条件被另一不利条件抵消了：副产物碳的处理十分棘手。因此，除了特殊情况，热解反应是要努力避免的反应。

9.2.3　天然气蒸汽重整制氢

天然气蒸汽重整制氢工艺流程如图 9-5 所示，可以分成 3 个主要步骤：合成气发生、水气置换（WGS）和净化。

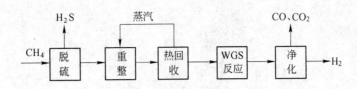

图 9-5　天然气蒸汽重整制氢工艺流程

为了保护催化剂，天然气首先要脱硫。脱硫后的天然气与水蒸气混合进入重整器。蒸汽重整反应（式 9-3）是强吸热反应，反应所需热量由天然气的燃烧供给。图 9-6 是重整反应系统示意图。在反应条件下，反应物在催化床各处迅速达到平衡。高气/碳（S/C）比、高温、低压有利于目标产物的生成。为使合成气中 CH_4 的含量达到最小，适宜的条件是 S/C = 3 ~ 5，温度 800 ~ 900℃，压力小于 3.5MPa，甲烷转化率可达到 98%。典型合成气的组成见表 9-3。要达到更高的甲烷转化率，需进行二级重整，如图 9-7 所示。二级重整是利用不完全燃烧提高温度，促使更多的甲烷转化。二级重整器出口温度一般达 1050℃。经过二级重整，甲烷转化率高于 99.6%。

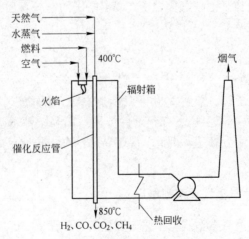

图 9-6　重整反应系统示意图

表 9-3　甲烷蒸气重整合成气的组成（体积分数/%）

组　分	H$_2$	CO	CO$_2$	CH$_4$
实际含量	72.04	15.17	10.82	1.96
计算值	71.95	14.19	10.92	1.88

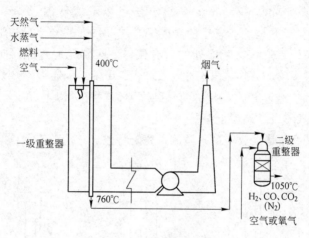

图 9-7　二级重整示意图

在二级重整系统中，第一级重整的条件可以较为温和，虽然一级重整的转化率较低，但经过二级重整后，转化率仍比单纯一级重整要高，同时降低了一级重整反应器的造价。对于大规模制氢企业，设备成本的降低尤为可观。

二级重整的主要缺点是增加了设备，第二级重整使用空气时引入氮气，稀释了氢气。该法非常适用于合成氨。对于中等规模（100MW）的 PAFC 发电厂也是适宜的。

甲烷转化率与反应管出口的温度密切相关。填充催化剂的反应管直接受火焰辐射，出口温度与其表面最高允许温度有关。一般来说，重整炉的主要限制参数是反应管的表面温度。

重整后，合成气中含有 CO，进入水气置换反应器，把 CO 转化为 H$_2$，一般要经过高温和低温两个阶段，反应温度为 200 ~ 400℃。经过 WGS 反应，CO 的含量降至 0.2% ~ 0.4%。

下一步是去除 CO_2、残余的 CO 及其他杂质。常用方法有两种，一种是洗涤法（Wet Scrubbing），将气体通过乙醇胺、热碳酸钾等。残余的 CO_2 和 CO 经甲烷化反应去除。如此处理后，氢气的纯度可达 97% 以上。另一种方法是压力变动吸附（PSA，Pressure Swing Adsorption）。该方法可以取代低温 WGS、去除 CO_2 和甲烷化反应。它是使合成气通过一系列的分子筛和活性炭吸附床，吸附除氢气以外的所有气体。吸附床通过减压加热再生。被去除的气体中含有水、CH_4、CO、CO_2，通入燃烧炉为系统供热。经过 PSA 净化的氢气纯度能达到 99% 以上。

9.2.3.1　大型重整器

图 9-8 是工业上最典型的重整炉特性。它们的主要区别是燃

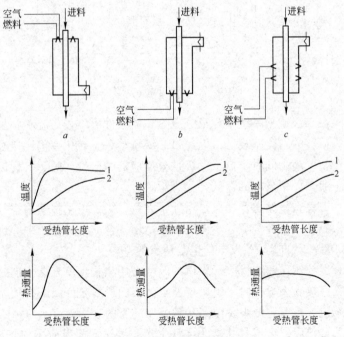

图 9-8　典型重整炉特性

a—顶部点火，顺流；b—底部点火，逆流；c—侧点火

1—反应管表面；2—加工气体

烧器的位置和气流方向。

第一种，顶部点火重整炉，它的特点是燃烧气体与加工气体同向流动。这种设计，使吸热重整反应的最佳冷却部位正好与反应管受火焰辐射最强的部位相一致。在反应管出口，绝大部分甲烷已转化，加工气体较热，烟气较冷，反应管表面温度也不太高。虽然热通量变化显著，但催化反应管的表面温度几乎恒定。

第二种，底部点火重整炉。它的特点是燃烧气体与加工气体逆向流动。反应炉下端的热通量最大，加工气体温度最高。在达到反应管底部之前，绝大部分的甲烷转化反应已经完成，加工气体到达底部时不能有效吸收热量，反应管表面有过热的危险。此种反应炉适用于二级重整的第一级。当加工气体离开反应管时，尚有相当一部分未转化的甲烷，进行二级重整。

第三种，侧点火重整炉。在整个反应管长度内，热通量是均匀的，但反应管表面温度在其下端达到最高温度。侧点火反应炉比前两种反应炉需要更多的燃烧器。

三种反应炉中，顶部点火反应炉设计成本最低，体积小，应用范围广。

与大型化工制氢厂不同的是，燃料电池本身能产生饱和蒸汽，可用于燃料的重整反应。使用中的 PAFC 电站大多属于这种情况。为减少蒸汽重整过程中的能量损失，一般使用回热管和加压燃烧器。

大规模制氢适用于向 100MW 以上的燃料电池发电厂供氢。对于重整器与燃料电池一体化的应用，小型重整器更适用。对小型重整器的要求更高：重整效率高、负荷变动能力强、成本低。

以下介绍几种小型重整器。

9.2.3.2　再生重整器

图 9-9 是著名的哈尔德尔托普索（Haldor Topsoe）重整器，使用环状催化反应器，燃烧器在中央的底部，采用加压燃烧，压

力通常为 0.45 MPa。第一催化床是对流加热，热源是流向相反的燃烧气和反应气体，床的温度约 675℃。进料气体向下通过第一催化床，有一部分被重整。经过传送管到第二催化床顶部，与烟气流向一致。第二催化床受燃烧气体的对流加热和中央燃烧器的辐射加热，温度达到 830℃。这种同向、逆向热交换器的设计，使金属表面温度最低。

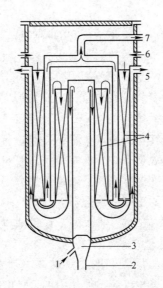

图 9-9　哈尔德尔托普索重整器

1—燃料入口；2—空气入口；3—燃烧器；4—催化床；5—烟气出口；

6—加工气体入口；7—合成气体出口

　　这种反应器的优点是体积小，适于小规模制氢，加压燃烧的热利用率高，起动较快，对负荷较敏感，成本低。缺点是气相向催化剂颗粒的传质受一定限制，热回收系统与反应器是一体的，回收率受反应器设计限制，仍需要使用高温材料。另外，在性能、成本、体积等方面，仍需改进，以适应燃料电池的发展。

　　类似的重整器还有小型再生重整器，如图 9-10 所示。它使用辐射型纤维燃烧器，类似于侧点火重整器，供热均匀。由于不是明火加热，燃烧器和反应器的距离可以更近，从而减小了重整器的体积。

9.2.3.3　板式重整器

板式重整器如图9-11所示。它的燃烧室和重整室被平板隔开，板的两侧分别涂有燃烧催化剂和重整催化剂。燃烧反应的热量供给重整反应。该反应器的特点是结构紧凑、传热阻力小。由于使用了助燃催化剂，可以使用低发热值的烟气、燃料电池尾气。要求催化剂涂层与隔板附着牢固，能在高温状态下长期运行，不出现断裂、脱落，不失活性。

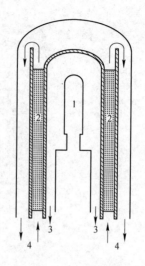

图 9-10　小型再生重整器

1—纤维燃烧器；2—催化剂；
3—烟气；4—加工气体

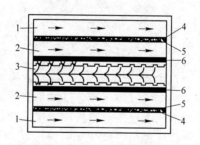

图 9-11　板式重整器示意图

1—重整区；2—燃烧区；3—燃料分配；4—重整催化剂；
5—燃烧催化剂；6—微孔板

9.2.3.4　螺旋重整器

螺旋重整器如图9-12所示。其下部是热交换器，进料气体

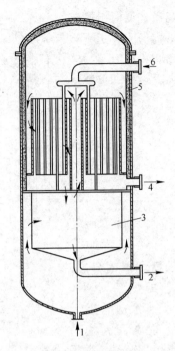

图 9-12 螺旋重整器

1—加工气体入口；2—重整气体出口；3—热交换；

4—烟气出口；5—保温层；6—烟气入口

在这里被重整气体加热到810℃。反应器上部是环状重整区。在重整区，由空心壁形成螺旋形通路，填充催化剂。高温进料气体从外侧水平地进入催化床发生重整反应，反应所需热量由空心壁中的烟气供给。重整气体离开催化床时温度达860℃，通过热交换器后，冷却到310℃。此反应器的优点是热交换面积大，催化效率高。

9.2.3.5 集约化重整器

集约化重整器是国际燃料电池公司（IFC）的一项专利，其特点是脱硫、蒸汽重整、高温WGS反应在同一容器内完成，其示意图如图9-13所示。该反应器的结构比较简单，不

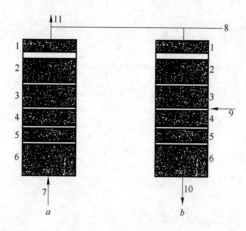

图 9-13　集约化重整器

a—工作状态；*b*—再生状态

1—高温置换反应催化剂；2—惰性填充物；3—重整催化剂（Ni）；
4—重整催化剂（贵金属）；5—氧化锌；6—惰性填充物；7—进料；
8—蒸汽；9—空气或氧气；10—尾气；11—重整气体

需要进行燃烧室气体与重整室气体之间的热交换，重整反应所需热量由容器内的惰性充填物和催化剂提供。充填物由蒸汽和燃烧气体循环加热。图 9-13 是两个同样的反应器，在任何时间，总有一个反应器在产氢，即工作状态，另一个反应器在加热，即再生状态。

9.2.4　天然气不完全氧化制氢

9.2.4.1　非催化不完全氧化制氢

图 9-14 为非催化不完全重整器示意图。一级燃料与空气或氧气混合通过喷嘴进入圆柱形反应器，喷嘴的设计和安排使混合物旋转，充分混合，燃烧完全。一级燃料生成的 CO_2 和 H_2O 在燃烧区与二级燃料反应，生成合成气。实际反应器就是一个内衬耐火材料的管，温度可达 1200℃。使用液化石油气（LPG）时，每小时能生产 $10m^3$ 氢气和 $7.7m^3 CO$。

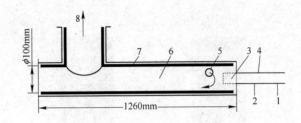

图 9-14　非催化不完全重整器

1—氧气；2——级燃料；3—喷嘴（一级燃料和氧气）；4—冷却水；5—正切
喷嘴（二级燃料）；6—燃烧室；7—高温材料；8—重整气体

9.2.4.2　催化不完全氧化

催化不完全氧化反应器运行温度比非催化法低。催化不完全氧化反应器以是否加水蒸气而分为两种：

第一种不加水蒸气。非贵金属（如 Ni）和贵金属（如 Ru、Pd 和 Rh）都能作催化剂。氧化钌和氧化稀土混合物($Ln_2Ru_2O_7$)在 775℃和常压下可催化天然气与空气的不完全氧化，甲烷转化率达到 97%。$Ni-Al_2O_3$ 和 1% Ru-1% Rh-1% Pd - Al_2O_3 也能在常压下催化甲烷的不完全氧化。

图 9-15 为"热点"(Hot Spot)重整器，催化剂是以耐火材料为载体的铂和氧化铬。它采用点喷进料技术，在催化床中形成热点(Hot Spot 因此得名)。这样设计的好处是在运行中不用对空气和燃料预热。但在反应器启动时，天然气和空气要预热到 500℃，或者，引入启动燃料，如甲醇或富氢气体，其催化氧化反应放出热量可提高催化床的温度。

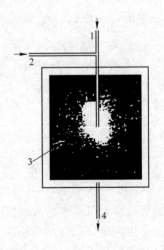

图 9-15　"热点"重整器

1—甲烷/空气混合物；2—引燃物(甲醇等)；3—催化剂；4—重整气体

第二种加水蒸气。在不完全氧化反应器中加水蒸气,不完全氧化反应和蒸汽重整反应同时发生。这就可以用不完全氧化反应放出的热量供给蒸汽重整反应。所以,此类反应器又称为自供热重整器(ATR,AutoThermal Reformer)。对于燃料电池方面的应用,特别是低温燃料电池,ATR 的优点是不需要外加热源,与蒸汽重整反应器相比,ATR 启动快。

有几种类型的 ATR 已在工业上应用。在双反应室 ATR 中,第一反应室进行 Ni 催化重整反应,第二反应室进行催化不完全氧化反应。天然气在第一反应室有一部分被重整,再进入第二反应室。第二反应室放出的热量供给第一反应室。在图 9-16 的双反应器自供热重整系统中,天然气先进入蒸汽重整反应器,在500℃、4MPa 的条件下,有 75% 的甲烷转化,剩余部分在不完全氧化反应器中转化,放出的热量供给蒸汽重整反应。ATR 中的传热优于使用外设加热炉的单纯蒸汽重整反应器。

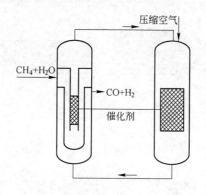

图 9-16　双反应器自供热重整系统

在联合自供热重整器(CAR, Combined Autothermal Reformer)中,重整反应和不完全氧化反应在同一容器内进行。美国爱克森石油公司(Exxon)开发了一种 CAR,使用 $Ni/\alpha\text{-}Al_2O_3$ 流化床催化反应器。水蒸气和天然气(S/C = 0.5)从流化床下方进入反应器,氧气则从反应器上方喷射进流化床。在大卫麦基

（Davy Mckee）公司的一项反应器专利中，甲烷、蒸汽和氧化气体在进入流化床前就混合，混合是通过一些长长的管道进行的，管道的直径设计保证产生湍流，混合气体高速通过流化床。该项技术可使用便宜的催化剂，而且产量高，适于大型燃料电池电厂。

9.2.5 内部重整

MCFC 和 SOFC 都在高温下运行，天然气可在其内部重整。内部重整（IR，Internal Reformer）取消了外部重整器，降低了对电池冷却的要求，因而降低了成本。一般将内部重整又分为直接内部重整（DIR）和间接内部重整（IIR）两种，其示意图如图 9-17 所示。

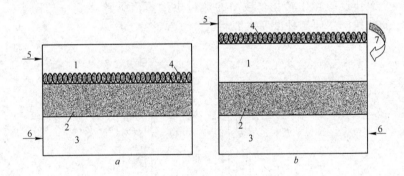

图 9-17　MCFC 内部重整示意图

a—DIR；*b*—IIR

1—阳极室；2—电解质；3—阴极室；4—重整催化剂；5—甲烷/蒸汽混合物；
6—空气/CO$_2$ 混合物；7—重整气体

在 IIR 中，重整反应器与电池接触紧密，有良好的热交换。一个应用实例是将板式重整器与电池组交替排列，重整气体进入相邻的电池组，重整反应的热量则由相邻的电池组提供。在 IIR 中，重整反应和电极反应是分开的，两种反应之间没有协同作用。

在 DIR 中，重整反应就发生在负极（SOFC），或发生在电池的燃料通路中（MCFC）。反应的蒸汽和热量直接来自电极反应。由于电极反应消耗氢气，促使重整反应更加完全，甲烷转化率提高。

内部重整的缺点是对催化剂要求高。因为进料气体中的杂质，如硫化物，可使催化剂中毒。虽然重整反应和电极反应有协同作用，但是两种功能的结合，也降低了燃料电池运行的灵活性。

9.3 碳氢化合物制氢

在天然气资源缺乏，或石油产品价格低廉的情况下，可使用液态碳氢化合物制氢。

碳氢化合物制氢一般采用不完全氧化法（POX）。但要加入适量水蒸气，使其发生 WGS 反应（式 9-4）。重整反应为：

$$C_nH_mO_p + xO_2 + (2n - 2x - p)H_2O$$
$$= nCO_2 + (2n - 2x - p + m/2)H_2 \qquad (9-14)$$

式中 x 的取值很重要。因为它决定了重整反应的以下几个方面：

（1）将碳转化为 CO 所需的蒸汽量；

（2）氢气的产量；

（3）重整产物中氢的含量；

（4）反应热。

当 $x = 0$，即是蒸汽重整反应。反应的设计，应同时考虑两个因素，即使整个反应的热效应是放热，同时又取得较高的氢气产量和含量。

不完全氧化重整反应在有催化剂和无催化剂的条件下都能进行。在无催化剂的情况下，汽油的重整温度在 1000℃ 以上，如此高的温度需要特殊材料制造反应器，反应物也需要预热。使用适当的催化剂可降低重整温度，反应器可用普通材料，如用钢来制造。低温反应还能减少重整产物中 CO 的含量，而 WGS 反应器可相应缩小。美国阿根纳（Argonne）国家实验室（ANL）对以汽油为燃料的 PEMFC 系统研究表明，POX 的温度升高，系统效率显著降低。图 9-18 为工业上应用较广的壳牌（Shell）（Partial Oxidation）工艺。

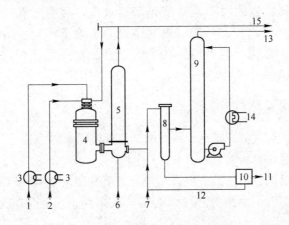

图 9-18　壳牌不完全氧化重整工艺
1—碳氢化合物；2—氧气；3—加热器；4—POX 反应器；5—余热加热锅炉；
6—锅炉水；7—水；8—除碳；9—冷却/净化塔；10—碳分离器；11—碳；
12—无碳水；13—重整气体；14—循环水；15—高压蒸汽

液态碳氢化合物，如汽油、柴油等，含有硫化物，在重整反应中生成 COS 和 H_2S。在燃料使用前必须除去这些能使催化剂中毒的硫化物。在其合成气中，CO 的含量较高，需要将 CO 的含量降低到燃料电池可接受的水平。若还含有碳和灰分，也要过滤除去。另外，液态碳氢化合物在进入重整器前要蒸发、预热。因而，液态碳氢化合物的重整工艺较为复杂。

9.4　甲醇制氢

富氢合成气的生产，工业上有两种常用原料，一是天然气，二是甲醇。天然气价格便宜，因而运行费用低，但设备投资高。甲醇相对价格高，运行费用较高，但设备投资低。以天然气和甲醇为原料生产氢的综合成本相差不大，如图 9-19 所示。甲醇重整制氢的主要特点是反应器简单，因而投资少。

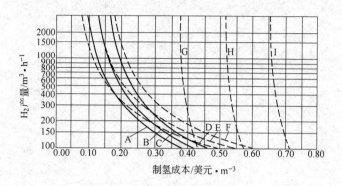

图 9-19　制氢成本比较

裂解(美元/kg 甲醇)	蒸汽重整(美元/m³天然气)	水电解[美元/(kW·h)]
A 0.10	D 0.06	G 0.06
B 0.15	E 0.16	H 0.09
C 0.20	F 0.26	I 0.12

　　工业制氢主要以天然气为原料，生产量大，适于大规模生产应用。甲醇制氢适于中、小规模应用。作为可移动的燃料电池电源、机动车电源的燃料，从货源、价格、安全性能等方面综合考虑，甲醇是有竞争力的。

9.4.1　甲醇重整反应

　　甲醇制氢有 3 种途径：蒸汽重整、不完全氧化和分解法。

9.4.1.1　蒸汽重整

　　甲醇蒸汽重整的催化剂常用 $CuO\text{-}ZnO$ 或 $CuO\text{-}Cr_2O_3$，反应温度为 200～350℃，压力为 0.7～3MPa，重整反应为：

$$CH_3OH = CO + 2H_2 \tag{9-15}$$

$$CH_3OH + H_2O = CO_2 + 3H_2 \tag{9-16}$$

和 WGS 反应（式 9-4）。这些反应均为可逆反应。合成气中除 H_2 和 CO_2 以外，还有少量 CO、CH_4、CH_3OH。合成气的组成，特别是其中 CO 的含量，受进料 S/C 比值的影响很大。图 9-20 为不同 S/C 比值时重整反应的热力学平衡组成。

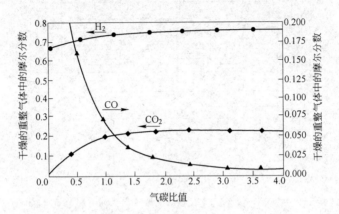

图 9-20　S/C 比值对蒸汽重整反应平衡的影响（310℃，0.5MPa）

平衡数据显示，随着进料 S/C 比的增加，产物中 CO 的含量迅速下降。增大系统压力，可以提高催化剂的活性，但甲醇转化率降低。

9.4.1.2　不完全氧化制氢

甲醇在含铜催化剂存在下的不完全氧化曾用来生产甲醛，但其产物必须骤冷，以防止甲醛继续分解为 CO 和 H_2。如果没有骤冷处理，甲醛基本上完全分解。在适当条件下，甲醇与氧（空气）的 POX 反应（式 9-17）几乎定量进行

$$CH_3OH + \frac{1}{2}O_2 = CO_2 + 2H_2 \qquad (9-17)$$

反应（式 9-17）在 500K 左右的反应速率很高。混合金属催化剂的甲醇转化率及选择性优于单一金属催化剂。低温合成甲醇的商业催化剂为 Cu-ZnO（Al），对甲醇的 POX 有优越的催化性能。图 9-21 为氢气预还原 Cu-ZnO（Al）催化剂催化甲醇不完全氧化反应的结果。甲醇转化率随温度及 O_2/CH_3OH 比值的提高而增加，氢气的产率也有相同趋势。但在高 O_2/CH_3OH 比值时，

温度对氢气产率的影响不明显。实验还证实，当进料中氧的含量小于反应（式9-17）的化学计量值时，同时发生甲醇的分解反应。

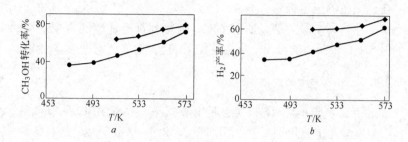

图 9-21　预还原催化剂催化甲醇不完全氧化重整

a—甲醇转化率；b—氢气产率

◆摩尔比 $O_2 : CH_3OH = 0.15$；●摩尔比 $O_2 : CH_3OH = 0.30$

9.4.1.3　甲醇分解

甲醇分解反应是合成甲醇的逆反应。在没有催化剂的情况下，当温度高于700℃时，甲醇分解为 CO 和 H_2（反应式9-15）。

以高比表面积物质作载体的过渡金属（Ni、Cu、Pd）或过渡金属氯化物对甲醇分解反应（式9-15）有催化作用。最近出现一种载体熔盐催化（SMSC）技术，选择一些低共熔点的盐的混合物，其熔点低于反应（式9-15）进行的最低温度（350℃）。以高比表面积物质作载体，在反应温度下，SMSC 催化剂在载体微孔壁形成一层均匀的液膜。例如，68%（mol）CuCl-32% KCl 混合物的共熔点只有 136℃。以高表面积 SiO_2 为载体，对反应（式9-15）有高活性和选择性。

甲醇分解有许多副反应，其中有

$$2CH_3OH = (CH_3)_2O + H_2O \qquad (9-18)$$

$$2CH_3OH = HCO_2CH_3 + 2H_2 \qquad (9-19)$$

$$CH_3OH = HCHO + H_2 \qquad (9-20)$$

$$CO + 3H_2 \Longrightarrow CH_4 + H_2O \qquad (9\text{-}21)$$

还有 WSG 反应（式 9-4）和碳化反应（式 9-5）。甲酸甲酯和甲醛不稳定，进一步分解为 CO 和 H_2，在低于 600K 时少量存在。甲醚的量也很少。

热耐久实验表明，所有 SMSC 催化剂都有优越的再生性能。但 SMSC 催化剂的组成以及在微孔载体上的分布还需进一步优化。

9.4.2 甲醇制氢

甲醇制氢的常用方法是催化蒸汽重整，使用 CuO-ZnO 或 $CuO\text{-}Cr_2O_3$ 作催化剂，压力 $0.7 \sim 3MPa$，温度 350℃左右，S/C 比一般为 $0.67 \sim 1.5$。高 S/C 比可以减少碳的形成。甲醇适用于中小规模制氢，产量 $1 \sim 2000m^3/h$。合成气体中的主要有害成分是 CO，合成气体的净化主要是去除 CO。常用方法有 4 种：

（1）CO 选择性氧化；

（2）选择性甲烷化；

（3）PSA；

（4）膜净化。

前两种方法可使 CO 的浓度降至 $100\ mg/m^3$ 以下，后两种方法则可以获得纯度更高的氢气。

CO 和 CO_2 的甲烷化反应在热力学上都是可行的。从理论上看，在 240℃以下，甲烷化反应可使平衡组分中的 CO 浓度降至 $10\ mg/m^3$ 以下。但要使其在技术上可行，必须考虑对 CO 的选择性。如果 CO_2 的甲烷化反应显著，将损失大量的氢气。在大量 CO_2 存在的时候，任何催化剂都不能保证对 CO 的高选择性。因而，对于氢气纯度要求高的情况，一般是在甲烷化反应制氢前先除去 CO_2。

CO 的选择性氧化，需控制氧量，并使用对 CO 选择性高的催化剂，而抑制氢气的氧化。反应应控制在低温，需要冷却以控制温度。在 CO 选择性催化剂表面，氢的氧化受到吸附态 CO 的阻碍。当 CO 的分压较低时，H_2 的氧化成为主要反应。从理论上看，在 120℃ 以下，CO 的含量可降至 100 mg/m^3 以下。

金属钯及其合金膜，可以选择性地让氢分子通过，而阻断其他一切气体，因而可以获得高纯度的氢气，一般可达到 99.999%（体积分数）（参见 9.8）。但其价格昂贵，适用于少量制氢过程，如轻便氢气发生器。

图 9-22 为一个产量 50m^3/h 的甲醇重整工艺。

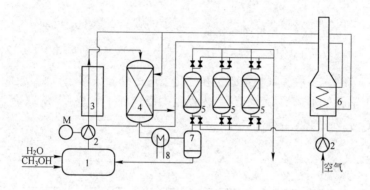

图 9-22   甲醇重整工艺
1—甲醇/水；2—泵；3—预热器；4—重整器；5—吸附净化；
6—传热介质加热器；7—冷凝器；8—冷却水

9.5   煤制氢

9.5.1   煤气化制氢

煤气化生产煤气的历史至少有一百年，焦炉气和城市燃气大多数是煤气。煤气化是利用部分煤燃烧产生热量，在高温时与水蒸气反应，将水中的氢还原为氢气。在缺少天然气的地方，煤的气化尤为普遍。在南非，煤气被用来代替石油合成化工产品。煤的气化工艺较为复杂，包括煤的预处理、除硫、水处理、空气分离等，适宜建造大型化工厂。

煤气化制氢应用很广，如发电，制造合成气、氢气、甲醇、甲烷和汽油等。从发展趋势看，MCFC 和 SOFC 的燃料将来自煤的气化。日本通产省有关燃料电池发展的年度预算中，煤气化的技术开发的预算额逐年增加，从 1995 年到 1998 财政年度，煤气化预算额年平均增长 54.6%。在有关燃料电池预算总额中的比例也从 1995 年的 4.80%，增加到 1998 年的 18.7%。

煤气化产物主要是 H_2 和 CO。

9.5.1.1 煤气化

煤的气化是在高温状态下，煤中的碳与水蒸气的反应：

$$C + H_2O = CO + H_2 \quad \Delta H_{298}^{\ominus} = 131.38 \ kJ/mol \quad (9\text{-}22)$$

绝大多数煤气化过程是在气化室内一部分煤燃烧，在稳定状态下，处于热平衡。气化室内发生的反应列于表 9-4。从理论上看，没有净能量流动。

表 9-4　煤汽化器内的主要反应

反　应	反应焓变/$kJ \cdot mol^{-1}$
$C + O_2 = CO$	-110.6
$C + O_2 = CO_2$	-393.8
$C + H_2O = CO + H_2$	131.4
$C + 2H_2O = CO_2 + 2H_2$	96.7
$3C + 2H_2O = 2CO + 2CH_4$	185.5
$2C + 2H_2O = CO_2 + 2CH_4$	12.1

煤的特殊性质，如灰分含量及组成、硫含量、易结团性等，使煤的气化过程十分复杂。主要的气化反应器有流化床、固定床和快速流化床，如图 9-23 所示。流化床技术已经使用了近一个世纪，反应器底部安装了旋转格栅，能够连续运行。随着冶金、过程控制、流体分配技术的进步，已发展了现代化的高压吹氧流化床汽化器。炼钢技术被用来开发更高温度的气化工艺，以利用反应活性较低的煤生产煤气。

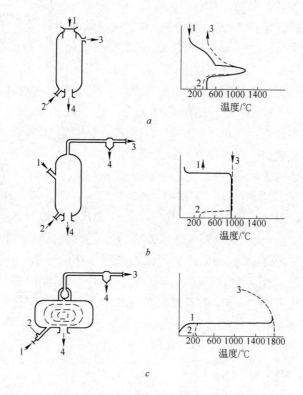

图 9-23 煤的气化方法

a—固定床；b—流化床；c—快速流化床

1—煤；2—氧气/水蒸气；3—煤气；4—煤焦油

图 9-23 的温度剖面图解释了每种汽化器的主要特点。除温度外，气-水蒸气的滞留时间对气体的组成也有影响。

煤是碳、重碳氢化合物、灰分及其他元素的混合物，在加热时，挥发性物质将进入气相。如果这些挥发物没有足够时间与蒸汽反应，或反应温度不够高（小于 900℃），这些没反应的挥发物将凝结成油或焦油，可能堵塞换热器、管路和气体压缩机。油状物和焦油是煤气化的一个主要技术难点。

9.5.1.2 煤气脱硫

煤气是混合物，含有 H_2、CO、CO_2、H_2O、H_2S、N_2、CH_4 和其他碳氢化合物，各组分的相对含量与煤的类型、进料速度、汽化器类型及运行条件有关。硫化物（主要是 H_2S）是煤气的主要酸性成分，含量（以 H_2S 计）达 1500 mg/m^3。煤气用于汽轮机发电时，硫化物应降至 150 mg/m^3，用于燃料电池时，应降至 15 mg/m^3。煤气脱硫的途径有两个：

外部脱硫：在 500~800℃，通过吸附床吸附 H_2S。

内部脱硫：在汽化器内加脱硫剂。

外部脱硫的吸附剂是金属（Zn、Cu、Mn、Ti、Fe）的氧化物，或其混合物，如 Zn-Fe-O、Zn-Ti-O、Cu-Al-O、Cu-Fe-Al-O。最常用的是 Zn、Cu 和 Fe，其中以 ZnO 为优，可将 H_2S 降至 15 mg/m^3 以下。高温烧结及氢还原 ZnO 为 Zn 的反应，限制 ZnO 的吸附温度约为 600℃。加入 TiO_2 可减弱氢对 ZnO 的还原，扩大运行温度范围。水蒸气可明显减弱 ZnO 的还原。实测 ZnO 硫化反应的活化能是 37.6kJ/mol，据此推断 H_2S 的化学吸附是速率控制步骤。

内部除硫可使用较便宜的吸附剂，如石灰石（$CaCO_3$）、白云石（$MgCO_3$-$CaCO_3$）和氧化铁。

9.5.2 煤辅助水电解

煤辅助水电解的反应为

阳极：$\qquad C + 2 H_2O = CO_2 + 4 H^+ + 4e$ $\qquad$ (9-23)

阴极：$\qquad\qquad 2 H^+ + 2e = H_2$ $\qquad\qquad$ (9-24)

电池反应：$\qquad C + 2 H_2O = CO_2 + 2H_2$ $\qquad$ (9-25)

从理论上看，煤辅助水电解比常规水电解耗能少，实际阳极电位是 0.7~0.9V。25℃时，反应（式9-25）的可逆电位是 0.21V。而水电解生成 H_2 和 O_2 的可逆电位是 1.23V。从理论上看，生成 1mol H_2，煤辅助水电解耗电只是常规水电解的六分之一。因此，煤是作为水电解的阳极去极化剂。

许多煤和碳粉都曾用于水电解实验，大多数以 H_2SO_4 为电解质。在典型实验中，粒径小于 $200\mu m$ 的煤粉悬浮在电解质中，浓度 $0.01\sim1.0~g/cm^3$，阳极为铂或石墨。阳极与阴极以微孔板隔开。实验观察到，下列情况下氧化电流增加：碳浓度增大、阳极电压升高、电解质温度提高、碳粉粒度减小。

阳极除了生成 CO_2 和 CO，还生成一些有机物，如腐殖酸、苯羧酸和 $C_8\sim C_{18}$ 碳氢化合物。

9.6 固体生物质制氢

与煤气化相似的是生物质和废弃物气化制氢。由于不可再生的化石能源的枯竭，可再生的生物质将是未来能源工业的一个重要原料。

固体生物质是现代技术可以利用的再生型能源，而且生物质的一个生长和使用周期，不增加大气中的温室气体总量，对减缓世界范围内的温室效应是有利的。已经有用生物质作燃料的发电厂，如果用燃料电池代替汽轮机，则效率可以提高 10%。

图 9-24 为固体生物质制氢的工艺过程。生物质首先气化，

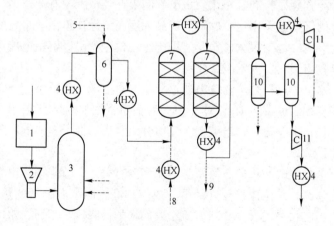

图 9-24 固体生物质制氢工艺

1—干燥和粉碎；2—进料斗；3—汽化器；4—换热器；5—进水；6—骤冷；
7—WGS 反应器；8—补充水；9—排水；10—吸附塔（PSA）；11—压缩机

合成气中含 H_2、CO、CO_2、H_2O、CH_4 和其他碳氢化合物。经过冷却除去固体颗粒等杂质。硫化物可使后续工序催化剂中毒，也应去除。合成气经过一个或多个催化反应器，调节产物中的 CO 浓度，以适应不同的需要。大多数汽化器产生的合成气都含有一定量的碳氢化合物，重整反应的第一步是将它们与蒸汽反应生成 CO_2 和 H_2

$$C_xH_y + 2xH_2O = x\,CO_2 + \left(2x + \frac{y}{2}\right)H_2 \qquad (9\text{-}26)$$

CO 的浓度由 WGS 反应器调节。蒸汽的另一个重要作用是防止重整器和 WGS 反应器中出现碳沉积。对于高温燃料电池，CO 可以在阳极被直接氧化，但反应速度较慢。经过 WGS 反应后，绝大部分 CO 转化为氢气，可以直接提供给高温燃料电池。对于 PEMFC，CO 可使阳极催化剂中毒，须经进一步净化去除 CO。经过 PSA，氢的回收率平均为 97%，纯度大于 99.99%。

9.7 水制氢

与含碳原料制氢相比，水电解制氢在经济上没有竞争力。水电解的优点是不用化石燃料、产品纯度高、操作灵活。水电解厂的生产能力范围很宽，尤其适用于小规模生产。电解用电能可以来自化石燃料、太阳能或核能。

水电解过程是使直流电通过导电的水溶液，通常加 H_2SO_4 或 KOH，使水分解为 H_2 和 O_2，其过程简单框图如图 9-25 所示。工艺中包括水净化厂、电解槽、气体分离、变压器、整流器和气体压缩系统。

单位电解面积的产氢率与电流密度有关。一般来说，电解池电压越高，单位体积氢气的电力成本越高。而水电解厂的规模，以及与之相关的投资，随电流密度的增加而降低。因而，水电解厂的设计应权衡建厂投资与运行成本，找出最佳点。

水电解可在常压下进行，也可在加压下进行。工业生产运行压力可达 3MPa。

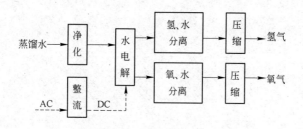

图 9-25　水电解制氢工艺流程

常压电解的优点是：

（1）机械设备简单，管线衔接、密封等技术难度低；

（2）操作简单，启动快，易维护；

（3）安全性能高。

加压水电解是考虑到最终产品是高压氢气，而高压电解的能耗并不显著增加；加压电解还省去了气体压缩系统，减掉了相应的设备及能耗。但电解池的机械、密封等技术复杂。

9.8　膜制氢

膜重整是指燃料的重整反应在有金属钯或其合金膜的反应器内进行。钯膜能将氢气从混合气体中分离出来，其选择率为100%。钯膜提供了简便高效的氢气分离途径。

9.8.1　钯膜渗透机理

氢气通过钯膜的机理可以用图 9-26 解释。

由于第三步气体原子是在钯晶格间的扩散，只有氢原子才能进行，因而膜分离能获得纯度很高的氢气。但钯膜也存在一些缺点。在 300℃以下，根据渗入氢的浓度变化，钯有 α-β 相转变，其所引起的晶格膨胀、收缩变化，导致钯膜变脆、断裂。钯银合金在一定程度上克服了这种不足。在启动、运行、停机各个阶段，如果需要对膜加热、冷却，必须在纯净气体或真空状态下进行，并应避免任何急剧的温度和压力变化。进料中不能有硫化

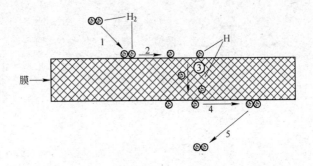

图 9-26 氢气在钯膜中的扩散过程

1—氢从气相吸附到金属表面；2—吸附态 H_2 分子分解为吸附态 H 原子；

3—吸附态 H 原子在膜中扩散（钯膜只允许 H 原子扩散）；

4—吸附态 H 原子重新结合成吸附态 H_2 分子；

5—吸附态 H_2 分子进入气相

物、氯化物、溴化物和不饱和烃。

当第三步 H 在膜中扩散是速度控制步骤时，氢的渗透速率由公式（9-27）表示

$$F\ (\text{m}^3/\text{s})\ =\ \frac{DA}{l}(\ \sqrt{p_{H_2,r}}\ -\ \sqrt{p_{H_2,p}}) \qquad (9\text{-}27)$$

式中 D——表观扩散系数，$\text{m}^2/(\text{s}\cdot\text{Pa}^{1/2})$，与温度及钯合金的性质有关；

A——膜的面积，m^2；

$p_{H_2,r}, p_{H_2,p}$——膜内、外两侧的压力，Pa；

l——膜的厚度，m。

9.8.2 膜重整

膜重整反应器的原理可用图 9-27 说明。钯膜连续不断地去除催化反应器内的氢气，使重整反应在低温也能获得较高的转化率。产物氢气的纯度能达到 100%。但其压力较低，因为渗透率与膜两边的压力的平方根之差成正比（式 9-27）。膜重整的简单

工艺流程如图 9-28 所示。与普通重整工艺相比，膜重整减少了 WGS 反应器和气体净化器，但氢气需要压缩。

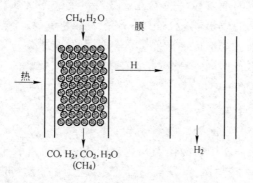

图 9-27　膜重整反应原理图

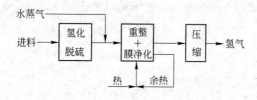

图 9-28　膜重整工艺流程

膜重整反应器的一个缺点是钯的价格高。另外，与催化重整反应的速率相比，膜的渗透速率低。提高膜的渗透速率是开发膜重整器的关键。大幅度提高渗透速率的唯一途径是减少膜的厚度。现已有人研究有载体的超薄钯膜。

膜重整反应器的设计较复杂，要考虑的因素包括进料性质、进料速度、渗透压力及膜的渗透速率等。

9.9　移动式制氢

功率在几十千瓦以下的燃料电池，作为便携式电源、电动车电源等，有着广泛的应用前景。储氢由于有价格、寿命等不利因素，其应用受到很大限制。目前商业化和接近商业化的燃料电池都是直接利用氢气发生电极反应，因而这类燃料电池要配备一体化的或可移动的小型重整器。现代的交通燃料工业已有一百多年的发展历史，形成了完整的生产、运输和销售网。氢气工业则远未形成如此完整的运输和供应体系。解决的途径是研究开发小型的车载氢气发生器，使随车携带的液体或液化燃料转化为氢气。

移动式小型重整器的技术要求很高，除应具有一般制氢装置洁净、高效的性能外，还有特殊的要求，如体积小、重量轻、启动快、灵敏。使用的液体燃料包括醇类、轻油、重油、LPG 等，能使用多种燃料的小型重整器已接近商品化，如热点（Hot Spot™）和爱派克斯（Epyx）。

移动式制氢技术主要是蒸汽重整、不完全氧化的自供热重整，在本章中已做介绍。制氢原料可使用液体或液化燃料，如甲醇、乙醇、汽油、丙烷、天然气等，其中甲醇和汽油的研究和应用最多。

9.9.1　移动式甲醇重整制氢

移动式甲醇重整器是为了适应可移动燃料电池电源和燃料电池动力机动车的需要而发展起来的，特点是体积小、启动快、安全稳定。国际上一些著名的汽车制造商（如戴姆勒-克莱斯勒、通用、丰田、三菱、日产）、石油公司（如 Shell、Epyx）和电气公司（如国际燃料电池、富士、保拉德），都在积极研究开发车载甲醇重整器，以推动燃料电池汽车的商业化进程。中国也把燃料电池开发的重点放在车载燃料电池上。

移动式甲醇制氢装置一般包括 3 个独立部分：催化燃烧器、重整反应器、气体净化器。依据进料是否含有氧气，分为重整器和自供热重整器。

9.9.1.1　蒸汽重整

移动式蒸汽重整器的进料中不含氧，甲醇和水混合后，加热、气化，再经预热进入重整器。催化燃烧器为重整器提供热量，燃烧器燃料的来源有燃料电池负极尾气和燃料（甲醇）。流出重整器的产物气体经过净化，供给燃料电池。

戴姆勒-克莱斯勒和通用汽车公司分别于 1997 年和 1998 年开发了车载甲醇重整器的燃料电池汽车。表 9-5 为车载甲醇重整器的性能参数。

表 9-5　车载甲醇重整器的性能

项　目	戴姆勒-克莱斯勒重整器[①]	通用重整器
功率/kW	50	30
功率密度/kW·L^{-1}	1.1	0.5
比功率/kW·kg^{-1}	0.44	0.44
甲醇转化率/%	98~100	>99
瞬时相应时间/s	2	

①重整器 20L，34kg；燃烧器 5L，20kg；净化器 20L，40kg。

9.9.1.2　不完全氧化-自供热重整

此类移动式重整器类似于自供热重整器，在进料中混有氧气。蒸汽重整的热量由不完全氧化反应提供，热点（Hot Spot^{TM}）（英国）和爱派克斯（Epyx）（美国）重整器属于这种类型。图 9-29 为 6kW 热点重整器。热点重整器中央是复式接头，两边各有 4 个反应器，每个容积为 245cm^3。反应器的个数可随实际需要减少。复式接头内有混合蒸发室，将液态进料（甲醇和水）与空气混合，平均送入各反应器。复式接头的另一功能是热交换，使进料气化。在重整器冷启动阶段，进料只含甲醇和空气，$O_2/CH_3OH = 1:2.5$。不完全氧化反应产生的热量通过复式接头传给进料。当蒸发室的温度稳定后（130~150℃），进料改为甲醇、水和空气混合物。在有些情况下，重整反应的热量可以是来自独立的催化燃烧器，该燃烧器使用燃料电池阳极尾气。在重整器启动阶段，可以使用甲醇燃烧提供启动能量。热点重整器启动时间 2 ~ 5min，单个反应器产气 750L/h。

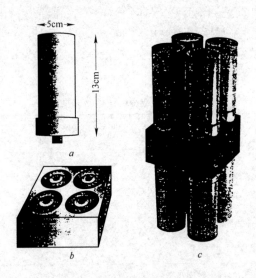

图 9-29　Hot Spot™ 重整器
a—单个重整器；b—复式接头；c—6kW 甲醇重整器

9.9.2　移动式汽油重整制氢

车载重整器使用汽油可用原料，能够利用现有完善的汽油生产、销售网，便于补充和携带。美国爱派克斯（Epyx）公司一直致力于研究开发移动式汽油重整器。图 9-30 为 Epyx 重整器。一部分进料在燃烧区经不完全氧化，产热量供给催化重整区。燃烧区温度 1100 ~ 1500℃，重整区温度 800 ~ 1000℃。从燃烧区出来的气体经净化除硫后进入催化重整区。重整后的富氢气体经过净化（除 CO），供应燃料电池。

Epyx 重整器工作时，进入重整区前气体经过了净化除硫，使进入重整区的气体较纯净，使得 Epyx 重整器能够使用多种燃料，除汽油外，还可使用甲醇、乙醇、丙烷和天然气等。

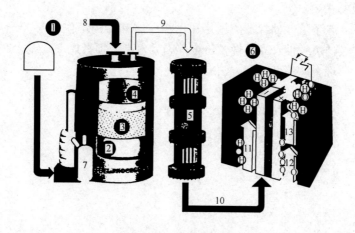

图 9-30　Epyx 重整器

1—燃料蒸发；2—不完全氧化；3—除硫；4—蒸汽重整；5—除 CO（选择性氧化）；
6—燃料电池；7—外燃烧器；8—空气；9—富氢气体；10—净化氢气；
11—氢气入口；12—空气入口；13—排水

9.10　氢气储存

9.10.1　概述

氢气是燃料电池的直接燃料（DMFC 除外），用于制氢的原料，如天然气、甲醇、汽油等，相当于是储氢材料，通过重整释放出氢气。在某些情况下，燃料电池不适宜采用重整器制氢，而适宜直接使用氢气，例如，便携式电源、微型电器电源、燃料电池动力公共汽车。在目前情况下，氢气是便携式燃料电池电源的最佳燃料，因为任何在高温下由其他燃料获取氢气的方法，不论是在成本还是在体积方面，对便携式电源和微型电器电源都是不适用的。

氢的储存是便携式燃料电池电源的一个技术难题。便携式电源使用空气代替纯氧，去掉了储存氧的麻烦，减小了系统的重量和体积。氢的储存就成了影响便携式电源重量和体积的关键。

除了氢气储存器的重量和体积，储存器的工作温度、压力、方法的可靠性、安全性及价格等因素也都必须考虑。

现有的氢气储存方法有：

（1）液态有机物；

（2）分子筛吸附；

（3）微玻璃球体吸附；

（4）活性炭吸附；

（5）纳米碳管；

（6）液态氢；

（7）压缩氢气（氢气钢瓶）；

（8）储氢合金（可逆吸附氢气）；

（9）活泼金属氢化物（不可逆吸附氢气，与水反应释放氢）。

上述方法，并不都适用于便携式燃料电池电源。有的过程复杂，有的需要高温或低温，有的还处于实验室研究阶段。目前用于便携式燃料电池电源的储氢方法只有 3 种，即压缩氢气、储氢合金及活泼金属氢化物。液态氢主要用于航天器和潜艇。

纳米碳管（CNT，Carbon NanoTube）是 20 世纪 90 年代初发现的一种新的碳的存在形式，分为单壁纳米碳管（SWNT，Single-Walled NanoTube）和多壁纳米碳管（MWNT，Multi-Walled NanoTube）。其制备方法是石墨直流电弧放电，如在惰性气体（氦气）中石墨阴极直流电弧放电，电极灰中含有 CNT，但产量一般很低（小于1%）。用氢气代替惰性气体，产量可大幅度提高。1997 年首次发现 CNT 具有储氢性能，储氢能力优于储氢合金，储氢效率高达 4% ~ 20%。CNT 储氢具有良好的应用前景，但还处于实验室研究阶段。在储氢能力、条件、机理等方面，还需进行大量的基础和应用基础研究。

9.10.2 压缩氢气

氢气钢瓶是储存 H_2 的最常用方法。增加钢瓶压力，单位体积储存的氢气量增加，但不是按正比增加。因为在高压下，气体的行为偏离理想气体方程。图 9-31 为 H_2 对理想气体的偏差。例如，在 298K、20MPa 下，钢瓶储气量只有理想状态的 82%。增大压力，钢瓶的厚度也需相应增加。

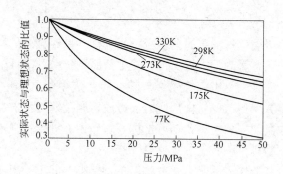

图 9-31 H_2 对理想气体的偏差

工业钢瓶中氢气重量约占钢瓶总重量的 1%。对于只有几升、几十升的便携式电源钢瓶，储存效率还要更低。使用（碳）纤维增强压力容器（亦称复合容器），氢气的储存效率可提高 1~2 倍。复合容器一般使用无缝铝管或塑料管作为内衬，外面缠绕碳纤维增加强度并涂覆环氧树脂。复合材料的柔韧性好，一旦爆炸也仅仅裂开，而不是炸成小碎片。铝的爆炸压力是 30MPa，而这种复合材料的爆炸压力高达120MPa。复合容器可用于燃料电池动力公共汽车。但目前复合容器的造价较高，约是相同容量的钢瓶的 3 倍。表 9-6 为普通钢瓶和复合容器储氢性能的比较。

表 9-6 中的数据，没有考虑阀门、管线、压力表的质量。如果考虑了这些部件的质量，实际储存效率要降低。表中 2.2L 钢瓶的配套部件重约 2kg，实际储氢效率降到 0.7%。

表 9-6 储氢容器的性能比较

项　　目	钢　瓶	复合容器
压力/MPa	20	30
容器体积/L	2.2	220
容器质量/kg	3.0	100
储氢量/kg	0.036	3.1
储存效率/%	1.2	3.1
质量能量密度/W·h·kg^{-1}	0.47	1.2
氢气密度/kg·m^{-3}	16	14

储存压缩氢气的金属材料应精心选择。氢气分子体积小，能够扩散进入金属内部，进而可能发生氢原子扩散，降低金属的机械性能。在碳素钢中，氢原子与碳反应生成甲烷（CH_4）。甲烷气体在空隙聚积，产生内部应力，造成金属裂缝甚至破裂。这就是所谓的氢脆现象。不锈钢可抵抗氢脆作用。纤维增强塑料材料也可用来制作体积较大的压缩氢气瓶。

压力容器储氢的优点是方法简单、储存时间不受限制、对氢气纯度没有要求。

9.10.3 储氢合金

某些金属，特别是钛、铁、镁、镍、铬和镧系金属的二元或三元合金，能可逆吸附氢气

$$R_xM_y + \frac{z}{2}H_2 \Longrightarrow R_xM_yH_z \qquad (9\text{-}28)$$

单就重量而言，储氢合金不是理想的材料，但它们的优势是体积小。单位体积储氢合金容纳的氢气量大于液态氢。液态氢的密度是 $71kg/m^3$，即 1L 液态氢的质量是 71g，而 1L 体积的 FeTi 合金可吸附氢气 102g。

图 9-32 为储氢合金的吸附等温线。温度越高，氢气的吸附平衡压力越大。温度对储氢合金解吸压力的影响如图 9-33 所示。

反应（式 9-28）是可逆的，一般在低温、高压下吸附氢气，

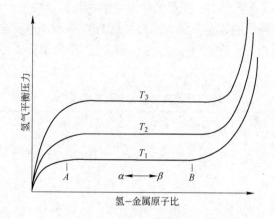

图 9-32　储氢合金吸附等温线

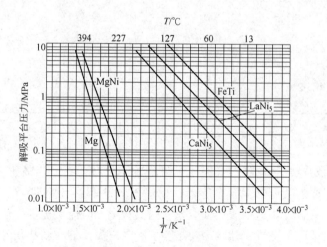

图 9-33　温度对储氢合金解吸压力的影响

在高温、低压时释放氢气。这里所谓的高压是相对而言，大多数
商品储氢合金的吸附压力在 0.1 ~ 1MPa 之间。吸附氢气的反应
是放热的，应适当冷却。为了放出氢气，有时需要供应热量。但
是，可以选择金属合金，使吸附-解吸反应在常温常压的范围内

进行。表 9-7 列出了一些商品储氢合金及其储氢性能。可以根据需要选择合适的合金。常用的两类是 FeTi 基和 LaNi$_5$ 基合金，它们的容量相近。FeTi 基合金比 LaNi$_5$ 基合金价格低，但易中毒，不易活化。

表 9-7　商品储氢合金及其储氢性能

储氢合金[①]	储氢能力（H$_2$） w/%	氢气压力[②]/MPa		储氢反应热（H$_2$） /kJ·mol^{-1}
		吸附	解吸	
FeTi	1.75	0.99	0.52	-28.0
Fe$_{0.9}$Mn$_{0.4}$Ti	1.79	0.87	0.46	-29.3
CaNi$_5$	1.39	0.54	0.046	-31.8
Ca$_{0.7}$R$_{0.3}$Ni$_5$	1.60	0.41	0.38	-26.8
Ca$_{0.2}$R$_{0.8}$Ni$_5$	1.08	3.65	2.47	-24.3
RNi$_5$	1.41	11.84	2.27	-20.9
LaNi$_5$	1.43	0.20	0.16	-31.0
LaNi$_{4.7}$Al$_{0.1}$	1.36	0.043	0.041	-33.9
RNi$_{4.5}$Al$_{0.5}$	1.20	0.42	0.38	-28.0
RNi$_{4.15}$Fe$_{0.85}$	1.15	1.28	1.09	-25.1

①R 表示混合稀土金属。
②298K。

储氢合金的吸附（充气）过程并不复杂。在适当的压力下，氢气通入装有储氢合金容器，反应（式 9-28）正向进行，生成金属氢合物。这是放热反应，在储氢量很大时需要提供冷却。但一般情况下空气自然冷却便足够了。吸附需要的时间从几分钟到几小时，取决于系统的大小和容器是否被冷却。吸附过程中压力基本是恒定的。当容器的压力开始升高，即提示吸附达到饱和（图 9-32）。这时将装有金属合氢的容器密封起来。对于一般商品储氢合金，容器内氢气压力小于 0.2MPa。

当需要用氢气时，将阀门打开，容器内压力降低，反应（式 9-28）逆向进行，释放氢气。这是吸热反应，热量可由环境和容器来提供。在燃料电池系统中，热量可由温度较高的循环冷却水或空气提供。

所有氢气释放出来后，整个过程重复进行。一般能进行几百个吸附-解吸循环。

需要注意的是，吸附过程的压力不能过高，否则吸附反应快速进行，反应的热量不能及时散发，合金温度升高，将大大降低甚至破坏其储氢性能。另外，氢气中的杂质与合金的反应是不可逆的，因此应当用高纯氢气。

储氢合金必须装在容器中才能使用。尽管不是在高压下储存氢气，但考虑到过程因素和人为因素，容器应能承受一定的压力。例如储氢压力 0.3MPa，容器可能要耐 3MPa 的高压。此外还要选用合适的阀门、管线等。

储氢合金的主要优点是安全。氢气不在很高的压力下储存，不能快速地释放氢气。如果阀门损坏了，或者系统泄漏了，释放氢气时容器温度将下降，这也能抑制气体的释放。

储氢合金的低压条件可大大简化燃料供应装置的设计，尤其适用于仅需要少量氢气的情况。储氢合金还适合在重量不是问题而空间紧张的场合下应用。例如在燃料电池动力游船上，在舱底往往特意放上重物以增加游船稳定性，但空间狭小。

储氢合金的缺点是价格高、密度大。常温下，氢储效率（质量分数）约 1% ~ 2%。

体积较大的储氢合金装置的缺点则更加明显。例如在公共汽车上，充气的冷却和氢气释放时的加热是很大的问题。充气的时间问题也不容忽视，5kg 的储氢合金"油箱"的"加油"长达1h。而且必须使用纯的氢气。

9.10.4 活泼金属氢化物

对于微型燃料电池电源，如微型电器电源，可以使用一次性的活泼金属氢化物作氢源。储氢合金一般由过渡金属组成，密度较大。活泼金属主要是指碱金属和碱土金属，密度小，因而单位质量储存的氢量大。

活泼金属氢化物与水反应放出氢气并放热，副产物是相应的金属氢氧化物。典型的碱金属和碱土金属氢化物是 NaH、CaH_2，与水的反应如下：

$$CaH_2 + 2H_2O = Ca(OH)_2 + 2H_2 \qquad (9-29)$$

$$NaH + H_2O = NaOH + H_2 \qquad (9-30)$$

以上反应可以看作是氢化物将氢从水分子中释放出来。金属氢化物与水反应放出的氢气是储存在金属中的 2 倍，另一半来自于反应的水。

表 9-8 为一些商品金属氢化物特性。便携式燃料电池电源和微型电器电源用金属氢化物应该在空气中稳定，与等化学计量的水反应，定量放出 H_2，放热少。

表 9-8　商品金属氢化物特性

氢化物	相对分子质量	储氢能力		生成焓/$kJ \cdot mol^{-1}$	分解温度/℃	反应性	
		质量分数/%	体积分数/%			干燥空气	水
LiH	7.95	1.27	9.8	-90.7	熔点 688	稳定	剧烈/燃烧
NaH[①]	24.00	4.2	5.7	-56.5	>300	过氧化物	剧烈/燃烧
MgH_2	26.32	7.7	11.1	-75.4	280	稳定	很缓慢分解
CaH_2	42.10	4.8	9.1	-186.3	>900	稳定	温和/强烈
$LiBH_4$	21.78	18.5	12.2	-194.0	284	稳定	缓慢分解
$NaBH_4$	37.83	10.6	11.3	-191.0	505	稳定	很缓慢分解
KBH_4	53.94	7.4	8.7	-229.0	585	稳定	稳定
$LiAlH_4$	37.95	10.6	9.6	-119.0	>125	稳定	剧烈/燃烧
$NaAlH_4$	54.00	7.4	9.4	-113.0	178	稳定	燃烧/爆炸
H_2	2.00	100	7.0	0			

①保存于矿物油中。

金属 Na 的来源丰富，NaH 相对低廉。但其化学性质活泼，与空气中的氧和水都发生反应，应隔离空气保存。通常保存在煤油中。一种球形 NaH 商品，包裹在聚乙烯塑料膜内，可以保存在水中，在使用时剖开塑料膜。

活泼金属氢化物制氢的优点是方法简单，应用灵活，体积能量密度和质量能量密度与气体储氢方法相当甚至更优。缺点来自以下几个方面：

（1）副产物强腐蚀性氢氧化物的处理。

（2）氢氧化物吸附水的能力强，反应消耗水的体积比理论计算量大很多。

（3）制造和运输氢化物所需要的能量比它们在燃料电池中所释放的能量大。

9.10.5　储氢方法比较

表 9-9 为 3 种不同储氢方法的比较。从能量/质量比看，活泼金属氢化物最佳。从能量/体积比看，储氢合金最佳。但系统质量是优先考虑的。尽管活泼金属氢化物本身不能再生，便携式燃料电池可以很方便地更换一个新的储氢器而再生。

表 9-9　储氢方法比较[①]

储氢途径	储氢合金 FeTi	金属氢化物 LiH	复合材料氢气瓶
储氢量/kg	0.014	0.098	0.008
储能量/W·h	457	3365	262
系统体积/L	0.29	2.85	0.59
质量能量密度/W·h·kg^{-1}	286	2103	164
体积能量密度/W·h·L^{-1}	1576	1180	444

①储氢系统质量 1.6kg。

表 9-9 为储氢器之间的比较。当燃料电池电源与其他类型电池比较时，还应考虑电池堆的质量和体积。表 9-10 为 3 种便携式燃料电池系统的能量密度情况。作为参考，表中还列出了当今最好的锂电池和 Ni/Cd 充电电池的数据。

表 9-10　便携式燃料电池与普通电池的性能比较

电　　池	燃料电池[①]			充电电池 (Ni/Cd)	干电池 (锂电池)
	FeTi	LiH	氢气瓶		
储能量[②]/W·h	274	2019	157	90	210
体积 /L	0.43	2.99	0.73	1.38	1.05
质量能量密度/W·h·kg^{-1}	91.3	673.0	52.3	30	70
体积能量密度/W·h·L^{-1}	637.2	675.3	215.1	65	200

① 燃料电池重3kg（电池堆1.4kg，储氢器1.6kg）。

② 燃料电池燃料效率60%。

　　3 种储氢形式的便携式燃料电池系统能量密度均高于充电电池，活泼金属氢化物最佳，质量能量密度是锂电池的 9 倍，是 Ni/Cd 电池的 20 倍。氢气钢瓶燃料电池和储氢合金燃料电池与锂电池相当。

10 燃料电池系统

10.1 系统优化

燃料电池系统有很多功能各异的系统和部件，系统的设计和完成是一个非常复杂的过程。系统的最终设计方案将影响资金成本、运行成本、效率、寄生能量消耗以及系统的复杂性、可靠性、可行性、寿命和实用性。

燃料电池的电流密度—工作电压曲线（图 2-2）提示燃料电池系统有很多需要权衡的设计参数，最根本的问题，燃料电池应该在曲线的哪一点上运行。运行点向左移动时，电压增大、电流密度减小，系统的效率提高，但相同功率时需要更大的电极面积。这意味着，运行成本降低，资金成本提高。运行点向右移时，得到相反的结果。燃料电池系统的重要运行参数包括温度、压力、燃料成分和利用率、氧化剂成分和利用率，必须同时考虑所有这些参数以达到期望的运行点。

10.1.1 温度

燃料电池的开路电压随温度的升高而降低（见图 2-1），但温度升高使浓差过电位和欧姆过电位下降，在同一电流密度下工作电压增加。系统温度提高，尾气热量的可利用性改善。对于 PAFC，提高温度的另外一个好处是催化剂抵抗 CO 中毒的能力提高。燃料电池的运行温度受电池材料的限制。PAFC 和 MCFC 在更高的温度时，腐蚀使其寿命缩短。SOFC 受到材料性能的限制更大。

PAFC 的运行温度在 200℃ 左右，温度更高时腐蚀对寿命的影响显著。同样，MCFC 的运行温度约为 650℃。

SOFC 的运行温度最高，因而对材料性能的要求也更高，如物相稳定性、导电稳定性、化学适应性和热膨胀性能等。许多难题在温度降低后会得以缓解。对于当前使用的电极和电解质材料，为了保证足够高的离子导电性能，需要约1000℃的高温。

10.1.2　压力

燃料电池的增压是众多优化问题中很典型的一个。很多相关因素使是否增压这一看似简单的问题变得复杂。增压提高了燃料电池系统的性能，但增压是有成本的。提高系统运行压力，性能提高、电极面积减小、管道体积减小、热损失减少，同时寄生载荷增加、压缩机以及相关装置的资金成本提高。增压多少是综合考虑以上因素的结果。还有其他的因素，使增压问题更加复杂。设计人员必须权衡所有因素，才能得到最佳的选择。

在 MCFC 发电系统中，增加压力可加速阴极的腐蚀。阴极腐蚀机制与电池酸性有关，电池的酸性会随二氧化碳的压力的提高而增加，即随电池压力的提高而增加。这种腐蚀的典型过程是阴极的溶解和镍沉淀，最终造成电池短路，使电池失效。因此说，MCFC 的增压与它的寿命、经济性和商业竞争性有直接关系。

增加 MCFC 系统的压力，还会增加碳化反应（式9-5）的可能性，降低甲烷重整的效率，这都是不希望发生的。迄今为止，对于去除加压 MCFC 中的炭黑沾染还无有效的方法。此外，增压也对系统的密封提出了更高的要求。

燃料电池系统压力的选择会影响众多的设计参数和因素，例如电流集电器宽度、气体流动模式、压力容器尺寸、管道和绝热材料尺寸、风扇的设计和尺寸、压缩机附加载荷以及后发电循环的选择及其运行条件。

这些问题的存在排除 MCFC 增压的可能性，相反，适中的运行压力更有助于这些参数的整合。现有技术条件下，对于 1MW

外部重组 MCFC 系统，运行压力一般为 0.3MPa。

增压有利于提高内部重整 MCFC 系统的性能，但伴随着其他的难题。一个需要解决的问题是，含硫气体（H_2S，COS，SO_x）分压的增大，使得内部重整催化剂中毒的可能性提高。目前，3MW 内部重整 MCFC 系统在常压下运行。

相对于 MCFC 和 PAFC，SOFC 的增压对性能的提高较少。当压力从 0.1MPa 提高到 1MPa 时，MCFC、PAFC 和 SOFC 的单电池电压分别提高约 150mV、80mV 和 60mV。除了改善电池性能，SOFC 系统的增压允许 SOFC 尾气的热能由汽轮机回收，而不是只由蒸汽的后发电循环（Bottoming cycle）回收。西屋公司正在研究 1~5MW SOFC 系统的增压问题。

综合考虑附加设备（如压缩机、涡轮机和压力容器）的资金成本和系统的性能，增压对于大型电厂的益处最大。对于小型系统，增压是不切实际的，因为性能改善所获得的利益不足以弥补附加设备的成本。

现行 PAFC 系统的运行很好地说明了增压的规模效益。美国国际燃料电池公司（IFC）的 200kW 和日本富士电力公司（Fuji Electric）的 500kW 的 PAFC 在常压下运行。而更大的系统则在高压力下运行。日本东京湾五井热电厂的 11MW PAFC 电站在 0.82MPa 下运行。由通产省新能源产业技术开发署（NEDO）资助的 5MW PAFC 系统（位于日本关西电力株式会社）在 0.6MPa 下运行。NEDO 的 3 个 1MW 的电厂，2 个增压运行，1 个为常压运行。

虽然无法归纳究竟多大的电厂会在增压后受益，但是当电厂规模达到 1MW 或更大时，就需要考虑增压的问题了。

10.1.3 利用率

燃料和氧化剂的利用率[1]在燃料电池中都存在最优值。人们

---

[1] 利用率是电池堆消耗的气体量与整个系统供应量的比值。

通常希望利用率高，特别是对于小型燃料电池，因为这样可以使燃料和氧化剂的流量降到最小，燃料成本、压缩机、涡轮机的载荷和型号降到最低。但是，过高的利用率会导致工作电压的下降。研究表明，低利用率对大型燃料电池系统有利，原因是改善燃料电池的性能，为后发电循环（Bottoming cycle）提供更多可利用的热能。如同其他设计参数一样，反应气体利用率要视具体情况而定。

10.1.3.1 燃料利用率

小型燃料电池的用途只是作为电源，燃料利用率越高，发电效率越高。然而，完全利用燃料是不现实的。对于大、中型燃料电池系统，某个子系统可能对燃料也有需求。所以，燃料利用率的选择要综合考虑几个方面的因素。

内部重整天然气燃料电池阳极的残余燃料通常被重整器的燃烧器所利用。在 MCFC 系统中，剩余的燃料常被燃烧以满足阴极对二氧化碳的需求，同时对空气预热。在 SOFC 系统中，剩余燃料用于对空气的高温预热。

一些燃料电池系统对一定比例的阳极尾气进行循环。这样设计的优点是提高了燃料的总利用率，同时使每一循环的利用率较低，保证燃料电池的性能。缺点是增加了系统的设备（风扇或鼓风机）成本和能量消耗。

大型燃料电池系统的燃料和氧化剂利用率降低，发电成本也降低。燃料利用率改变，系统中燃料电池、蒸汽轮机、汽轮机所发电的比例也发生改变。电池堆的燃料利用率降低，燃料电池在系统中的发电比例下降，但燃料电池的性能提高。同时，汽轮机和蒸汽轮机的发电量得到提高，系统总的效率提高。具体的分析结果决定于预计的成本。一项研究表明，在 575 MW MCFC 发电系统中，燃料电池、汽轮机和蒸汽轮机的发电容量最佳比例是 35%、47% 和 17%。燃料电池的燃料利用率相对较低，为 55%。

10.1.3.2 氧化剂利用率

燃料电池氧化剂一般是空气。氧化剂利用率，除受到电池性能和压缩机、鼓风机消耗功率的影响外，还与其他的因素有关。在 MCFC 和 SOFC 中，空气流量视冷却的需要而定，利用率一般较低，约为 25%。水冷式 PAFC，综合电池性能、寄生载荷和资金成本等因素，空气的利用率为 50% ~ 70%。

10.1.4　余热回收

虽然燃料电池不是热机，但电极反应产生余热，而且必须将热量从燃料电池排出。排出热量的处理，必需根据系统的大小、余热的温度和系统安装地点的特殊需要。处理的方式有散热、共发热（生产蒸汽和热水）、共发电（汽轮机发电、蒸汽轮机发电），可以单一方式处理，也可以同时用几种方式处理。

当排出的热量少或温度低时，余热可以散热排出、生产热水或低压蒸汽。在 PAFC 系统中，运行温度约 205℃，产生蒸汽的压力不超过 1.4MPa。不论蒸汽量多少，该压力对于蒸汽轮机的后发电循环是不够的。SOFC 在 1000℃ 运行，电池堆尾气在对空气预热后，温度约为 815℃。温度如此高的气体可以生产超过 540℃ 的蒸汽，满足后发电循环的要求。但是，即使是在 SOFC 系统中，如果余热的量较少，常用的处理方式是生产蒸汽和热水。一项研究表明，50kW ~ 2MW SOFC 系统产生的余热适于生产 0.8MPa 水蒸气。当尾气温度和压力足够高、数量足够大时，可增加后发电循环（Bottoming cycle）以提高系统总的发电效率。高压气流首先通过汽轮机发电，汽轮机尾气热量用于蒸汽发生器产生蒸汽，再通过蒸汽轮机发电。

10.1.5　水管理

在燃料电池系统中，水常被加入或排除来促使或抑制某个化学反应的发生。过量的水可以提高蒸汽重整和水汽置换反应的转换率，但水量太大需要更大的设备，甚至降低产率和电池性能。

在天然气燃料 PAFC 中，为了增加氢气的分压，需将燃料气流中的水冷凝排出。在煤气燃料 MCFC 中，燃料在进入电池堆前需要加湿，以防止碳化反应的发生。但加湿会使电池堆产生电压降，燃料中水分每增加一个百分点，电压就下降约 2mV。用于灼热气体净化的锌铁尖晶石对于碳化反应也有催化作用，因而需要增加湿度。

水管理对于保持 PEMFC 的正常运行是很重要的。水分过多，电解质和电极的空隙将被水充满，阻止反应气体的扩散过程；水分不足，质子交换膜将脱水，离子导电性降低。两种情况都严重影响 PEMFC 的性能。应综合考虑水的产生、蒸发、反应气体的湿度要求等因素，以期达到系统水的平衡。反应气体的湿度也是很重要的。湿度太大还将稀释反应气体，产生电压降。湿度的控制是一个复杂的过程，与电池温度、压力、进料流量和电流密度有关。

10.2　燃料电池系统设计

10.2.1　天然气燃料 PEMFC 系统

图 10-1 为加拿大保拉德电力系统公司（Ballard Power Systems）研发的 250kW 天然气燃料 PEMFC 电站的设计流程。由于 PEMFC 对 CO、CO_2 和甲烷敏感，燃料的处理加工在系统中密度很大。天然气经过压缩机进入除硫净化器。除硫后气体在蒸发器中与水蒸气混合，蒸发器的热量来自重整器燃烧炉。加湿天然气在蒸汽重整器内重整。由于天然气重整制取的合成气含有大量的 CO，所以合成气先经过水气置换净化装置（WGS）除去大部分 CO，再经过选择性氧化净化器（SO）除去剩余 CO。经过两步净化，重整气体中 CO 含量降至 $10 \sim 50 mg/m^3$，然后进入燃料电池阳极。

压缩机由涡轮机驱动，而涡轮机由蒸发器高温尾气驱动。空气经一级压缩并冷却后，再经二级压缩，然后直接进入电

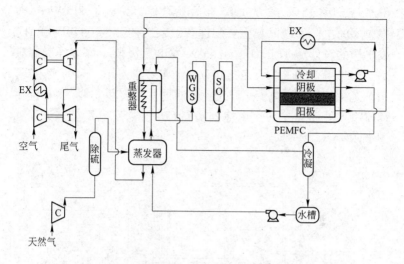

图 10-1 250kW 天然气燃料 PEMFC 电站的设计流程

C—压缩机；T—涡轮机；EX—热交换器；WGS—水气置
换净化器；SO—选择性氧化净化器

池堆阴极。含大量水分的阴极尾气进入冷凝器，冷凝水贮入水槽，一部分水泵入蒸发器并与除硫天然气混合后进入蒸汽重整器。除去绝大部分水分的阴极尾气和阳极尾气都进入重整器燃烧炉，通过燃烧为重整反应提高能量。重整炉的排出气体用于给蒸发器提供热量。蒸发器的高温高压排出气体用于驱动涡轮机。

该系统释放的热量可用于室内取暖或生产热水。电池堆运行温度约为 80℃，压力 0.3 ~ 0.4MPa，燃料利用率 75% ~ 85%，电池堆功率密度 180 ~ 250mW /cm^2。

10.2.2 天然气燃料 PAFC 系统

位于东京湾五井的 11MW PAFC 发电厂是当今世界上功率最大的燃料电池发电厂，属于东京电力株式会社（TEPCO），建在五井火力发电厂内。东芝与国际燃料电池公司（IFC, International Fuel Cell Co.) 从 1985 年开始合作, 完成了 11MW PAFC 发电厂的主体设计以及主要配件和子系统的开发。11MW PAFC 发电厂的设计从 TEPCO 的 4.5MW 发电厂汲取了许多经验和技术。1986 年, TEPCO、东芝和 IFC 合作筹建五井 11MW 发电厂。东芝是主签约方, 负责全厂设备的制造、组装和安装, IFC 提供 18 个集成电池堆, 每个电池堆功率 670kW。发电厂工艺流程如图 10-2 所示。

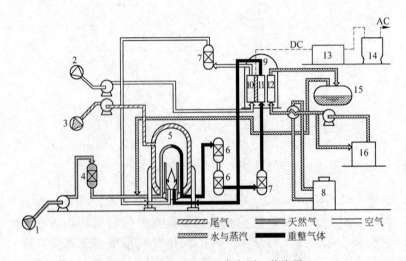

图 10-2   11MW PAFC 发电厂工艺流程

1—天然气; 2—空气; 3—尾气; 4—氢化脱硫; 5—重整器; 6—净化器;

7—接触式冷却器; 8—冷却水及热回收; 9—PAFC; 10—阴极;

11—阳极; 12—冷却板; 13—换流器; 14—变压器;

15—蒸汽/水分离器; 16—水处理

表 10-1 为 11MW 天然气燃料 PAFC 系统设计参数, 表 10-2 为系统性能。该系统交流总效率为 43.6% (即 8257kJ/(kW·h) HHV), 比设计值高出 0.7%。发电机尾气中 NO_x 的含量低于 $6mg/m^3$。实际运行优于设计, 证明了该电厂具有高效率、低污染的特点。在部分负荷和满负荷情况下, 燃料电池发电厂都表现出稳定的运行和优良的性能。根据集成电池堆的电压随时间的平

均降低曲线，预期电池堆的寿命为40000h。

表 10-1　11MW PAFC 系统设计参数

项　目	指　标	项　目	指　标
单电池电压/V	0.76	燃料利用率/%	86.2
电流密度/mA·cm^{-2}	320	氧化剂利用率/%	70.0
电池温度/℃	207	DC/AC 转换效率/%	97.0
电池出口压力/MPa	0.80		

表 10-2　11MW PAFC 电厂性能（额定功率时）

项　目	设　计	实　际	项　目	设　计	实　际
交流总功率/MW	11.0	11.0	余热回收率/%	31.6	32.2
交流净效率（HHV）/%	41.1	41.8	寄生载荷/MW	0.46	0.54
交流总效率（HHV）/%	42.9	43.6	NO$_x$ 排放/mg·m^{-3}	<20	<6

10.2.3　天然气燃料 ER-MCFC 系统

2MW 天然气燃料外部重整（ER）MCFC 试验电厂位于美国加利福尼亚州圣塔克拉拉市（Santa Clara）。美国政府、五家电力公司和两个研究机构参与了这项耗资 4600 万美元的工程。加工、输送燃料、电流转换等主要设备的制造从 1994 年开始到 1995 年 4 月结束，期间对电池堆进行了测试和改进。最终的全程温度试验于 1996 年 2 月完成。1996 年 4 月开始供电。满负荷运行 720h 后，由于出现电厂异常而停车检修。同年 8 月重新启动不久，发现了由电厂异常导致的其他问题，再次停车后改造成 1MW 电厂。重新运行后，达到了 1MW，但又相继出现了其他问题。1997 年 3 月试验终止。电厂累计在 550℃运行了 5290h，有完整的运行记录，考察了电池堆运行、自动控制等。电源电流符合要求，几乎检测不到 NO$_x$ 和 SO$_x$ 的排放。电厂经历了两次加利福尼亚州断电事故而未受影响，还经历了一次自动控制系统的失灵停车，电厂自动启用机械系统使本身处于准备启动状态，重新启动后没发生任何问题。

电厂的工艺运行流程如图 10-3 所示。

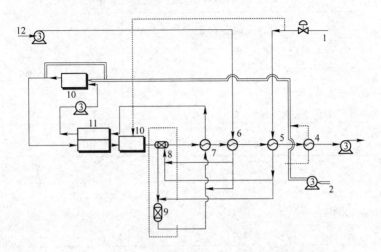

图 10-3　2MW 天然气燃料 ER-MCFC 电厂工艺流程

1—天然气；2—空气；3—泵；4—换热器；5—燃料预热；

6—蒸汽强热；7—燃料强热；8—重整器；9—氢化脱硫；

10—燃烧器；11—燃料电池；12—进水

在 720h 满负荷运行期间，电厂工作良好。设计总功率为 2MW，净功率为 1.8MW，实际达到的净功率为 1.93MW。实际效率 43.6%，低于设计值 49.8%，主要原因是使用了备用燃烧炉。

随后出现了电压异常。停机检查时发现，燃料电池工作舱绝热衬的胶粘剂，破坏了电池堆与管线间的绝缘层，而发生了接地故障。经现场维修后，重新启动。但很快就发现，电厂已受到多处破坏。截止到 1997 年 3 月关闭电厂，共运行了 5200h，发电 2500MW·h，其中与电网连接 4100h，供电 1710MW·h。电厂的数字控制系统显示了其优越的性能，电厂的全部运行都由该系统控制，经历了加利福尼亚州电网断电事故，成功地从公用电网剥离，未受损害及影响。

10.2.4 天然气燃料 IR-MCFC 系统

图 10-4 为美国能源研究公司（ERC）设计的 3MW 天然气燃料 IR-MCFC 电厂工艺流程。

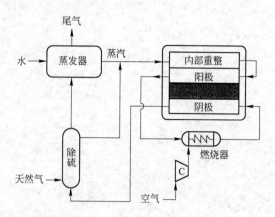

图 10-4　3MW 天然气燃料 IR-MCFC 电厂工艺流程

天然气首先净化除硫，然后与从蒸汽发生器出来的蒸汽混合，进入内部重整器，重整的热量由阴极反应提供，重整气体直接进入阳极。

阳极尾气与压缩空气在燃烧器内燃烧，产生含有适量 CO_2 的空气混合气体直接进入燃料电池阴极。阴极尾气的热量首先加热天然气除硫净化器，然后用于加热蒸发器。最终尾气的热量可用于共发热（室内取暖、生产热水）。IR-MCFC 系统的设计参数和性能见表 10-3。

表 10-3　3MW IR-MCFC 系统的设计参数和性能

项　　目	指　标	项　　目	指　标
电池出口压力/MPa	0.10	寄生载荷/MW	0.05
燃料利用率/%	78.0	DC/AC 转换损失/MW	0.15
氧化剂利用率/%	75.0	净功率/MW	2.80
交流总功率/MW	3.0	交流总效率（HHV）/%	58.0

10.2.5 煤燃料 SOFC 系统

美国达特茅斯（Dartmouth）学院进行了 20MW 增压 SOFC 系统模拟研究，以煤为燃料，工艺流程见图 10-5。煤的气化部分有两个流化床反应器，一个是汽化器，一个是再生反应器，工作

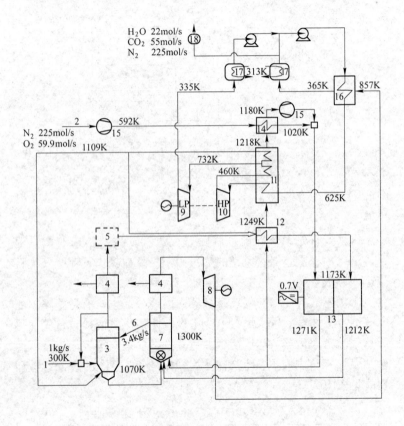

图 10-5　煤燃料 SOFC 系统流程

1—褐煤；2—空气；3—气化器；4—除尘；5—脱硫；6—白云石；

7—再生器；8—汽轮机；9—低压蒸汽轮机；10—高压蒸汽轮机；

11—强热器；12—重整器；13—SOFC；14—空气预热器；

15—压缩机；16—蒸汽锅炉；17—冷凝器；18—尾气

压力 1MPa。汽化器进料是干燥并预热的褐煤和煅烧白云石（MgO·CaO）。白云石的作用是吸收 CO_2 和 H_2S，产生的热量供给气化反应。从汽化器和再生器出来的气体都要除尘，以保护燃料电池和汽轮机。除尘常用方法是旋风除尘器或多管陶瓷除尘器。如增加静电除尘，除尘率可达到 99.99%。煤气除尘后，进脱硫塔。由于从汽化器出来的煤气中硫含量低，SOFC 耐硫能力又强，脱硫塔可能是不必要的。净化的煤气预热到 900℃，经重整器将 CH_4 转化为 H_2 和 CO，进入阳极。燃料电池为逆流板式 DIR-SOFC。阳极尾气、汽化器反应过的白云石和阴极尾气（O_2 的体积分数为 6%）一道进入再生反应器。燃烧产生的热使吸收了 CO_2 的白云石再生，循环使用。经旋风除尘器或多管陶瓷除尘器除尘后，再生器的尾气驱动汽轮机发电。汽轮机尾气经蒸汽发生器后，其中的水分冷凝成水，循环再用。循环水加热加压，成为 364℃、4MPa 的高压蒸汽，驱动高压蒸汽轮机发电。高压蒸汽轮机出口蒸汽压力 1MPa，返回强热器，一部分 459℃的强热蒸汽驱动低压蒸汽轮机发电，尾气冷却与主冷凝器水混合。强热器出口蒸汽温度 836℃，用于蒸汽重整，其余部分用于煤气化。燃料重整和蒸汽强热的热量来自阴极尾气。

表 10-4 为系统模拟运行结果。系统的主要设备是高压型流化床煤汽化器、高压 SOFC、汽轮机和两级蒸汽轮机。发电效率高达 63%。尽管目前大功率 SOFC 还处于研究开发阶段，没有运行实践，但结论是肯定的，煤-SOFC 发电厂的效率是目前现代化火力发电厂的 1.5 倍。

表 10-4 煤燃料 SOFC 电厂模拟结果

项　目	指　标	项　目	指　标
煤进料/kg·s⁻¹	1.0	燃料电池功率/MW	12.0
煤进料（HHV）/MW	26.42	汽轮机功率/MW	8.0
系统压力/MPa	1.0	交流总功率/MW	20.0
单电池电压/V	0.70	交流总效率（HHV）/%	63.1

11 周 边 系 统

燃料电池发电系统的核心是电池堆，为使系统达到使用要求，可能需要装配其他的部件。这些部件包括机械部件和电气部件，统称为周边系统（Balance of Plant, BOP）。机械部件，如压缩机、涡轮机、风扇、膜片泵，用于燃料电池的气体供应、尾气排放、冷却和循环。电气部件用于电流的调节、转换和控制。

11.1 机械部件

11.1.1 空气流量

为了简化设计和降低造价，燃料电池的阴极气体通常使用空气代替氧气。燃料电池配套的活动机械部件的一个主要用途是向阴极供应空气。

空气的供应量和压力与燃料电池的设计和功率有关。由 z 个单电池组成的电池堆，单电池电压为 V_c，电流强度为 I，电池堆功率为 P_s，则有

$$I = \frac{P_s}{zV_c} \tag{11-1}$$

时间 t 内电池堆阴极反应的氧气为 $n\,\mathrm{mol}$，则每个单电池产生的电量

$$q = \frac{4nF}{z}$$

除以时间，得

$$I = \frac{4FQ_n}{z} \tag{11-2}$$

式中，Q_n 为氧气流量，mol/s。比较式（11-1）和式（11-2），

得

$$Q_n = \frac{P_s}{4FV_c} \qquad (11\text{-}3)$$

式（11-3）的单位为 mol/s，换算成以 kg/s 为单位

$$\text{氧气流量} = 8.29 \times 10^{-8} \frac{P_s}{V_c} \qquad (11\text{-}4)$$

阴极反应气体通常是空气。空气的相对分子质量是 29.0，氧气的体积分数为 0.21，依据式（11-4），得到空气的流量（单位为 kg/s）

$$\text{空气流量} = 3.58 \times 10^{-7} \frac{P_s}{V_c}$$

上式为理论流量，基于进入燃料电池阴极的空气中的氧气完全在阴极反应。实际上这是不可能的。因而空气的流量应大于理论值。实际空气流量（单位为 kg/s）为

$$Q_m = 3.58 \times 10^{-7} \frac{\lambda P_s}{V_c} \qquad (11\text{-}5)$$

式（11-5）中 λ 为空气系数，一般为 2～4，单电池电压一般为 0.6～0.7V。换算为以 L/s 为单位

$$Q_V^{\bullet} = 3.02 \times 10^{-4} \frac{\lambda P_s}{V_c} \qquad (11\text{-}6)$$

11.1.2　气体供应部件

11.1.2.1　压缩机

压缩机通常是为内燃机设计的，压缩比 1.4～3。燃料电池使用的压缩机与其他发动机的相同，主要类型有罗茨压缩机、螺

---

❶　本章气体的体积是指 25℃, 0.1MPa 时理想气体的体积。

旋压缩机、离心压缩机和轴流压缩机。

50kW 燃料电池电源,单电池电压为 0.6V,空气系数为 2,根据式 (11-6),需要空气流量为 50L/s。这几乎是最小压缩机的气流量。所以,压缩机只适用于 50kW 以上的燃料电池。

空气流过压缩机的过程理论上是等熵过程。压缩机对通过的气体作功,使气体的压力增大,温度升高。进口、出口的温差由式 (11-7) 确定

$$\Delta T = \frac{T_{in}}{\eta_c}(\sigma^{\frac{\gamma-1}{\gamma}} - 1) \qquad (11-7)$$

式中 ΔT ——出口与进口气体温差,K;

      T_{in} ——进口气体温度,K;

      η_c ——压缩机等熵效率;

      σ ——压缩机出口压力与进口压力的比值;

      γ ——气体等压热容与等容热容的比值(干燥空气的 γ 为 1.4)。

由压缩机进、出口气体的温差,可以计算驱动压缩机的电机的功率

$$P_c = c_p \Delta T Q_m = \frac{c_p Q_m T_{in}}{\eta_c}(\sigma^{\frac{\gamma-1}{\gamma}} - 1) \qquad (11-8)$$

式中,c_p 为气体的等压热容,J/(kg·K)。空气的 $c_p = 1004$ J/(kg·K)。

轿车用 PEMFC 的功率为 50kW,单电池电压 0.65V,工作压力 0.3MPa,空气系数为 2,螺旋压缩机等熵效率 70%,进口温度 25℃。根据式 (11-5) 和式 (11-6),空气流量

$$Q_m = 3.58 \times 10^{-7} \times \frac{2 \times 50 \times 1000}{0.65} = 0.055 \text{ kg/s}$$

$$Q_V = 3.02 \times 10^{-4} \times \frac{2 \times 50 \times 1000}{0.65} = 46 \text{ L/s}$$

根据式（11-7），压缩机进、出口气体温差

$$\Delta T = \frac{298}{0.7}(3^{0.286} - 1) = 157 \text{ K}$$

出口气体温度为182℃。气体压缩或温度升高有利于反应气体的预热。对于 PAFC，压缩气体的温度符合工作温度，压缩的同时也预热了。但对于低温燃料电池 PEMFC，则需要冷却。

根据式（11-8），压缩机的电机功率为

$$P_c = 1004 \times 157 \times 0.055 = 8.7 \text{ kW}$$

压缩机在工作中有一定的机械损失，电机的效率也不是100%，因而电机的功率应是10kW。通常压缩机的电机动力来自系统内的燃料电池。燃料电池的50kW功率被压缩机消耗了20%。

本节计算的是干燥的空气。供应 PEMFC 的空气应该加湿。加湿后空气的热容和γ都会改变，影响压缩机的效能。可以在压缩后进行加湿。

11.1.2.2　膜片泵

微型和小型 H_2-O_2 燃料电池的市场潜力巨大。其功率范围在 200W～2kW，对应的反应气体流量约 0.2～2L/s。商品压缩机的气流量最低是 50L/s，对微型和小型燃料电池不适用。另外，微型和小型燃料电池一般是在室内使用，或用于微型家用电器，因而要求气体供应装置无噪声、寿命长、价格低、能耗小。

用于气体采样器、贮鱼罐加氧机等的膜片泵能够满足上述要求。商品膜片泵的种类很多，但一般使用交流电机，不能直接用于燃料电池，需更换一个直流激励器或直流电机，气流量应可调。

11.1.2.3　射流泵

射流泵中没有任何运动零件，是所有类型泵中最简单的。射

流泵的用途是向阳极供应高压❶氢气。可利用高压气体的动能实现阳极气体在燃料电池中的循环。

射流泵的工作原理如图 11-1 所示。高压气体经细管 A 进入文丘里管，在 B 处流速变大，产生负压，吸引 C 管内气体并混合，由出口 D 送出。

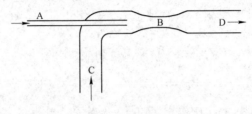

图 11-1　射流泵示意图

在燃料电池系统中，C 管气体为阳极尾气。高压氢气从 A 管喷出，吸引 C 管尾气混合，从出口 D 直接回到燃料电池阳极，或者通过加湿（除湿）后回到阳极，实现燃料电池的阳极气体循环。

11.1.3　尾气排除和换热部件

11.1.3.1　涡轮机

燃料电池和燃料重整器都产生高温尾气，涡轮机被用来排除尾气同时利用其中能量。适于燃料电池的涡轮机有两种，一种是内流式涡轮机，用于 500kW 以下系统，另一种是轴流式涡轮机，用于 500kW 以上系统。

气体通过涡轮机后，压力减小，温度降低。涡轮机进出口温差为

$$\Delta T = \eta_c T_{in} (\sigma^{\frac{\gamma-1}{\gamma}} - 1) \tag{11-9}$$

式（11-9）中符号的意义与式（11-7）相同。但出口压力与

---

❶　本章所谓的高压实际上并不高，略高于环境压力，小于 0.3MPa。

进口压力的比值 $\sigma < 1$，因而式（11-9）的计算结果为负数，即温度降低。气体温度降低释放的能量转换为涡轮机的能量，换热功率为

$$P_T = -c_p \Delta T Q_m = -\eta_c c_p Q_m T_{in}(\sigma^{\frac{\gamma-1}{\gamma}} - 1) \qquad (11\text{-}10)$$

11.1.2.1 节中 50kW PEMFC 的阴极尾气与进气相比，减少一个 O_2 分子，增加两个 H_2O 蒸汽分子。由于 H 的质量很小，尾气的流量与进气的流量近似相等，仍为 0.055kg/s。尾气温度 90℃，涡轮机出口压力与进口压力的比值为 0.35。假定 c_p 和 γ 不变❶，则尾气通过涡轮机产生的能量为

$$P_T = -0.7 \times 1004 \times 0.055 \times 363 \times (0.35^{0.286} - 1) = 3.6 \ kW$$

尾气通过涡轮机产生的能量约是压缩机消耗的一半，这部分能量可以被利用。通常将涡轮机和压缩机在同一轴上首尾相连，用涡轮机产生的能量驱动压缩机，这种连接的装置称为涡轮增加器，或称为涡轮压缩机。涡轮压缩机的技术很成熟，价格低廉，适用于 50kW 以上的燃料电池系统。

11.1.3.2 风扇

有些电子元件，比如个人电脑的 CPU，在工作时需要冷却，冷却用的通常是轴流风扇。直径 120mm 轴流风扇的气流量约 70 L/s。轴流风扇的背压极低。当背压达到 50Pa 时，通过风扇的气流量降为 0。

50Pa 的压力仅相当于 0.5cm 水柱产生的压力，是这类风扇的最高背压。轴流风扇用于敞开式设计的小型燃料电池。

离心式风扇的背压稍高，达到 300～1000Pa（3～10cm 水柱）。实际上仍然很低。离心式风扇与离心式压缩机相似，最大的差别是叶片转速很低，是压缩机叶片转速的几百分之一。离心式风扇吸入气流并由侧面排出。叶片有两种形状，一种叶片向前

---

❶ 本节为近似计算，忽略 c_p 和 γ 的变化。

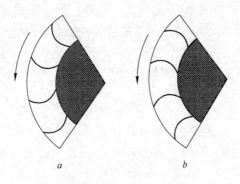

图 11-2　离心式风扇

a—叶片前凸；*b*—叶片前凹

凸（图 11-2*a*），另一种叶片向前凹（图 11-2*b*）。

叶片前凸的离心扇气流量较高，背压较低（~300Pa），用于驱动空气对中小型燃料电池进行冷却。叶片前凹的离心扇，气流量较低，背压较高（300~1000Pa），用于向中小型燃料电池阴极供应空气。

直径 120mm 的轴流风扇，空气流量 0.08kg/s，电机功率 15W。空气通过风扇升温 5℃，在风扇的换热功率为

$$P_T = 1004 \times 5 \times 0.080 = 400 \ W$$

消耗 15W 电能，从系统换热 400W，看起来换热效率很高。但是与自然对流和辐射冷却方式相比，这个效率可能并不高。换热效率受风扇电机功率的影响较小，而更多地依赖于燃料电池中空气通道的设计和空气通过风扇后温度的提高值。风扇的换热效率定义为

$$换热效率 = \frac{换热功率}{消耗功率} \tag{11-11}$$

按照式(11-11)，前述轴流风扇的换热效率为 400/15 = 27。燃料电池风扇的换热效率通常设计为 20~30。

11.2　电气部件

燃料电池的直流输出电力往往不能直接应用，而需要进行变换。最简单的是直流稳压调节。在联合供热发电系统中，需进行DC-AC变换。电动机是燃料电池系统的重要部件，用以驱动压缩机、风扇和泵。

11.2.1　直流稳压器

燃料电池的工作电压范围可能不适合于实际应用，而且在负载电路中，电压受到电流的影响，不是恒定值。直流稳压器被用来调节燃料电池系统的输出电压，并使之恒定。

燃料电池是低压电源，通常需进行升压变换。升压变换电路（也称开关电路或斩波电路）如图11-3所示。在电子开关导通状

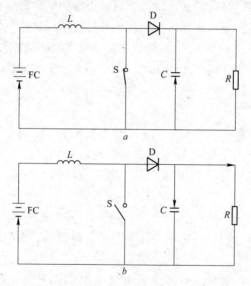

图 11-3　直流稳压器开关电路

a—S 导通；*b*—S 断开

C—电容器；D—二极管；FC—燃料电池；*L*—电感器；*R*—负载；S—电子开关

态（图 11-3a），t_{ON} 时间内，燃料电池为电感充磁储能，电容器放电产生电流通过负载。在电子开关切断状态（图 11-3b），t_{OFF}时间内，二极管导通，电感产生的感应电动势与燃料电池串联，两个电压叠加后，通过二极管向负载供电，同时为电容充电。然后进入下一个周期。

平均输出电压由式（11-12）计算

$$V_2 = \frac{t_{ON} + t_{OFF}}{t_{OFF}} V_1 \qquad (11\text{-}12)$$

式中　V_1——燃料电池工作电压，V；

　　　V_2——平均输出电压，V；

　　　t_{ON}——电子开关导通时间，μs；

　　　t_{OFF}——电子开路切断时间，μs。

调节电子开关的切断时间，可获得需要的输出电压。考虑到电路的能量损失，实际输出电压比计算值稍低。能量损失包括开关损失、电感损失和二极管损失。变换效率一般不低于 80%。当燃料电池工作电压大于 100V 时，变换效率可达 95% 以上。

11.2.2　逆变器

逆变器的作用是将直流电变换为交流电。燃料电池产生的是直流电，作为低压电源，这是燃料电池的优势。当作为供应电源，或与电网并网供电时，需将燃料电池的直流电变换为交流电。

逆变器按不同的功能分为不同的类型。按输入电源形式分为电压型和电流型，按输出电压相数分为单相型和三相型，按输出波形分为矩形波型和正弦波型。

图 11-4 为单相矩形波输出型逆变器的开关电路。4 对电子开关和二极管组成"H"形桥式电路。用一个电阻器和一个电感器表示负载，因为实际电路的负载通常都具有一定的电感。

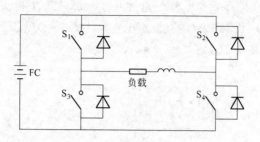

图 11-4　单相逆变器开关电路

控制开关 S_1、S_4 和 S_2、S_3 的交替导通，可在负载上得到交流电压。在 S_1、S_4 导通状态，电流正向（向右）通过负载；在 S_2、S_3 导通状态，电流逆向（向左）通过负载。负载上电压的频率由电子开关的切换频率决定，幅值等于输入电压，如图 11-5 所示。

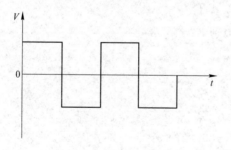

图 11-5　单相矩形波输出电压

单相矩形波输出型逆变器每个周期开、关各一次，控制简单，开关损失小。但由于矩形波的谐波成分较多，如果作为电动机变频调速电源使用，会引起谐波损失，电动机的效率下降，运行失稳。因而只适用于短时供电的 UPS 电源。

单相正弦脉宽调制型（SPWM）逆变器的开关电路与矩形波输出型逆变器的相同，如图 11-4 所示。SPWM 逆变器变换原理如图 11-6 所示。

在正向电压状态，S₄一直导通，S₁脉冲式（间歇式）导通。S₁导通时，负载由燃料电池供电。S₁切断时，负载的电感器保持一定的电流，通过S₃的二极管形成回路。

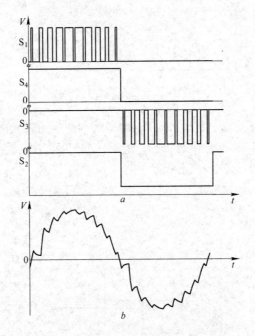

图 11-6　单相正弦脉宽调制型逆变器工作原理图
a—电流通过开关（S₁～S₄）的波形；b—逆电器输出波形

在逆向电压状态，S₂一直导通，S₃脉冲式（间歇式）导通。S₃导通时，负载由燃料电池供电。S₃切断时，负载的电感器保持一定的电流，通过S₁的二极管形成回路。

输出波形与负载的特性（电阻、电感、电容）有关，典型的波形如图 11-6b 所示。波形不是完全的正弦波，而是类正弦波。每个周期中的脉冲频率越高，输出波形越接近正弦波。通常每个周期的脉冲频率为 12。

三相逆变器的电路比单相逆变器稍稍复杂，由 6 对电子开关和二极管组成。控制开关的导通和切断，得到三相交流电。同样采用脉宽调制得到正弦交流电。

11.2.3 电动机

燃料电池系统中的电动机用于驱动压缩机、风扇和泵，以实现反应气体供应、冷却循环等。功率在 1kW 以上的燃料电池电源，至少需要 3 个电动机。要求电动机效率高、寿命长。燃料电池使用易燃气体（如 H_2）作燃料，而带电刷的电动机工作时可能产生电火花，选择时要慎重。

三相异步电动机在各种机械中广泛使用，技术成熟，价格低廉，但调速性能差，功率因数低。在燃料电池发电系统中可使用三相异步电动机，因为直流电可经逆变器变换为三相交流电。

直流电动机比异步电动机结构复杂，价格高，维护量大。但它的调速性能好、效率高。在对调速要求高时适用。燃料电池系统中常用的两种直流电动机是无刷直流电动机（BLDC）和转折磁阻电动机（SR）。BLDC 也被称为永磁同步电动机或变频同步电动机，被广泛应用在电子计算机设备中，如软磁盘驱动器、光碟驱动器和散热风扇。SR 近年来被大量采用。它的转子转速较高，特别适用于径流式压缩机和风扇。

选择电动机，种类不是最主要的因素，主要因素是电动机效率。电动机功率越大，效率越高。相同功率的电动机，转子转速越高，尺寸和质量越小，效率也越高。

11.2.4 蓄电池

由燃料电池和蓄电池组成的供电系统称为混合系统（Hybrid system）。燃料电池/蓄电池混合系统适用于负载消耗功率变动较大的情况，图 11-7 为适宜使用混合系统的两种情形。机动车在启动、加速和爬坡时消耗的功率比正常行驶时要大，如图 11-7*a* 所示。通讯设备在接收或发送信号时的功率消耗比待机时大得多，如图 11-7*b* 所示。通讯设备的消耗功率变化比机动车大得多。

　　燃料电池/蓄电池混合系统是性能与成本综合考虑的选择。用蓄电池提供峰值功率消耗是必要的。燃料电池的功率越大，电池堆的成本越高，其附件如压缩机、冷凝器等的造价也越高。

　　在燃料电池/蓄电池混合系统中，燃料电池的额定功率接近机器设备的平均功率，并且大部分时间在额定功率工作。当机器设备的消耗功率低于燃料电池的额定功率时，燃料电池为蓄电池充电。当机器设备的消耗功率高于燃料电池的额定功率时，超出部分的功率由蓄电池提供。

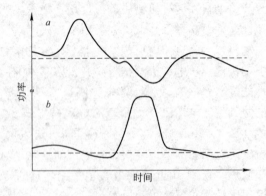

图 11-7　消耗功率-时间曲线

a—机动车；*b*—通讯设备

（图中虚线为平均消耗功率）

12 过程计算

12.1 进料

12.1.1 由电流计算

计算的出发点是电流强度与电量间的关系。燃料电池中每反应 1mol 的氢气，在电池的阳极就会有两个电子被释放出来。

$$H_2 \longrightarrow 2H^+ + 2e$$

如有 $n$mol 氢气反应，则产生的电量为

$$q = 2nF \tag{12-1}$$

式中　q——电量，C；

F——法拉第常数，96485 C/mol。

当燃料电池在电流强度 I 下工作时间为 t，则反应掉的氢气的物质的量（n），与电流强度有如下关系

$$q = I t = 2nF$$

即

$$n = \frac{It}{2F}$$

式中　I——电流强度，A；

t——时间，s。

上式两边除以时间，并将 F 值代入，得到氢气的进料速率（mol/s）

$$Q_{n, H} = 5.182 \times 10^{-6} \times I \tag{12-2}$$

1mol H_2 = 2.016g。进料速率换算为以质量（kg/s）为单位

$$Q_{m, H} = 1.045 \times 10^{-8} \times I \tag{12-3}$$

25℃，0.1MPa 下，1mol 理想气体的体积为 24.4L。进料速率换算为以体积（L/s）为单位

$$Q_{V,H} = 1.264 \times 10^{-4} \times I \qquad (12\text{-}4)$$

燃料电池以 1A 电流运行 1h，则每小时氢气的进料量为

$$m_H = Q_m t = 1.045 \times 10^{-8} \times 1 \times 3600 = 3.76 \times 10^{-5} \text{ kg}$$

$$V_H = Q_V t = 1.264 \times 10^{-4} \times 1 \times 3600 = 0.455 \text{ L}$$

12.1.2 由功率计算

12.1.2.1 氢气进料速率

燃料电池的大小通常是以功率表示，因而由功率计算进料量更为实用。

假设电池堆中单电池之间是并联的，这样，电池堆的电压就与单电池电压 V_c 相等。而电池堆的总电流 I 就等于单电池的电流乘以单电池个数。电池堆输出功率为 P_s，则有

$$I = \frac{P_s}{V_c} \qquad (12\text{-}5)$$

式中　P_s——电池堆功率，W；

　　　V_c——单电池电压，V；

　　　I——电流强度，A。

将式（12-5）分别代入式（12-2）、式（12-3）和式（12-4），得到氢气的进料速率

$$Q_H = \begin{cases} 5.182 \times 10^{-6} \times \dfrac{P_s}{V_c} & (\text{mol/s}) \\[2mm] 1.045 \times 10^{-8} \times \dfrac{P_s}{V_c} & (\text{kg/s}) \\[2mm] 1.264 \times 10^{-4} \times \dfrac{P_s}{V_c} & (\text{L/s})❶ \end{cases} \qquad (12\text{-}6)$$

---

❶　本章气体的体积是指 25℃,0.1MPa 时理想气体的体积。

尽管式（12-6）是通过电池并联方式推导的，但对串联的情况同样适用。燃料电池的单电池电压一般为 0.6 ~ 0.7V。

对于一个 1kW 电池堆（单电池电压 0.7V），每小时氢气的进料量为

$$m_H = Q_m t = 1.045 \times 10^{-8} \times 1000 \times 3600 / 0.7 = 0.0537 \text{ kg}$$

$$V_H = Q_V t = 1.264 \times 10^{-4} \times 1000 \times 3600 / 0.7 = 650 \text{ L}$$

12.1.2.2　空气进料速率

理论上，如果以 mol/s 为单位，氧气的消耗速率是氢气消耗速率的一半。

$$H_2 + \frac{1}{2}O_2 \longrightarrow H_2O$$

则由氢气的进料速率可得到氧气的进料速率。由式(12-6)，得到氧气的进料速率（mol/s）。

$$Q_{n,O} = 2.591 \times 10^{-6} \times \frac{P_s}{V_c} \tag{12-7}$$

在实际中，阴极反应气体通常是空气。空气的相对分子质量是 29.0，其中氧气的体积分数为 0.21。据此得到空气的流量

$$Q_A = \begin{cases} 1.23 \times 10^{-5} \times \dfrac{P_s}{V_c} & (\text{mol/s}) \\[2mm] 3.58 \times 10^{-7} \times \dfrac{P_s}{V_c} & (\text{kg/s}) \\[2mm] 3.02 \times 10^{-4} \times \dfrac{P_s}{V_c} & (\text{L/s}) \end{cases} \tag{12-8}$$

对上述 1kW 电池堆，每小时空气的进料量为

$$m_A = Q_{m,A} t = 3.58 \times 10^{-7} \times 1000 \times 3600 / 0.7 = 1.84 \text{ kg}$$

$$V_A = Q_{V,A} t = 3.02 \times 10^{-4} \times 1000 \times 3600 / 0.7 = 1.55 \times 10^3 \text{ L}$$

12.1.2.3 实际进料速率

前节的理论计算是基于氢气和氧气的利用率为100%，即反应气体全部在电极消耗掉。实际上这是不可能的。另外，电极上的反应气体要保持一定高的压力，以保证燃料电池产生足够高的电压（参见2.2.2节、10.2节）。在实际运行中，燃料和氧气的利用率低于100%，燃料的利用率为55%～85%，氧气（或空气）的利用率为25%（一般通过气体循环提高总的燃料利用率）。因而进料速率也高于前节的理论计算值。利用率的定义为

$$u = \frac{\text{反应消耗量}}{\text{供应量}} \times 100\%$$

将式（12-6）等号右边除以燃料利用率、式（12-8）等号右边除以空气利用率，分别得到燃料和空气的实际进料速率。

$$Q_H = \begin{cases} 5.182 \times 10^{-6} \times \dfrac{P_s}{uV_c} & \text{(mol/s)} \\[2mm] 1.045 \times 10^{-8} \times \dfrac{P_s}{uV_c} & \text{(kg/s)} \\[2mm] 1.264 \times 10^{-4} \times \dfrac{P_s}{uV_c} & \text{(L/s)} \end{cases} \quad (12\text{-}9)$$

$$Q_A = \begin{cases} 2.591 \times 10^{-6} \times \dfrac{P_s}{uV_c} & \text{(mol/s)} \\[2mm] 3.58 \times 10^{-7} \times \dfrac{P_s}{uV_c} & \text{(kg/s)} \\[2mm] 3.02 \times 10^{-4} \times \dfrac{P_s}{uV_c} & \text{(L/s)} \end{cases} \quad (12\text{-}10)$$

式中　u——燃料或空气利用率,%。

对 1kW 电池堆,如果空气利用率 u_A 为 25%,氢气利用率 u_H 为 80%,则每小时氢气和空气的进料量分别为

$$m_H = 1.045 \times 10^{-8} \times 1000 \times 3600 / (0.7 \times 0.80) = 0.0671 \text{ kg}$$

$$V_H = 1.264 \times 10^{-4} \times 1000 \times 3600 / (0.7 \times 0.80) = 813 \text{ L}$$

$$m_A = 3.58 \times 10^{-7} \times 1000 \times 3600 / (0.7 \times 0.25) = 7.36 \text{ kg}$$

$$V_A = 3.02 \times 10^{-4} \times 1000 \times 3600 / (0.7 \times 0.25) = 6.20 \times 10^3 \text{L}$$

12. 2　出料

电池堆阴极和阳极出口气体的流量、组成与电池堆功率、反应气体组成、进料速率、利用率等因素有关。

燃料电池的种类不同,运行温度和电解质不同（参见表 1-2）,因而使用的燃料和氧化剂有所差别。PEMFC 在 60 ~ 80℃ 运行,对燃料纯度要求较高。PAFC 的燃料可以是氢气或合成气。MCFC 和 SOFC 能进行内部重整,燃料可以是甲醇、天然气和汽油等。MCFC 的氧化剂中必须含一定量的 CO_2。同一种电池也可能使用不同的燃料。

因此,本节只给出比较典型的计算过程,且均以输出功率 1kW、单电池电压 0.7V 的燃料电池为例。

12. 2. 1　混合气体相对分子质量

H_2-O_2 燃料电池阳极的反应气体不一定是纯氢气和纯氧气,更多时候阳极供应燃料是富氢合成气,阴极供应的是空气。特别是对于大型燃料电池或高温燃料电池。在有关设计和计算中可能会用到混合气体的（平均）相对分子质量。

混合气体由 N 种组分组成,第 i 个组分的相对分子质量为 M_i,体积分数为 x_i,则混合气体的相对分子质量为

$$M_R = \sum_{i=1}^{N} x_i M_i \qquad (12\text{-}11)$$

    天然气蒸汽重整得到的合成气是一种混合气体，其组成见表 12-1。

表 12-1 合成气组成

成　分	H_2	CO	CH_4	CO_2	H_2O
摩尔质量/g·mol^{-1}	2.016	28.01	16.04	44.01	18.02
体积分数	0.750	0.0040	0.040	0.176	0.030

注：合成气由天然气重整制取。

根据式（12-11），合成气的相对分子质量为 10.55 g/mol。

空气也是混合气体，主要成分是氮气和氧气，还有少量的水、CO_2 和惰性气体。若空气的组成（体积比）为 1.0% H_2O-20.79% O_2-78.21% N_2，则空气的相对分子质量为 28.74 g/mol。

12.2.2 水的生成速率

根据电池反应，阳极每反应 1 个氢分子，在阴极产生 1 个水分子。因而，如果以 mol/s 为单位，水的生成速率和氢的消耗速率一致。根据式（12-6）得到水的生成速率

$$Q_{n,W} = 5.182 \times 10^{-6} \times \frac{P_s}{V_c} \qquad (12\text{-}12)$$

1 mol H_2O = 18.02 g，代入式（12-12），水的生成进料速率换算为以质量（kg/s）为单位

$$Q_{m,W} = 9.34 \times 10^{-8} \times \frac{P_s}{V_c} \qquad (12\text{-}13)$$

对 1 kW 电池堆，每小时产生的量为

$$m_A = Q_{m,W} t = 9.34 \times 10^{-8} \times 1000 \times 3600 / 0.7 = 0.480 \text{ kg}$$

12.2.3 PAFC 的物料平衡

12.2.3.1 阳极物料平衡

阳极燃料为来自天然气重整的合成气，其组成见表12-1，供应量为 0.400kg/h，利用率 85%。

A   气体供应速率

燃料的相对分子量为 10.55g/mol。则 0.400kg/h 燃料供应速率相当于（400/10.55）= 37.9 mol/h。根据燃料气体的组成，可由式（12-14）计算每种气体的供应速率，结果见表12-2。

$$Q_{i,\,in} = Q_F \times x_i \qquad (12\text{-}14)$$

式中 $Q_{i,\,in}$——组分气体 i 的供应速率，mol/h；

Q_F——燃料供应速率，mol/h；

x_i——燃料中氢气的体积分数。

表 12-2   PAFC 中燃料的流速、成分变化

成 分	组成（摩尔分数）/%		流速/mol·h^{-1}		
	进 口	出 口	进 口	电池反应	出 口
CH_4	4.0	11.1	1.52		1.52
CO	0.40	1.10	0.15		0.15
CO_2	17.6	48.8	6.67		6.67
H_2	75.0	30.7	28.4	−24.2	4.20
H_2O	3.0	8.33	1.14		1.14
合计	100	100	37.9	−24.2	13.7

B   氢气的消耗速率

氢气的消耗速率

$$U_H = Q_F \times x_H \times u_H = 37.9 \times 0.750 \times 0.85 = 24.2\ mol/h$$

$$(12\text{-}15)$$

式中 U_H——氢气消耗速率，mol/h；

Q_F——燃料供应速率，mol/h；

x_H——燃料中氢气的体积分数；

u_H——燃料利用率，%。

C 氢的流出速率

在 PAFC 阳极，参加化学反应的只有氢气，因而燃料利用率实际是氢气的利用率，其他气体的量和流速都不变。

氢气的流出速率等于供应速率消耗速率

$$Q_{H, out} = Q_{H, in} - U_H = 28.4 - 24.2 = 4.2 \text{ mol/h}$$

$$(12-16)$$

D 阳极出口气体流速和组成

阳极出口气体的流速和气体含量见表 12-2。

在 PAFC 中，只有氢气的量在阳极发生了改变，其他成分只是简单的通过阳极。这些不起化学作用的气体稀释了氢气，从而降低电池电压。所以，总是希望稀释物越少越好。在天然气重整中要加入一定量的水蒸气来提高重整反应的转化率。从重整器出来的合成气中水蒸气的体积分数高达 30% ~ 50%。在进入燃料电池前，合成气体中的水分应冷凝除去。在本例中燃料进料中的水含量为 3.0%（体积分数）。

12.2.3.2 阴极物料平衡

阴极氧化剂使用空气，空气的组成见表 12-3。空气的利用率为 25%。

表 12-3 PAFC 中空气的流速、成分变化

成 分	组成（摩尔分数）/%		流速/mol·h⁻¹		
	进口	出口	进口	电池反应	出口
O_2	20.79	14.8	48.4	-12.1	36.3
N_2	78.21	74.3	182		182
H_2O	1.00	10.8	2.33	24.2	26.5
合 计	100	100	233	12.1	245

A 氧气消耗速率

氧气的消耗速率由氢气的消耗速率决定。根据电池反应，阳极每反应 2 个氢分子，阴极消耗 1 个氧分子。即氧气的消耗速率是氢气消耗速率的二分之一。

根据式（12-15），氧气的消耗速率

$$U_O = \frac{1}{2}U_H = 12.1 \text{ mol/h}$$

B 空气供应速率

空气的供应速率氧气消耗速率、利用率和空气中氧气的含量决定。

$$Q_{A,in} = \frac{U_O}{x_0 u_0} = 12.1/(0.2079 \times 0.25) = 233 \text{ mol/h}$$

$$(12-17)$$

式中 $Q_{A,in}$——燃料供应速率，mol/h；

U_O——氧气消耗速率，mol/h；

x_0——空气中氧气的体积分数；

u_0——空气利用率，%。

C 水的生成速率

根据电池反应，水的生成速率等于氢气的消耗速率

$$Q_{W,P} = U_H = 24.2 \text{ mol/h}$$

D 阴极出口气体流速和组成

PAFC 的阴极消耗氧气而生成水蒸气，故而氧气和水的流速发生变化，其他的气体流速没有变化。氧气的出口流速减小，而水蒸气的流速增大。阴极出口气体的流速和气体含量见表 12-3。

尾气中水分增加很多，而且含有大量的热量，都应加以利用，以提高系统的总效率。100kW 级以上 PAFC 可同时供电供热（参见 10.2 节）。

12.2.4 MCFC 的物料平衡

MCFC 在阳极消耗氢气生成水和 CO_2，而在阴极消耗氧气和

CO_2（参见 5.1.1 节）。

MCFC 的工作温度约 650℃，在 MCFC 阳极发生水气置换（WGS）反应（式 12-18），进而影响 MCFC 的物料平衡。

为简化问题，分两步解决 MCFC 的物料平衡。第一步，忽略 WGS 反应，计算阴极和阳极的物料平衡；第二步，用 WGS 平衡对阳极排出物的流量和组成进行修正。

12.2.4.1　忽略 WGS 时的物料平衡

A　阳极物料平衡

阳极燃料组成为 80% H_2-20% CO_2，进料量 0.450kg/h，利用率 75%。

燃料气体的相对分子质量为 10.42g/mol，则燃料供应速率 0.450kg/h 相当于（450/10.42）= 43.2mol/h。按照类似于 12.2.3 节中的方法，计算各组分气体流速的变化。

根据式（12-14）

　　　　CO_2 的供给速率 = 43.2 × 0.20 = 8.64 mol/h

　　　　H_2 的供给速率 = 43.2 × 0.80 = 34.6 mol/h

根据式（12-15）

　　　　H_2 的消耗速率 = 43.2 × 0.80 × 0.75 = 25.9 mol/h

根据电极反应，阳极上 CO_2 和 H_2O 的生成速率都等于 H_2 的消耗速率。

MCFC 阳极出口气体的流速和气体含量见表 12-4。

表 12-4　未考虑 WGS 时 MCFC 中燃料的流速、组成变化

成　分	组成（摩尔分数）/%		流速/mol·h^{-1}		
	进口	出口	进　口	电池反应	出　口
CO_2	20.0	49.9	8.64	25.9	34.5
H_2	80.0	12.6	34.6	−25.9	8.7
H_2O	0	37.5	0	25.9	25.9
合　计	100	100	43.2	25.9	69.1

B 阴极物料平衡

阴极氧化剂由 30% 的 CO_2 和 70% 的空气组成，组分含量及燃料的流速见表 12-5。利用率为 50%。

表 12-5 MCFC 中氧化剂的流速、成分变化

成　分	组成（摩尔分数）/%		流速/mol·h^{-1}		
	进　口	出　口	进　口	电池反应	出　口
CO_2	30.0	19.9	53.7	-25.9	27.8
H_2O	0.70	0.89	1.25		1.25
N_2	54.75	70.0	98.0		98.0
O_2	14.55	9.3	26.0	-13.0	13.0
合　计	100	100	179	-38.9	140

MCFC 在阴极消耗氧气和 CO_2。根据电极反应，氧气的消耗速率是氢气消耗速率的二分之一，CO_2 的消耗速率等于氢气的消耗速率，即

氧气的消耗速率 = 13.0 mol/h

CO_2 的消耗速率 = 25.9 mol/h

根据式（12-17）和表 12-5 中进口气体的组成，得

氧化气体的供应速率 = 13.0/（0.1455 × 0.50）= 179 mol/h

MCFC 阴极出口气体流速和组成见表 12-5。

12.2.4.2 考虑 WGS 的物料平衡

水气置换反应（式 12-18）是个平衡反应，在 650℃ 时，平衡常数为 $K^{\ominus} = 1.967$。

$$CO + H_2O \Longleftrightarrow CO_2 + H_2 \qquad (12\text{-}18)$$

据化学平衡原理

$$K^{\ominus} = \frac{p_{CO_2} p_{H_2}}{p_{CO} p_{H_2O}} \qquad (12\text{-}19)$$

由 Dalton 分压定律可知，某一组分的分压等于该组分的物质的量分数乘以系统总压，即

$$p_i = x_i p_t \qquad (12\text{-}20)$$

式中　p_i——组分 i 的分压，Pa；

　　　x_i——组分 i 的质量分数；

　　　p_t——系统总压，Pa。

将用式（12-20）表示的分压代入式（12-19），得

$$K^{\ominus} = \frac{x_{CO_2} x_{H_2}}{x_{CO} x_{H_2O}} \qquad (12\text{-}21)$$

表 12-4 中出口气体组成是忽略 WGS 反应的结果。表 12-4 显示，阳极出口有大量的 H_2O、CO_2 和 H_2，而 CO 的含量是 0，这实际上是不可能的。阳极尾气在离开出口之前，反应（式 12-18）要逆向进行，即向左进行。假定阳极气体在离开出口前进行 WGS 反应并达到平衡。

$$CO + H_2O \Longrightarrow CO_2 + H_2$$

起始时　　　0　　　　0.375　　　0.499　　　　0.126

变　化　　　x　　　　x　　　　$-x$　　　　　$-x$

平衡时　　　x　　0.375 $+x$　0.499 $-x$　　0.126 $-x$

将平衡时各组分的质量分数代入式（12-21），得

$$K^{\ominus} = \frac{(x_{CO_2} - x)(x_{H_2} - x)}{(x_{CO} - x)(x_{H_2O} - x)} \qquad (12\text{-}22)$$

$$= \frac{(0.499 - x)(0.126 - x)}{x(0.375 + x)} = 1.967$$

解得 $x = 0.0447$。

水气置换反应（WGS）平衡对 MCFC 阳极排出物流量、组成的影响见表 12-6。

表 12-6　考虑 WGS 时 MCFC 中燃料的流速、组成变化

成　分	组成（摩尔分数）/%			流速/mol·h^{-1}	
	A	变化	B	A	B
CO	0	4.47	4.47	0	3.09
CO_2	49.9	-4.47	45.3	34.5	31.3
H_2	12.6	-4.47	8.13	8.7	5.62
H_2O	37.5	4.47	42.0	25.9	29.0
合　计	100	0	100	69.1	69.1

注：A—忽略 WGS 反应。

B—考虑 WGS 平衡。

WGS 反应对排出物的总流速（mol/h 为单位）没有影响，但每个组分的流量和体积分数发生改变。

阳极尾气中含有可燃气体 CO 和 H_2，可以循环返回阳极，其中 H_2 直接作为阳极燃料，CO 通过 WGS 反应生成 H_2；或与空气混合燃烧，产生 CO_2 供应阴极。

12.2.5　SOFC 的物料平衡

SOFC 在 1000℃ 运行，阳极燃料为纯甲烷（CH_4），进料量速率 0.100kg/h，燃料利用率为 85%。假定甲烷在燃料电池中完全重整，重整所需的水分由内部循环提供。

体系中同时存在着几种反应，包括电池反应、燃料重整反应和水气置换反应，还有为重整反应提供水分的蒸汽循环。为简化问题，可把视线放在燃料电池出口处，即集中考虑循环后某一点的情况，这样就可以忽略蒸汽的循环，并且可分步的、而不是同时的处理化学反应。

发生在电池中的反应有

蒸汽重整反应　　$CH_4 + 2H_2O = 4H_2 + CO_2$ 　　　（12-23）

电池反应　　　　$H_{2,\text{anode}} + \dfrac{1}{2}O_{2,\text{cathode}} = H_2O_{\text{anode}}$ 　　（12-24）

水气置换反应　　$CO + H_2O \Longrightarrow CO_2 + H_2$　　　　(12-18)

仍采用12.2.4节中的方法，分两步解决 MCFC 的物料平衡。首先只考虑重整反应和电池反应，然后再用水气置换反应平衡进行修正。

SOFC 的阴极只消耗氧气，没有其他的消耗和产出。其物料平衡略去。

12.2.5.1　忽略 WGS 时的物料平衡

甲烷相对分子质量为 16.043g/mol，则燃料供应速率 0.100kg/h 相当于（100/16.043）= 6.23 mol/h。其中的85%，即 5.30 mol/h 在阳极重整并消耗掉，剩余部分在燃料电池中重整，但没被电极反应消耗。表 12-7 列出了阳极反应过程中燃料组成和流量的变化。

表 12-7　未考虑 WGS 时 SOFC 中燃料的流速、组成变化

成　分	组成（摩尔分数）/%		流速/mol·h^{-1}			
	进　口	出　口	进　口	重整反应	电极反应	出　口
CH$_4$	100	0	6.23	-6.23	0	0
CO	0	0	0	0	0	0
CO$_2$	0	33.3	0	6.23	0	6.23
H$_2$	0	20.0	0	24.92	-21.18	3.74
H$_2$O	0	46.7	0	-12.46	21.18	8.72
合　计	100	100	6.23	12.46	0	18.69

12.2.5.2　考虑 WGS 的物料平衡

WGS 反应在 1000℃ 时，$K^{\ominus} = 0.574$。根据式（12-22）

$$K^{\ominus} = \frac{(0.333 - x)(0.200 - x)}{x(0.467 + x)} = 0.574$$

解得 $x = 0.0873$。

考虑 WGS 平衡后，SOFC 阳极排出物流量、组成见表 12-8。

表 12-8　考虑 WGS 时 SOFC 中燃料的流速、组成变化

成　分	组成（摩尔分数）/%			流速/mol·h^{-1}	
	A	变化	B	A	B
CO	0	8.73	8.73	0	1.63
CO_2	33.3	−8.73	24.6	6.23	4.60
H_2	20.0	−8.73	11.3	3.74	2.11
H_2O	46.7	8.73	55.4	8.72	10.4
合　计	100	0	100	18.69	18.69

注：A—忽略 WGS 反应。

　　B—考虑 WGS 平衡。

　　SOFC 的阳极反应很复杂，特别是在内部重整和燃料中含有 CO 的情况下。而且即使在燃料流速很低的情况下，重整效率也不会是 100%，WGS 也不会达到平衡状态。因而理论计算只能是对实际情况的近似。

　　MCFC 和 SOFC 都在阳极产生高温、加压的水蒸气，必须加以利用，可用来为系统加热、室内供暖、驱动压缩机或共发电。

12.3　发电效率和成本

12.3.1　发电效率

　　燃料电池的发电效率就是能量转换效率

$$\eta = \frac{输出电能}{输入能量} \times 100\% \qquad (12\text{-}25)$$

以功率计算则为

$$\eta = \frac{输出功率}{输入功率} \times 100\% \qquad (12\text{-}26)$$

本节的效率计算依据燃料的高热值（HHV）。

12.3.1.1　纯氢燃料

以纯氢为燃料的 H_2-O_2 燃料电池的发电效率，可以用单电池电压计算。

对于 PEMFC，单电池电压 0.7V，根据式(2-43)，该 PEMFC 的发电效率为

$$\eta_p = V_c/1.48 = 0.7/1.48 = 47.3\%$$

12.3.1.2 混合燃料

使用混合燃料的燃料电池发电效率，计算过程稍稍复杂，依据混合燃料中可燃组分热值和进料量。

12.2.3 节中 1kW PAFC 以合成气为燃料，其中可燃组分的流量和热值（HHV）见表 12-9。表 12-9 还显示，总的能量输入功率为 2.64kW。

表 12-9　PAFC 能量输入

可燃成分	热 值 /kJ·mol^{-1}	进料速率 /mol·h^{-1}	能量输入	
			/kJ·h^{-1}	/kW
CH_4	890.4	1.52	1353	0.376
CO	283.0	0.15	42.5	0.012
H_2	285.8	28.4	8117	2.25
合　计			9512	2.64

根据式（12-26），燃料电池发电效率为

$$\eta_p = 1/2.64 = 37.9\%$$

12.3.2　共发电效率

上述 1kW PAFC 在 1h 内可将 25kg 冷水从 25℃加热到 60℃。系统的热负荷为

$$P_H = 25 \times 4.184 \times (60 - 25)$$

$$= 3660 \text{ kJ/h} = 1.02 \text{ kW}$$

根据式 (2-44)，PAFC 共发电效率为

$$\eta_{CHP} = \frac{1 + 1.02}{2.64} = 76.5\%$$

燃料电池功率越大，共发电效率越高。ONSI 公司已经成功商业化运行的 PC25C 型号 PAFC 电站，功率 200kW，发电效率 40%，共发电效率 80%（参见 13.2.2.2 节）。

12.3.3 发电成本

燃料电池的发电成本，简称 COE（cost of electricity），主要由三部分构成，即资金成本、运行和维护成本及燃料成本。

12.3.3.1 资金成本

资金成本由燃料电池的造价（CC，cost of capital）和使用年限确定。

当前，PEMFC 的制造成本为 600～2500 美元/kW，MCFC 和 SOFC 的制造成本为 1500～3000 美元/kW。一般认为，燃料电池的制造成本降低到 1000 美元/kW，就能与其他电力竞争。美国能源部制定的车用燃料电池发展规划认为，PEMFC 的造价低于 50 美元/kW 时，燃料电池动力汽车才能与传统内燃机动力汽车竞争。

燃料电池电站的寿命应在 50000h 以上，使用年限约 8～10 年。

$$COE \text{ 中的资金成本} = \frac{CC}{Y \times t} \quad [\text{美元}/(\text{kW} \cdot \text{h})]$$

$$(12-27)$$

式中　CC——燃料电池造价，美元/kW；

　　　Y——燃料电池使用年限，a；

　　　t——燃料电池每年运行时间，h/a。

12.3.3.2 运行和维护成本

燃料电池运行和维护费用（COM，cost of operation and maintenance）与系统的规模有关，规模越大，COM越低。

$$\text{COE中的运行和维护成本} = \frac{\text{COM}}{t} \quad [\text{美元}/(\text{kW}\cdot\text{h})]$$

$$(12\text{-}28)$$

式中　COM——燃料电池的运行维护费，美元/（kW·a）。

12.3.3.3　燃料成本

发电成本中的燃料成本，由燃料价格（CF，cost of fuel）和燃料电池的发电效率决定。

燃料价格在此处定义为美元/MJ。以天然气为例。1m³天然气相当于1.33kg标准煤。1kg标准煤的热值为25.4MJ，则1m³天然气的热值为33.8MJ。按天然气价格❶0.22美元/m³计，则相当于0.0065美元/MJ。

$$\text{COE中的燃料成本} = \frac{3.6\text{CF}}{\eta_\text{p}} \quad [\text{美元}/(\text{kW}\cdot\text{h})]$$

$$(12\text{-}29)$$

式中　CF——燃料价格，美元/MJ；

　　　3.6——1kW·h电能相当于3.6MJ，MJ/（kW·h）；

　　　η_P——燃料电池发电效率，h/a。

12.3.3.4　发电成本

由式（12-27）、式（12-28）和式（12-29）得到燃料电池的发电成本，

$$\text{COE} = \frac{\text{CC}}{Y \times t} + \frac{\text{COM}}{t} + \frac{3.6\text{CF}}{\eta_\text{p}} \quad [\text{美元}/(\text{kW}\cdot\text{h})]$$

$$(12\text{-}30)$$

燃料电池造价为1000美元/kW，发电效率为40%，使用年

---

❶　2005年3月8日中午，纽约商品交易所7月份交货的天然气期货价格为每千立方英尺6.24美元，合每立方米0.22美元。

限为 8 年，每年运行 6000h，运行和维护费用为 200 美元/（kW·a），燃料价格为 0.0065 美元/MJ。由式（12-30）得

$$COE = \frac{1000}{8 \times 6000} + \frac{200}{6000} + \frac{3.6 \times 0.0065}{0.40}$$

$$= 0.0208 + 0.0033 + 0.0585$$

$$= 0.083 \text{ 美元}/(kW \cdot h)$$

13　燃料电池应用

燃料电池有几种不同类型，如 PEMFC、PAFC、MCFC、SOFC 等。各种燃料电池的技术特点、应用范围有别，其发展程度也不同。图 13-1 是各种燃料电池的容量、效率及市场预测，燃料电池的主要应用包括公用电源（发电厂）、分散式电站、机动车船电源和移动式（便携式）电源。

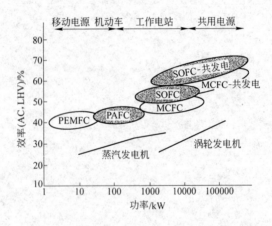

图 13-1　燃料电池的容量、效率及市场预测

13.1　公用电源

13.1.1　概述

20 世纪是世界经济高速发展的时期，在经历了产业革命及工业的高速发展后，也产生了严重的环境问题。随着人们环境意识的增强，21 世纪将是环境的世纪。人类面临的共同问题是如何高效率地使用地球上越来越有限的资源，保护人类赖以生存的环境。图 13-2 表示了人类生活水平的提高应建立在良好的经济、

资源和环境的平衡上。

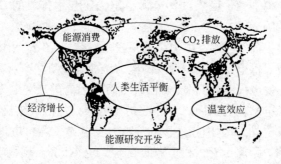

图 13-2　人类生活平衡图

1970～1990 年间，世界范围内电力的年平均增长率为 4%。电不同于其他日用品，与现代生活水平密切相关，对人们生活的影响巨大，有研究显示，人们的预期寿命与人均年占有的电量有明显的对应关系，如图 13-3 所示。成人的文化程度与人均占有的电量也存在类似的关系。电力与国民经济发展也有密切关系。据国际能源署预测，从 1991 年到 2010 年间，全世界将新增发电量 1431GW，平均每年增加 79.5GW，相当于每周增加一个 1528MW 的发电厂。著名的印度达伯尔（Dhabol）发电厂和巴基斯坦哈伯河（Hab）水电站，各自的发电能力也不能达到 1500MW。

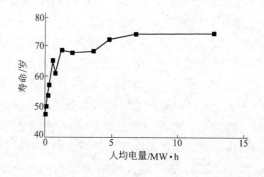

图 13-3　预期寿命与用电量的关系

在认识到电力对经济发展起重要作用的同时，还应注意到，电力工业也是一个巨大的污染源，电力工业中排放的 CO_2 是全部排放量的25%，NO_x 和 SO_x 各占其总排放量的40%。

在过去的几年中，电力工业正发生着结构变化，集中供电正受到分散式供电的挑战。现在的电力工业是垄断性产业，由于规模效益，发电厂/站的规模都很大，而且远离用户，电力通过高压线及变电站输送到用户。分散式发电站，包括汽轮机发电站、内燃机发电站、太阳能发电站、风力发电站、燃料电池发电站等，与用户距离很近，利于降低成本、改进服务。燃料电池近年来才用于分散式供电系统。燃料电池发电站的优点是，高效率、低污染、低噪声、易实现自动化，与其他类型电站兼容性强，是优秀可靠的能源。PAFC 电源系统已经进入商业化阶段。总的来说，目前燃料电池供电成本较高。燃料电池供电系统的成本主要包括，电池堆、燃料加工装置、电力转换及控制装置。这些成本，可以通过改进技术、扩大规模得到降低。

13.1.2　PAFC 发电厂

电力公司对燃料电池的开发可以追溯到20世纪60年代末70年代初。1971年，爱迪生电力研究所、联合技术公司（UTC，United Technology Co.）及几家电力公司开始研究燃料电池发电。1972年 UTC 与九家电力公司合作，执行燃料电池发电机计划，并于1977年建成了1MW PAFC 试验电厂。

1MW 发电厂试验成功后，计划在纽约曼哈顿区（Manhattan）建造一个4.5MW PAFC 实验电厂。原计划定于1978年底前试运行，1979年结束整个试验。但实施中安装和试验进展缓慢。主要症结是有关未经试验的新技术的许可证和消防安全问题，尤其是燃料及氢气的加工、贮存。由此还引发了预料之外的耐压试验，包括换热器。一些换热器在冬季进行水力测验过程中因冻裂而报废。结果，到1983年年底，1976年制造的 PAFC 电池堆超出了有效使用期（电解质干枯），这时发电厂的储能部分的安装还没完成。不过，最终还是拿到了运行许可证，成为第一家被允许在市区内运行的发电厂。

第二套 4.5MW 试验发电机组是东京电力株式会社（TEPCO，Tokyo Electric Power Co.）1980 年向 UTC 订购的。该套设备与曼哈顿发电厂基本一样，只是它的电池堆采用了肋拱形双极板技术，可以贮存较多的电解质，因而克服了寿命短的问题。它的燃烧器、重整反应器的绝热装置、水处理系统和冷却水系统也做了改进。该发电厂位于东京湾五井，并按时取得了运行许可。从 1983 年 4 月开始试运行，一直到 1985 年 12 月结束，结果令人满意。

尽管有五井发电厂成功的范例，重新启用曼哈顿发电厂的设想还是由于成本问题而被放弃了。这些实践，为第二代 11MW PAFC 发电厂打下了基础。

东芝与国际燃料电池公司（IFC，International Fuel Cell Co.）从 1985 年开始合作，完成了 11MW PAFC 发电厂的主体设计以及主要配件和子系统的开发。11MW PAFC 发电厂的设计从 TEPCO 的 4.5MW 发电厂汲取了许多经验和技术。1986 年，TEP-CO、东芝和 IFC 合作筹建五井 11MW 发电厂。东芝是主签约方，负责全厂设备的制造、组装和安装，IFC 提供 18 个集成电池堆，每个电池堆功率 670kW。发电厂的现场建设从 1989 年 1 月开始，1990 年 2 月竣工。如果不把电池堆的安装时间计算在内，运行与控制（PAC）试验只用了 3 个月时间，而五井 4.5MW 发电厂用了 12 个月。1991 年 4 月，达到设计发电量，1991 年 5、6 月间，进行负荷变动试验，7 月中旬开始正式运行发电（参见10.2.2 节）。

1992 年，由日本关西电力株式会社和通产省新能源产业技术开发署（NEDO）各出资 50% 的 5MW PAFC 试验电厂建成。5MW 电池堆由富士电力株式会社制造。燃料重整器的最初设计是丹麦的哈尔德尔托普索公司（Halder Topsoe）。由于电厂建在市区，安装周期应尽可能短。建设计划将从设计到正式运行的时间尽可能缩短，特别是减少了安装和现场试验周期。为了既保证质量又保证工期，一些设备是由具有生产和测试能力的厂家制造。该电厂的基本安装构想与市区现有设施结合。它的位置是原来的变电所，面积和空间有限，电厂的建设必须十分紧凑。在日本的市区内都会遇到选址难的问题。还有其他与环境有关的问题，如废气、废水、噪声、振动、外观等。电厂应与周围环境协调。燃料电池电厂排放的大气污染物极少，噪声和外观问题显得较为突出，因而采用室内结构。设计额定发电能力是 5MW，负荷范围 30% ~ 100%，净效率 42.2%（HHV）。整个电厂的操作及控制系统运行稳定，还配备了一台汽轮机回收尾气能量，并改进了电厂响应负荷变化的能力。

1988 年 9 月，米兰（Milan）电力公司（Aem）、意大利能源环境新技术局（ENEA）和安萨尔多（Ansaldo）研究所合作，启动 1.3MW PAFC 项目。项目的目标是取得有关燃料电池的工程及工厂管理经验，检验经济效益、性能、环境影响，评估其应用前景。电厂建在米兰市区，主要部件进口，其余部件均由意大利国内生产。工艺设计于 1991 年完成，1993 年 4 月电厂完成安装，1994 年 6 月运行与控制试验结束，随后进入试运行阶段，1995 年 7 月 Aem 接收电厂，8 月开始运行。运行中出现了一些问题，主要出在空气供应系统。但基本达到了主要设计指标，包括启动、关机、载荷变化，稳定运行功率超过 1MW。

试验电厂的运行目的有两个方面，一是对运行进行连续监控，以收集尽可能多的信息，取得评价燃料电池技术前景的基础数据；二是继续不断地开发燃料电池电厂工程技术，以优化现有电厂的结构。米兰电厂的运行结果显示，所有系统和部件运转正常，特别是电压-电流特性与设计吻合。燃料处理系统的天然气转化为 H_2 的效率比设计值高，其适应电池负荷快速变化的能力还有待检验。涡轮压缩机，过去被认为是最关键的部位，现在工作可靠，在快速启动、停机时，工作正常。结果还显示，电厂对环境影响小。电厂的噪声没有显著改变厂区附近的背景噪声。若给气体压缩机和涡轮机增设隔音设施，电厂的噪声还可以减弱。

13.1.3　MCFC 发电厂

开发 MCFC 的最初动力是它能利用煤。PAFC 适宜用质量稍高的燃料，如天然气、甲醇等。CO 是 PAFC 催化剂的毒化剂，其浓度应减少到 1% 以下，增加的燃料处理工艺提高了成本，降低了效率。

MCFC 的工作温度约为 650℃，阳极反应速度快，不必使用易中毒的贵金属催化剂，而且 CO 可以在 MCFC 内转化为 H_2 和 CO_2。MCFC 可以使用的燃料范围较宽，特别是可以与煤气化器一体化。

上世纪 90 年代初，美国政府、五家电力公司和两个研究机构开始筹建 2MW MCFC 试验电厂，是最早的 MCFC 发电厂。该电厂位于美国加利福尼亚州圣塔克拉拉市（Santa Clara）市，使用城市管道煤气和空气。1996 年 2 月建成，1996 年 4 月开始供电，1997 年 3 月关闭电厂。期间共运行了 5200h，发电 2500MW·h，其中与电网连接 4100h，供电 1710MW·h（参见 10.2.3 节）。

作为通产省月光计划的一部分，日本 MCFC 的开发始于 1981 年。有关 MCFC 的基础研究于 1986 年完成，1987 年正式启动 1000kW MCFC 试验电厂开发计划，试验电厂建在中部电力公司川越热电站内。首先研制 100kW 电池堆及相关部件。1993 年，完成 100kW 电池堆测试及 1000kW 电厂配套设备的基础研究。在 100kW 电池堆试验的基础上，开发了 250kW 电池堆。1000kW 试验电厂的主要设备有 4 个 250kW 电池堆、一个重整器、2 台阴极气体循环鼓风机、1 台涡轮压缩机、1 台热回收型蒸汽发生器等。两个顺流式电池堆由石川岛-多磨重工业株式会社（IHI, Ishikawajma-Harima Heavy Industries Co., Ltd.）制造，两个交叉式电池堆由日立制造。

建设 1000kW MCFC 试验电厂的主要目的是考察 MCFC 发电系统中电池堆、配套设备和控制系统的协调运行状况，为开发数兆瓦、数十兆瓦电厂积累技术和经验。电厂的基础施工、部件制造和装配于 1997 年完成，运行和控制测试于 1998 年 11 月完成。1999 年 3 月电池堆安装完成，1999 年 5 月，进入运行阶段。使用液化天然气和空气，额定输出功率 1000kW，发电效率 45%，电压损失 1%/1000h，预期寿命 5000h，环境影响优于法定标准。

在日本，研究开发长寿命的 MCFC 电池堆，比其他燃料电池研究开发项目，占有优先位置。1999 年开始开发预期寿命 40000h 的几十千瓦级 MCFC 电池堆。

13.1.4　SOFC 发电厂

SOFC 通常被称为第三代燃料电池，这意味着 SOFC 将随 PAFC 和 MCFC 之后进入能源市场。与 MCFC 一样，SOFC 可以使用多种燃料，如天然气、煤气、生物质燃料等。SOFC 是最简单的燃料电池，但目前仍处于开发的起步阶段。因为它的运行温度通常在 850～1000℃，对材料性能要求高，制造电池堆有一定难度，配套设备的成本也高。

在过去的 10 年里，向用户联合供热发电（CHP，Combined Head and Power）的分散式电厂（DG，Distributed Generator），以每年 160 家的速度增加，每年增加发电能力 70MW。今后的发展速度会更快。高温燃料电池的发展适应了这种趋势。100kW 管式 SOFC 电站已于 1997 年底在荷兰的 Arnhem 开始运行。kW 级板式 SOFC 正在开发中。美国西屋公司于 1993 年开始实施 MW 级 SOFC 电厂计划。

美国西屋公司于 20 世纪 90 年代初开始开发 MW 级管式 SOFC 发电厂，并于 1999 年试运行。其发电部分由增压 SOFC，即 PSOFC，和一个汽轮发电机（GT，Gas Turbine）组成，称为 PSOFC/GT 发电系统。涡轮压缩机提供高压空气。高压天然气在电池堆内首先转化为 H_2 和 CO。电极反应产生的高压尾气驱动汽轮机产生交流电。燃料电池发电占系统总发电量的 60%，汽轮机发电量占 40%。

西屋公司开发的 SOFC 为空气电极支撑（AES，Air Electrode Support）型管式设计，其设计参数见表 13-1。24 个（3×8）管式 SOFC 做成 1 束，4 束做成 1 排，26 排做成 1 个 600kW 电池堆，含有 2496 个 SOFC，两排之间是 1 个重整器，共有 24 个。

表 13-1 管式 SOFC 单电池设计参数

项　目	指　标	项　目	指　标
电池外径/cm	2.23	连接器厚度/μm	100
电池有效长度/cm	150	电解质厚度/μm	40
电池全长/cm	168	阳极厚度/μm	100
电池有效面积/cm²	834	单电池最大功率/W	210（0.1MPa）
阴极内径和外径/cm	内径 1.76，外径 2.20		250（0.6MPa）
连接器长和宽/cm	长 150，宽 1.1		

西屋公司计划向市场提供 500kW ~ 5MW PSOFC/GT 系统。由于 PSOFC 和 GT 技术的完美结合，使整个系统的发电效率达到 62% ~ 72%。在该容量范围内，其他类型发电系统的效率达不到这样高。PSOFC 发电系统取代了涡轮燃烧器的功能，电池尾气温度（850℃）正适合汽轮发电机进口温度，而且，高压运行能显著提高电池效能（单电池输出功率在 0.1MPa 时为 210W，0.6MPa 时，为 250W。）

从 1989 年起，荷兰能源研究基金会（ECN）致力于开发板式 SOFC 及其制造材料，近来开始进行系统研究。1MW 直接内部重整 SOFC 联合供热发电（DIR-SOFC-CHP）是 ECN 高温燃料电池研究开发计划的一部分。系统主要部件有，顺流型板式 SOFC（工作温度 950℃，压力 0.15MPa，电流密度 $0.2A/cm^2$）、压缩机、换流器、换热器、脱硫塔、阳极尾气燃烧器。

图 13-4 是 DIR-SOFC-CHP 系统过程的图解。燃料气体压缩到 0.165MPa（1 ~ 2），预热到 350℃（2 ~ 3）后，进入 ZnO 催化床脱硫塔（3 ~ 4）。净化燃料与一部分阳极气体混合（4 ~ 5），阳极尾气中的蒸汽参加重整反应，并避免碳沉积。阳极气体将进

料气体加热到850℃（5～6），本身温度降到450℃。氧气压缩到 0.155MPa（7～8）并与阴极气体进行换热升温到850℃（8～9）。一部分阴极尾气进入燃烧器与阳极尾气中燃料反应（10），其余部分（15）与燃烧尾气混合（11～12），通过天然气预热器，温度降为450℃，压力为1MPa，用于生产蒸汽（16～18），最终成为温度100℃常压蒸汽，排入大气（14）。

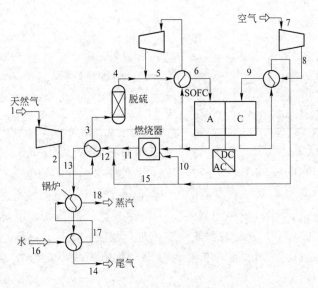

图13-4 DIR-SOFC-CHP 系统流程

电池堆工作温度950℃，燃料利用率80%，燃料电池功率1000kW，热功率700kW，发电效率55%。

13.2 分散式电站

13.2.1 概述

分散式电站（Distributed Generator），或分散式发电，简称DG，也称为工作电站，包括多种形式，如柴油发电、内燃机发电、小型汽轮机发电、燃料电池、太阳能发电、风力发电、地热发电、蓄电池等发电技术。已经有相当数量的 DG，其用途是作为现场工作电源，或备用电源。

爱迪生（Edison）认为，电力的生产和消费是一体的。在电力工业发展初期，电力供应是分散型的，是一个开放型的市场，许多小型电厂向各自特定的用户提供电力。在 20 世纪初，芝加哥市（Chicago）有 50 家发电厂同时供应电力。

现在，电力工业已经发展成为一个高度垄断性的行业，电力市场掌握在少数几家公司手中。这种发展的主要动因是技术性的。大型电厂发电成本低、效率高。大型电厂都远离用户，通过高压线和换流设备传输电力。每家电力公司都需要有自己的高压传输线路，不经同意，其他电力供应商不能使用。因而，电力工业成为垄断性行业是必然的。

随着整个社会环境意识的加强，大型电力公司面临痛苦的抉择，或者关闭污染严重的化石燃料发电厂，或者巨额投资安装污染治理设施。巨额投资必然造成发电成本增加，电力价格上涨。

在这种情况下，小型分散式电力供应公司稳步发展起来。在美国，1993 年分散式电力供应已占到全部电力供应的 7%。美国 M-C 电力公司预测，20 年后，美国大量的电力将由分散式电厂供应。

20 年前，信息工业人士认为，未来通讯将由大型计算机完成。现在信息业的状况是，大型计算机辅以无数个人电脑，形成国际互联网。据预测，未来的电力供应网与信息网相似，集中式电厂，加上众多分散式电站。那时我们又将回到电力工业发展初期的状况，电力生产和消费一体化。

DG 被许多大型能源公司视为一种发展机遇，视为降低电力成本、提高服务质量的途径，并将注意力从规模效益向批量效益转移。在 DG 发展初期，其投资主体将是电力公司或天然气公司。

作为分散式电站，燃料电池有如下几个显著优点：

（1）燃料灵活性。可以使用多种燃料（氢气、甲醇、天然气、沼气、煤气及其他化石燃料）。

（2）低污染。NO_x 小于 $10mg/m^3$，CO 小于 $6\ mg/m^3$，SO_2 低于检测限，噪声低于60dB。

（3）CO_2 排放量小。

（4）标准化容量范围宽（kW ~ MW）。

（5）可靠性高，维护费用低。

与其他 DG 技术相比，不论是满负荷还是部分负荷运行时，燃料电池都有明显的效率优势。

13. 2. 2   PAFC 工作电站

13. 2. 2. 1   早期发展

20 世纪 60 年代，美国天然气公司首先对现场燃料电池系统产生兴趣，并进行了为期 10 年的 TARGET（1967 ~ 1976，Team to Advance Research for Gas Energy Transformation）项目研究。该项目由美国、加拿大和日本合作进行，总计试验运行了 60 个容量为 12.5kW 的 PAFC 现场电站。当时的设备寿命短、成本高，更主要的是来自传统的阻力，包括电力公司的反对，阻碍了天然气燃料电池现场电站的起步和发展。这些原因，再加上 70 年代中期的能源危机及天然气资源将枯竭的预言，使得在当时不可能对现场燃料电池电站作出正确评价。

80 年代，约 30 家世界主要的天然气公司与天然气研究所、美国能源部（DOE）合作进行天然气燃料 PAFC 商业化计划。为了与 TARGET 研究相比较，该项计划的燃料电池容量为 40kW，由联合技术公司 UTC（United Technology Co.）设计。计划的目的是考察天然气燃料 PAFC 工作电站在居民区、商业及建筑业方面的实用性。共有约 40 套 40kW 装置先后在美国、加拿大和日本的二十多处场点试运行。

1985 年，UTC 与东芝联合组建了国际燃料电池公司 IFC（International Full Cell）。这是燃料电池发展进程中的重要事件。

13.2.2.2　200kW PC25 PAFC 电站

200kW PC25 PAFC 电站是 IFC 及其子公司 ONSI 的产品，是商业化程度最高的分散式电站。1992 年开始商业化运行。截止 1998 年 9 月，已有 91 个 200kW PC25 PAFC 电站在北美、欧洲和亚洲运行。连续运行时间超过 6 个月（4380h）的有 48 个，其中超过 1 年（8760h）的有 4 个，最长达到 9506h。累计运行时间最长达 35000h，经过大修，电池堆寿命可达 40000h 以上。

为便于运输和安装，PC25 电站分成 3 个子系统，即发电系统、电力系统、冷却系统。发电系统有燃料处理器、电池堆、热回收、水回收。电力系统有换流器、变压器、控制器、仪表等。PC25 电站的型号有两种，1992 年开发的 PC25A 和 1995 年开发的 PC25C。PC25A 规格为 3m × 3.5m × 7.3m，重 2720kg。PC25C 规格为 3m × 3.05m × 5.5m，重 1720kg，其体积是 PC25A 的 2/3。

PC25C 电站同时供电供热。在满负荷运行时，电站每小时消耗 54m³ 天然气，发电效率 40%，供热 801800kJ/h，详见表 13-2。电站以热水形式供热。热水可用做民用热水，用于游泳池加热、室内升温、吸热式空调等。运行时，进水温度为 27℃，出水温度为 60℃，满负荷时供热 738500 kJ/h（205kW）。

表 13-2　200kW PC25 PAFC 工作电站性能

项　目	指　标	说　明
额定功率	200kW/235 kVA	
峰值功率	240kW/376 kVA	短时
电流输出	50Hz 230V	3 相 3 线
	400V	3 相 4 线
	60Hz 277/480V	3 相 4 线
	120/208V	3 相 4 线
发电效率（LHV）	40%	
供热	801800kJ/h	40～80℃热水
总效率	81%	额定功率时
噪声	<60dBA	10m 距离

每季度不停机更换一次水处理树脂，一年进行一次停机检查及预防性维护。运行约 5 年需更换电池堆及燃料处理器。截止 1999 年 1 月，大阪天然气公司 PC25A 累计运行了 43361h。

电站的排弃物符合美国联邦政府标准，见表 13-3。集成化、低噪声、低污染，使得 PC25 电站可以安装在繁华市区。纽约（New York）时代广场办公大厦安装了两个 PC25C 电站，中央公园安装了一个 PC25C 电站。

表 13-3　PC25 电站污染水平与现行空气质量标准比较

污染物	PC25		现行标准[①]
	$/g \cdot (kW \cdot h)^{-1}$	$/mg \cdot m^{-3}$	$/mg \cdot m^{-3}$
NO_x	0.006 ~ 0.3	7 ~ 14	350
SO_x	无	无	35
CO	0.02 ~ 0.05	7 ~ 22	
有机物	0.03 ~ 0.07	12 ~ 17	
颗粒物	无	无	50

①CEE Directive 609-24/11/88。

PC25 电站一直在改进中，以降低成本、扩大功能。燃料处理系统及电力转换系统的改进也正在进行。例如，改进的燃料重整器，可以使用多种燃料，如沼气、丙烷、丁烷等。而体积和重量只是目前型号的一半。

13.2.2.3　PAFC 电站在日本的发展

日本的燃料电池研究开发始于 1955 年，已有四十多年的经验。1981 年通产省启动大规模能源保护研究开发计划，称为月光计划。计划主要发展 MCFC、PAFC 和 SOFC 这三种燃料电池技术。1993 年通产省又启动了新的燃料电池研究开发计划，称为新阳光计划。

PAFC 的研究开发主要在大型电力公司及天然气公司进行。

A 东芝株式会社

东芝株式会社既开发通用型发电厂也开发工作电站。东芝的第一个50kW PAFC电站建于1982年。加入月光计划后,于1984年和1986年分别建成100kW和260kW电池堆。东芝还承担了月光计划中1MW PAFC发电厂电池堆、重整器和换流器的制造。

为开发1000kW以下工作电站,1990年东芝向IFC投资,成立了IFC的子公司ONSI。ONSI的主要任务是PC25型200kW PAFC的商业化。同时,东芝也有独立的工作电站发展计划,利用IFC/ONSI的技术和经验,开发50kW和200kW PAFC。对于200kW级PAFC电站,东芝TFC200的性能与ONSI PC25C相似,并于1994年进入市场。

B 富士电力株式会社

富士电力株式会社于1973年起研究开发PAFC,与东京天然气公司、大阪天然气公司和东邦天然气公司合作,已开发了50kW、100kW和500kW工作电站。

截止到1998年3月,富士共运行了85个PAFC电站,运行情况见表13-4。1996年安装的2个50kW电站、1997年安装的一个100kW电站,运行可靠性达到90%。

表 13-4　FC 工作电站运行情况[①]

功率/kW	数 量	累计总运行时间 /h	连续运行时间/h	累计运行最长时间/h	运行 20000h以上电站数量	运行 30000h以上电站数量
50	65	1,018,411	7,098	33,655	15	4
100	17	274,051	6,926	35,607	4	3
500	3	43,437	4,214	16,910		
合 计	85	1,335,899			19	7

①截至1998年3月。

富士开发的FP100系列PAFC电站已发展到第五代,进入了开拓市场阶段。FP100E技术指标见表13-5。

表 13-5 富士 FP 100E 电站特性

项　目	设　计	实　际
交流功率/kW	100	101.4
交流发电效率（LHV）/%	40	40.2
热效率（LHV）/%	40	47.5
NO_x/mg·m^{-3}	10	无
噪声（1m）/dB	65	62
尺寸/m×m×m	3.8×2.23×2.5	
质量/t	12	

C　三菱电机株式会社

三菱电机于 1982 年开始开发 PAFC。主要发展了 200kW 级 PAFC 电站。到 1998 年 8 月，共有 11 个 PAFC 电站投入运行，其中 4 个电站累计运行时间超过 2 万 h，4 个电站连续运行时间超过 4000h。平均停机频度为一年两次。三菱 200kW PAFC 电站性能见表 13-6。三菱与关西电力株式会社联合开发的 500kW PAFC 试验电站，1996 年在神谷开始运行，到 1998 年 8 月，累计运行近 1 万 h。

表 13-6 三菱 200kW PAEC 电站性能[①]

项　目	指　标	备　注
功率/kW	200	AC，净输出
发电效率/%	36	HHV
余热	65 ℃/167℃	热水及蒸汽
启动时间/h	4	冷启动
NO_x/mg·m^{-3}	<20	
噪声/dB	55	1m 距离
尺寸/m×m×m	6.0×3.0×3.4	

①位于奈良医科大学。

D　天然气公司

日本的天然气公司正在促进燃气型空调和共同发电系统的发展，以实现扩大需求，减少用电高峰压力和最大效率利用能源的目的。到1995年3月，燃气型空调总容量达到550万t冷冻规模。到1996年3月，燃气共发电容量达到1280MW。与此同时，在提高效率、降低NO_x污染的双重压力驱动下，日本天然气公司对燃料电池的研究开发投入了大量资金，加速了燃料电池的商业化进程。

东京天然气公司和大阪天然气公司自1972年参加美国TARGET计划起，一直进行PAFC研究。1992年4月至1997年6月，在这两家公司试验的PAFC总容量达14.4MW，共计87个电站。截至1997年6月仍在运行的电站有46个，运行时间最长达36236h（PC25A）。详细情况见表13-7。

表13-7　日本两大天然气公司PAFC试验电站数量[①]

FC 制造商	大阪天然气公司				东京天然气公司			合计功率 /kW
	50kW	100kW	200kW	500kW	50kW	100kW	200kW	
富　士	5	4		2	2	1		1850
东　芝			3					600
三　菱			2					400
ONSI[②]			13				14	5400
合计功率/kW	250	400	3600	1000	100	100	2800	8250

①截至1996年7月。
②型号均为PC25A。

日本天然气公司在PAFC的发展中起着重要作用，它们购买了大量的燃料电池，鼓励和刺激了燃料电池的生产，将运行中出现的问题反馈给燃料电池开发部门，并以其先进的维护技术实现燃料电池的长寿命。

13.2.3　MCFC工作电站

13.2.3.1　MCFC工作电站在美国的发展

A　能源研究公司

美国能源研究公司（ERC）在1990年成立了两个子公司，燃料电池制造公司（FCMC）和燃料电池工程公司（FCEC），前者负责 MCFC 的制造，后者负责电站的系统设计与安装。

1991 年，ERC 完成了 20kW MCFC 电站的试验。1992 年，70kW MCFC 电站运行了 2000h，其中 1600h 与太平洋天然气和电力公司电网连接，供应电力 33MW·h。电池堆由 243 个电池组成，单电池面积为 $0.37m^2$，电压及电流密度分别为 0.77V 和 $120mA/cm^2$。

ERC 第二代 200kW MCFC 电站 FA-100-HS 已于 1998 年 3 月至 7 月完成试验，运行结果全部达到设计要求。运行 3000 多小时，其中 2000h 功率超过 200kW。燃料为管道天然气，直流发电效率 47%。从热启动状态到满负荷运行用时 12min，共发电 470MW·h。

B M-C 电力公司

爱姆西电力公司（M-C）是美国的一个重要的 MCFC 开发商，其主要产品是 IMHEX™ 集成电池堆。1994 年，M-C 电力公司完成了 20kW 电站试验，以天然气为燃料，常压运行了 1000 多小时。M-C 电力公司发展中的一个重要里程碑是于 1997 年 6 月完成了 250kW MCFC 的第一阶段试验。

该 250kW 电站建在圣地亚哥（San Diego）的麦拉玛（Miramar）海军航空维修站。电站第一阶段试运行于 1997 年 1 月开始，同年 6 月结束。运行初期，燃料电池、重整器、换热器和蒸汽发生器未出现问题，倒是控制系统、换流器和一些转动设备出现了问题。电站共运行了 3000h，总计向海军电网供电 160MW·h，供应蒸汽 157t。运行达到的最大功率为 210kW。低于设计的原因是电池的阴极电压降较大，功率密度只有设计值 $1.18kW/m^2$ 的 80%。

13.2.3.2 MCFC 工作电站在日本的发展

日本 MCFC 的发展是在通产省的月光计划和新阳光计划指导下进行的，计划中有关 MCFC 的进程见表 13-8。

日立和石川岛-多磨重工业株式会社于 1993 年完成了 100kW MCFC 电站的运行，并分别为 1000kW MCFC 试验电厂建造了两个 250kW 电池堆（参见 13.1.3 节）。

表 13-8　月光计划和新阳光计划中 MCFC 的开发进程

计划名称	月光计划		新阳光计划		
年　份	1981～1986	1987～1992	1993～1998	1999	2000
外部重整电池堆	基础研究	10～100kW	1000kW（250kW×4）	1000kW试验电厂运行试验	综合试验电厂，DG，煤燃料发电厂
配套设备		元件研究	试验电厂配套		
1000kW试验电厂		规划、设计、制造			
高性能电池堆		高性能长寿命技术			
内部重整电池堆		5kW，30kW，200kW			
新材料技术		基础研究	元件技术		
总体系统		设计	模型		
煤气化技术		元件研究	系统研究		

三洋电机 30kW IR-MCFC 电池堆运行试验于 1995 年完成，以液化石油气为燃料，运行了近 12000h，最大功率为 30.5kW，发电效率为 50.0%。

三菱电机于 1993 年完成了 5kW 和 30kW IR-MCFC 电池堆运行试验。1999 年开始进行 200kW IR-MCFC 电站试验，电池堆设计及参数见表 13-9。

表 13-9　200kW IR-MCFC 设计参数

项　　目	设计参数	项　　目	设计参数
直流功率/kW	200	电压降（1000h）	1%
运行压力	常压	单电池性能	$0.8V,150mA/cm^2$
运行温度/℃	650	单电池数（每个电池堆）	200 个
燃料利用率（天然气）/%	80	重整单元数（每个电池堆）	36 个
寿命/h	5000		

13.2.3.3 MCFC 工作电站在欧洲的发展

荷兰能源研究基金会（ECN）的 MCFC 研究开发在欧洲处于领先地位。ECN 从 1986 年开始开发 MCFC。1989～1998 年间，共进行了 44 个 MCFC 电池堆的试验，其中外部重整 32 个，内部重整 12 个。

1996～1998 年，ECN、荷兰燃料电池公司（BCN）、英国的 BG plc、法国的法兰西盖兹公司（Gaz de France）和瑞典赛德克拉夫（Sydkraft AB）公司合作进行了"先进 DIR-MCFC 开发"计划。计划的主要目标是通过对 MCFC 及系统的革新，降低成本。计划包括 3 个方面：

（1）市场分析；

（2）系统开发；

（3）电池堆开发。

确定首先开发医院工作电站，功率 400kW，寿命大于 25000h，成本 800～1200 美元/kW。

意大利安萨尔多（Ansaldo）研究所与西班牙一家公司于 1993 年合作，利用 IFC 的技术，开发了 100kW MCFC 电站。电池堆燃料为天然气、煤气，输出功率为 106kW，工作温度为 650℃，设计运行时间为 8000h。

13.2.4 SOFC 工作电站

SOFC 运行温度高，除发电以外，还放出大量热量，被认为适宜于 100kW～50MW 电站或电厂。常压运行的小型 SOFC 效率能达到 50%。高压 SOFC 与汽轮机结合，效率能达到 70%。SOFC 电站的开发处于起步阶段，大多数试验电站的功率在 25kW 以下。

13.2.4.1 小于 25kW 的 SOFC

1987 年～1998 年美国西屋公司试验了 11 个 3～27kW SOFC。SOFC 电池为管式设计，有 3 种构型，分别是空气电极支撑（AES，Air Electrode Supported）型、厚壁多孔支撑管（TK-PST，

Thick Wall Porous Support Tube）和薄壁多孔支撑管（TN-PST, Thin Wall Porous Support Tube）。燃料有管道天然气、煤气。

美国马塞诸塞州泰克（Ztek）公司于 1998 年 11 月开始运行 25kW 板式 SOFC 电站，发电效率 45.8%。燃料为天然气，采用平板式内部预重整技术。内部预重整器使用空气和蒸汽将 50% 甲烷转化，其余在电池内转化。

三菱重工于 1984 年开始开发 SOFC 技术。1991 年进行 1kW SOFC 电池堆试验，运行时间 1000h。1993 年，研制新型 1kW SOFC 电池堆成功，运行了 3000h。1996 年，10kW 常压 SOFC 连续运行 5000h。1998 年 3 月与电力开发株式会社（EPDC）合作，运行 10kW 级增压 SOFC。SOFC 额定输出功率 15kW，最大输出功率为 21kW，运行温度 900℃，压力 0.59MPa，发电效率 35%，燃料利用率 75%（无循环系统）。到 1998 年 8 月中旬，运行约 4000h，功率输出稳定，千小时性能降低 1%～2%。

13.2.4.2　100kW SOFC 电站

美国西屋公司开发的 100kW SOFC 试验电站是已投入运行的功率最大的 SOFC 电站。1998 年 2 月，电站在荷兰 Arnhem 运行。到 1998 年 6 月停机检修，共运行 3700h，发电 443MW·h。实现了所有的设计指标。发电效率为 43%（交流净效率/LHV），燃料利用率为 80%，NO_x 小于 0.4 mg/m^3，SO_x 和 CO 低于检测限（小于 1 mg/m^3），1m 噪声 60dB，CO_2 排放 620kg/（MW·h）。

13.2.5　PEMFC 工作电站

PEMFC 运行温度低、启动快、发电效率高（大于 40%）、电流密度大、对负荷响应快，极适于作交通工具电源。但也可以用于工作电站。

加拿大保拉德电力网（BPS, Ballard Power System）的 PEM-FC 研究开发处于世界领先水平。1994 年已运行了 10kW 和 30kW 电站。1996 年 BPS 组建了保拉德发电网（BGS, Ballard Generation System）。BGS 的职能是开发、制造、销售 PEMFC 电站。

1997 年 8 月，BGS 接受了 250kW PEMFC 电站订单。模型机规格为 2.4m×2.4m×7.3m，所有部件一体化。为降低成本，使用了一些塑料部件。以天然气为燃料。设计输出功率为 190kW，发电效率为 31%（LHV），是世界上最大的 PEMFC 电站及电池堆。初期试验，最大功率输出功率为 213kW，发电效率 34%（LHV）。模型机计划继续运行 18 个月，作为开发制造第二代电站的基础。除了天然气燃料 250kW 电站外，BGS 还计划开发以丙烷、沼气为燃料的 PEMFC 电站。

住宅用小型电站的一个主要开发商是纽约州普拉格电力公司（Plug-Power-LLC）。1998 年 6 月，已运行了一个氢燃料 7kW 系统。该公司计划用 2 年时间完成有重整器的电站试验，然后开始生产"7000 系统"。据预测，成本在 500 美元/kW 的电站，有巨大的潜在市场，美国有 2 千万户，欧洲有 8 千万户。

13.3　移动式电源

13.3.1　概述

燃料电池作为高效洁净的电源，有着广阔的应用前景。但事实是，在 1838 年发现燃料电池原理，1842 年发明第一个燃料电池的 150 多年后的今天，燃料电池仍主要用于空间和国防。

究其原因有二：其一，燃料电池仍处于开发阶段，价格昂贵，制造燃料电池需要高度专业性的电化学原件及耐腐蚀器件，这些原器件远未达到低成本批量化的生产，使燃料电池发电成本还不能与化石燃料发电相竞争；其二，大多数燃料电池需要纯净的氢气，而氢气在今天既不易得也不便宜。

实现燃料电池商业化的一种战略构想是寻找市场突破口。市场是多样化的，有些市场对商品的性能要求高，对价格的承受力也较高。便携式电源就属于这种市场。便携式燃料电池电源，可望与价格也较高的其他便携式电源竞争。与蓄电池相比，燃料电池电流密度大，效率高。与柴油发电机相比，燃料电池无污染无噪声。便携式燃料电池一般是指功率在 1～1000W 之间的小型燃料电池。可用于照明、通讯、微型电器等。便携式燃料电池除具备燃料电池高效洁净的特点外，还应具备以下特点：

（1）操作简便（运行、燃料供应和储存等）；

（2）长寿命（开关机重复性高时）；

（3）启动快；

（4）体积小、质量轻；

（5）可靠性、安全性高；

（6）价格可与蓄电池竞争。

13.3.2　手提式电源

13.3.2.1　EC-PowerPak-200 型手提式电源

美国马塞诸塞州（Massachusetts）电化学公司（Electrochem Inc.）生产的 EC-PowerPak-200 型手提式电源，使用 PEMFC 技术，额定功率输出为 200W，可提供 12V 直流或 120V 交流电。整个系统由燃料电池、自动除水装置、冷却风扇、换流器和开关等组成。安装在铝质手提箱内，尺寸为 410mm × 230mm × 230mm，体积22L，质量9kg。外设120V 交流三脚插座和12V 直流插座。

EC-PowerPak-200 型手提式电源的心脏是 200W PEMFC 电池堆，由 18 个单电池、电流收集器和终端隔板组成。电池堆内湿度可满足要求，不需加湿器。H_2 和 O_2 利用率达 98%；尾气直接排出，不需要循环泵；电池堆进气口与手提箱进气口连在一起，出气口连接除水系统，水汽由风扇排出；风扇安装在手提箱的窗口，其作用是通风、排水汽和电池堆冷却。风扇、除水系统的能源由电池堆提供，不需要附加电源。燃料电池输出端接有断电器，当电池堆输出超过限制值时，可自动断电，使燃料电池免于过热及受损。手提箱外壳有按钮，可以重新启动。该手提式电源需要外接 H_2 和 O_2 气源。室外使用时，需要另外携带几千克重的气体钢瓶。

EC-PowerPak-200 型手提式电源的工作压力为 0.34MPa，平均单电池电压为 0.7V，峰值功率为 250W，工作温度由风扇调节，控制在电池堆安全工作范围内。

EC-PowerPak-200 型手提式电源的售价较高，为 7500 美元。价格的大幅度降低将依赖于新型隔板的设计、批量生产、长寿命和低维护。

13.3.2.2 三洋 250W PAFC 手提式电源

日本三洋电机株式会社对 PAFC 研究开发的重点是小功率电源。其开发的 250W PAFC 手提式电源，输出 12V 直流电。用按钮启动，启动时间仅为数分钟。体积为 31L，质量为 20kg，内含氢气供应器 4.5kg，可供使用 1h。

主要部件有 PAFC 电池堆，储氢合金氢气供应器、直流稳压器和控制器。储氢合金是三洋开发的，室温下氢气的析出压力大于常压，析氢所需热量由电池堆尾气供应。直流稳压器保证输出电压恒定在 12V，防止过载。转换效率为 90%。该电源配有八位中央处理器（CPU），可进行程序控制。

13.3.2.3 BALLARD™ 轻便电源

加拿大保拉德已开发生产两种注册商标为 BALLARD™ 的轻便式 PEMFC 电源，即 100W 和 1kW BALLARD™ 轻便电源，其性能规格见表 13-10。

表 13-10 BALLARD™ 轻便电源技术参数

项　　目	技　术　参　数	
额定功率/W	100	1000
电流/A	0~8	0~45
电压/V	12~16	24~35
效率（LHV）/%	50	50
负载响应/ms	<10	<10
启动时间/s	<15	<15
尺寸/mm×mm×mm	216×160×117	343×432×222
体积/L	4.0	33
质量/kg	2.7	18.1
氢气源	储氢合金	氢气钢瓶

燃料电池的燃料利用率既依赖于电池电压，也依赖于电路负载，燃料利用率则影响燃料电池的效率。理想情况是，所有的H_2都发生电化学反应，产生电流。但实际上，燃料中含有一定量的杂质，从阴极空气/O_2也扩散过来杂质。这些杂质不参加电极反应，却聚集在阳极上，减弱H_2的反应，进而影响燃料电池的性能。

保拉德提高燃料利用率的方法是向单个电池串联供应氢气。这样一来，杂质都聚集在最后一个电池上了，把最后一个电池的电压作为判定杂质含量的依据，也作为自动开阀清洗最后一个电池的控制信号。利用这项技术，常压下燃料电池堆的氢利用率能达到99.8%。

常压燃料电池系统一般利用空气做氧化剂，纯氢做燃料。空气由小电扇或气泵供给。这种系统的优点是结构简单。与加压系统相比，元件少，转动部位少，适用于便携式电源。

13.3.2.4 PowerPEM™ 轻便电源

美国新泽西州（New Jersey）氢电力公司（H Power Corp.）专门从事 PEMFC 电源的开发、生产和销售，已生产 PowerPEM™ 系列轻便电源，表 13-11 是其产品简介。

表 13-11 PowerPEM™ 系列轻便电源简介

型 号	功率/W	电压/V	质量/kg	尺 寸 /mm × mm × mm	氢气供应
D35	35	12	3.5	107 × 202 × 239	储氢合金（70L）
SSG50	50	12	6.1	211 × 178 × 267	储氢合金（140L）
PS250	250	28	10.2	211 × 178 × 267	氢气钢瓶

PowerPEM™-35D 轻便电源由电池堆、储氢瓶、氢气压力调节器、空气泵、风扇、启动电池和控制器组成，使用空气和纯氢气，氢气由储氢合金钢瓶提供，在额定功率 35W 时，可使用 3~4h。可用于教学演示实验、科研，也可用做野外电源。

PowerPEM™-SSG50 轻便电源提供 12~14V 直流电。由主机

和储氢器两部分组成，主机尺寸为 267mm×175mm×140mm，重约 3.4kg。储氢器装有储氢合金，氢气容量为 140L，可供使用 4h。储氢器尺寸为 254mm×175mm×71mm，重约 3.2kg。电源工作环境为常压，温度 0~40℃。可用于教学、科研、野外、电池充电、航海导航及通讯。

PowerPEM™-PS250 轻便电源提供 28V 直流电，如外接换流器则可提供交流电。氢气由外部设备供给，氢气源可以是压缩氢气，也可以是储氢合金。正在开发与之配套的液体燃料重整器。可用于小型机动车、铁路信号系统、计算机及通讯系统、移动住房及野外。

13.3.3 微型电器电源

微型电器用燃料电池电源，应具备的特征是体积小、质量轻、洁净、安全、价格与普通电池相当。要达到上述目标，有一些技术上的难题要克服。

传统的燃料电池都是双极的，需要微孔性、导电的隔板，每个单电池还需要 4 个空气密封垫。以一个输出电压为 3.6V 的移动电话电池为例，单电池的电压为 0.6V，要用 6 个燃料电池，就得有 24 个气体密封垫，费工又费料，造成高成本。而且在潮湿的环境里，电子和机械部件的腐蚀和老化问题也比较突出。

另一个主要难题是燃料问题。氢气供应可采用储氢合金。但充氢需要高压氢气源。现在还没有商业化的高压氢气源。微型燃料电池电源的优势，有可能被氢气供应装置的质量和体积抵消。

13.3.3.1 捆绑式燃料电池

捆绑式燃料电池的设计思路见图 13-5。它是平面型三合一膜电极（EMA，Electrode Membrane Assembly），几个单电池串联排在膜上。这样的设计适合小功率燃料电池系统。对于较大功率燃料电池系统来说，这种设计的电流密度高，平面式电流收集器的欧姆损失大。与传统电池堆相比，捆绑式电池堆的优点是造型灵活，相邻电池共享密封区，减少了密封面积，电池外框可使用普通塑料，造价低，几个电池共享槽式气体通道，简化了制造工艺。

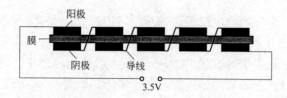

图 13-5　捆绑式 PEMFC 设计

1998 年汉诺威（Hanover）交易会上展出了一个捆绑式燃料电池系统，用做笔记本电脑的电源。它由 25 个单电池组成，共串联了 5 个捆绑结构。由 3 个微型风扇输送空气，氢气由储氢合金提供，氢气容量可供笔记本电脑工作 10h。

13.3.3.2　标准化 PEMFC 系统

不使用转动元件，如泵、压缩机、风扇或鼓风机，也能获得高效可靠的 PEMFC 轻便电源。美国加利福尼亚州 DCH 技术公司（DCH Technology Corp.）使用洛斯阿拉莫斯国家实验室（LANL）的专利技术，开发了 12W 和 1.5W 标准化 PEMFC 系统，12W 系统技术参数见表 13-12。

表 13-12　12W 电池堆技术参数

项　目	功　率	电　压	电　流	质　量	长　度	直　径
规　格	12W	12V	1.0A	640g	150mm	63.5mm

电池堆为圆柱形，1.5W 和 12W 电池堆尺寸分别为 $\phi 31.75mm \times 63.5mm$、$\phi 63.5mm \times 150mm$。氢气通过中央多孔接头向四周流到阳极，空气从外向内扩散到阴极。水在阴极产生，向外扩散到电池堆表面、并挥发。这种设计，由于水分从电池堆的逸出速率有限，可以防止质子交换膜干化，在工作温度较高、电流密度较大时，也是如此，使电池堆稳定。电池堆四周全部暴

露在空气中，利于冷却及空气进入。所有元件都对称排列，因而制造简单，易于批量生产。辐射状通路使氧气和水汽的扩散路径最短。整个电池堆装在一个多孔圆筒中，易于空气和水分的进出。

连接氢气源和电流稳压器后，可以驱动荧光灯、CD 唱机和电视机等。

两个或多个标准化 PEMFC 电池堆以适当的串、并联方式连接，可以获得所需要的电压或电流性能，如图 13-6 所示。

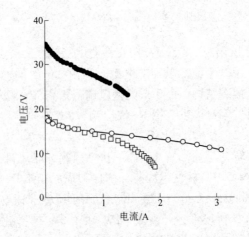

图 13-6　12W PEMFC 电池堆电压-电流特性

●—2 个电池堆串联；○—2 个电池堆并联；□—单个电池堆

13.3.4　通讯电源

通讯部门常常需要轻便的发电机做备用电源，以应付由于供电设备故障等原因出现的断电事故。但普通发电机噪声大，有污染气体，不能在室内使用，更不能在通讯设备附近使用。为此，日本电话电报株式会社（NTT）开发了三种型号的轻便燃料电池电源。第一种供应直流电，第二种供应交流电，第三种直流交流兼有，并有一个备用蓄电池。系统由电池堆、两个储氢瓶和一个换流器组成，整个系统安装在一个柜子里，可以拆分为两部分，便于移动。

直流输出型可提供55V通讯电源和12V普通电源。交流输出型提供100V交流电。交直流混合型可供应100V交流电或12V直流电。适于做各种类型通讯设备的备用电源。三种类型通讯用轻便电源的技术参数见表13-13。

表 13-13　通讯用轻便电源技术参数

类　型	直流型	交流型	混合型
额定功率/W	250	200	AC200/DC250
输出电压/V	55/12	100	AC100/DC12
尺寸/cm×cm×cm	55×50×80	55×50×80	78×38×79
质量/kg	90	90	110
使用时间	6h	6h	燃料电池6h + 蓄电池45min
氢气钢瓶	(6.7L，8kg)×2	(6.7L，8kg)×2	(6.7L，8kg)×2

直流输出型系统构造如图13-7所示。系统含有一个小型燃

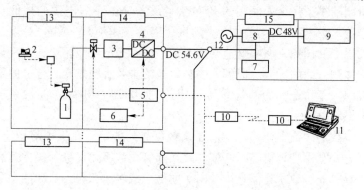

图 13-7　通讯用移动式燃料电池系统构造

1—氢气钢瓶；2—氢气敏感器；3—电池堆；4—直流换流器；5—控制器；
6—辅助设备；7—蓄电池；8—整流器；9—通信设备；10—调制
解调器；11—远程控制台；12—交流电源；13—燃料供应
单元；14—燃料电池单元；15—电力供应单元

料电池堆，两个氢气瓶和一个换流器。每个氢气瓶容积 6.7L。两个这样的氢气瓶能使燃料电池电源在额定功率下工作 6h 以上。系统配有遥控装置。作为安全措施，还装有氢气检测器，与自动控制阀连接，如有氢气泄漏，阀门自动关闭，切断氢气供应。

燃料电池电站是连续发电，轻便燃料电池则不同，每次使用的时间不长，但要使用许多次。而且可能是在不用了很长时间后，需要立即发电以应付断电事故。使用环境的温度变化也较大。启动、关机对电池性能有一定影响。NTT 燃料电池系统经过 4 年，共计 600 次使用后，电池电压降小于 10%。环境温度对燃料电池的启动也有影响。NTT 对通讯用燃料电池轻便电源进行了 −5 ~ 45℃ 环境温度下的启动试验，温度越高，启动时间越短。

13.3.5　军用便携式电源

美国陆军已实施了一项便携式燃料电池计划。计划的目标是研制陆军士兵个人使用的 PEMFC 电源。士兵个人电源的最低功率约 10 ~ 20W，满足一个执勤日所需容量是 400W·h。对于一天以上的任务，燃料电池与现有干电池和充电电池相比，有重量和体积方面的优势。便携式燃料电池的主要难题是缺乏合适的氢气源。正在开发的储气系统可望达到 1000W·h/kg，储气系统与燃料电池一体化。

战场的数字化技术，需要高效可靠的能源。在未来战场上，战士要利用计算机随时获取、交换和利用数字化信息。指挥官和士兵都能从数字化信息中及时了解整个战场的态势，从而能在敌人反应之前采取行动。未来步兵除了携带武器和弹药，还要携带高性能的作战计算机、头盔显示器、一个或几个防干扰无线电装置、全球定位系统终端、手持式彩色透明地图、摄像及传送仪器、监听和侦察系统、激光测距仪及目标指示器。这些电子仪器所需的电量，要超出目前使用的各类电池。

美国陆军使用的 BA-5590 干电池，重 1kg，供电量 170 W·h，用于实战与演习。日常训练使用充电电池。表 13-14 是几种电池与燃料电池的能量密度。最好的锂电池理论能量密度是 1470W·h/kg，但正常情况下利用率仅为 20%，为 300W·h/kg。最好的充电电池也比干电池容量低。表 13-14 中的燃料电池理论能量密度高。氢的理论质量能量密度最高，但实际应用的可能性几乎没有，因为储存器问题难以解决。对于便携式燃料电池，活泼金属氢化物，如 LiH，可能是最好的选择。与纯氢相比，氢化物的能量密度很小，但与其他电池相比，还是高许多。甲醇能量密度高，又没有储存问题，但其应用依赖于 DMFC 技术的进步。

表 13-14　燃料电池和电池的能量密度

电　池	电　极	能量密度/W·h·kg⁻¹	
		理　论	实　际
干电池	Li/SO$_2$	1170	160
	Li/SOCl$_2$	1470	300
蓄电池	Ni/Cd	209	40
	Li/Li$_x$CoO$_2$	475	150
燃料电池	H$_2$/Air	32704	
	LiH/Air	2620	
	CH$_3$OH/Air	6094	

图 13-8 概括了燃料电池在军队中的应用。军用电源的功率取决于所用设备，电源容量取决于使用率及任务期限。这些数值都是不能准确确定的，因为士兵的任务在执行中可能发生很大变化。目前情况下，50W、150W 和 300W 电源可满足大多数任务的需要。

考虑到士兵携带的仪器关系到士兵的生命，燃料电池电源必须能切实满足许多仪器的要求。"军事环境"是士兵状况和危险性的复杂结合。士兵身体情况各异，必须在身着防护服时能操纵这些电源。环境则包括广阔地域内的温度、湿度和纬度，还包括粉尘、风沙、雨、雾及化学试剂，危险则来自敌人对电源的破

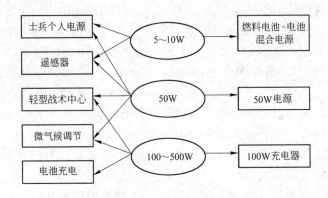

图 13-8　轻便燃料电池在军队中的应用

坏。在满足了所有这些要求的基础上，燃料电池还必须是安全、可靠、易维护、价格适中的。

13.4　车用电源

13.4.1　概述

从 1950 年到 1994 年，人类的人口增加了一倍，而汽车拥有量增加了 7 倍。在北美、西欧和日本，汽车的年增长率将稳定在 1%，但行驶里程的年增长率要大得多，美国将达到 4%。在有些国家，汽车拥有量的增长将是爆炸性的。据估计，到 2010 年，中国汽车拥有量将是 1990 年的 90 倍，同期印度也将达到 35 倍。在这 20 年间，世界汽车总量将从 4 亿辆增加到 8 亿辆。

人类面临的一个紧迫问题是如何清除快速增长的庞大的汽车家族对大气的影响。汽车尾气是一个巨大的流动污染源，占总气体污染物的一半以上，并有增加趋势。因而，控制汽车尾气对改善环境质量有着重大的意义。汽车的管制性排放物，如 CO，NO_x 和挥发性有机物（VOC），是影响空气质量的主要杀手，可导致臭氧层破坏、光化学烟雾等。非管制性排放物主要是 CO_2，是温室效应的最主要根源，美国汽车行业的污染物排放占总排放量的比例见表 13-15。

表 13-15　美国汽车行业污染物排放占总排放量的比例

污染物	CO	NO_x	Pb	VOC	CO_2	PM
比例/%	66	43	37	31	33	20

注：VOC—挥发性有机物；PM—颗粒物。

对于汽车而言，热机的效率只有 12%～15%。燃料电池的效率可达到 30%～40%。燃料电池是一个电化学反应系统，主要产生电能，并把氢气和氧气转化成水。内燃机则主要产生热能，只有一少部分变成有用的机械功，而且燃烧尾气成分复杂，包括未反应的有机物、CO 和 NO_x。

单就 CO_2 而论，燃料电池的高效表明，同样使用化石燃料，取得单位有用功所排放的 CO_2，燃料电池系统比热机系统要低。用化石燃料如煤、石油、天然气发电，电解水产生氢气做燃料电池的燃料，这样途径也能够减少 CO_2 的总排放量。如使用水电、核电、风电和太阳能发电，则不存在 CO_2 污染问题。使用再生生物质发电，能够不增加 CO_2 的排放总量。

总而言之，燃料电池动力交通工具，对环境的意义是明显的，因为燃料电池几乎没有 NO_x、SO_x 和粉尘排放，CO 和 VOC 的排放量也很低。

在 1998 年初的法兰克福汽车博览会上，戴姆勒-奔驰（Daimler-Benz）和丰田（Toyota）都展出了全燃料电池（PEMFC）动力汽车。

13. 4. 2　早期发展

用于电动机动车的燃料电池系统研究可追溯到第二次世界大战后的 AFC 技术。20 世纪 60 年代和 70 年代，作为空间技术的副产品，循环 KOH 电解质的 AFC 系统备受青睐。美国宇航局（NASA）利用 AFC 技术完成了阿波罗（Apollo）登月计划。

地球上最早的一个燃料电池动力车是 1959 年由美国威斯康新（Wisconsin）州爱利斯·查尔摩斯（Allis Chalmers）制造业公司制造的拖拉机。它的燃料电池重 917kg，输出电压 750V，功率 15kW，使用氢气和氧气，是典型的高电压双极电池堆。采用了微孔性金属电极、铂催化剂，以石棉基质固定液态 KOH 电解质。

在欧洲，AFC 开发人员选用双重微孔结构电极，以取得更好的压力平衡。西门子（Siemens AG）使用双重微孔 Ni 电极制造了一个试验摩托艇，随后又制造了一个 20kW H_2/O_2 AFC 系统。

美国联合碳化物公司（UCC, Union Carbide Corp.）研制了第一个全碳电极（3mm 厚），并为福特公司制造了一个 90kW 的 H_2/O_2 AFC。

13.4.2.1　通用汽车公司 Electrovan 客车

1967 年，通用汽车公司（GM, General Motors）引进 UCC 的技术，制造 6 座位 Electrovan 燃料电池动力客车，并同时试验液化气体储存的可能性。出于安全性考虑，只在公司界内使用。总结报告称其性能与通用公司汽油燃料型汽车相似。

Electrovan 的电动马达是特殊设计的，全电子控制的 175HP 三相感应马达（13700r/min）。燃料电池由 UCC 制造，标准输出 2~3kW，最大输出 5kW，电极厚 0.2mm，是所谓的"薄碳/固定区"型。在憎水微孔性 Ni 片上先后喷涂防水性工作层和扩散层。该车重 3400kg，最大时速 105km/h，行驶里程 200km。该车的缺点是：

（1）燃料电池和驱动系统太重；

（2）活化后的燃料电池寿命仅为 1000h；

（3）每千瓦输出的铂催化剂成本太高，电极铂载量 1mg/cm^2；

（4）有时熄火后的启动时间长达几个小时，原因是内部电池反相，在加载前必须纠正过来。反相的原因是串联电池堆中的电池接收到气体的时间有先有后，产生寄生电流，而使电池两极反相；

（5）直流电压400V，一旦发生短路，极其危险；

（6）使用液化氢气和液化氧气，也有安全问题。

13.4.2.2　科尔迪什燃料电池-蓄电池混合型轿车

1970年，卡尔·科尔迪什（Karl Kordesh）博士个人组装了世界上第一辆在公路上行驶的燃料电池动力轿车，车型为Austin A40型4座位轿车。AFC的电极与Electrovan客车相同，采用90V/6kW、H_2/空气AFC系统与96V/8kW·h铅酸蓄电池并联，蓄电池提供加速和爬坡动力。

燃料电池系统含有3个串联的30V/2kW电池堆。每个电池堆包括5个6V电池组。6个氢气瓶固定在车顶，每个重13kg，氢气压力13~15MPa，含氢气20~25m^3，相当于45kW·h。去除系统损失，可供给马达33kW·h。在6kW输出时可行驶5h。燃料电池系统重250kg，能量密度为140W·h/kg，理论效率为58%。

AFC/蓄电池混合系统总重400kg，约是全车重的1/3。轿车载重量320kg，或4位乘客，没有行李箱位置。扭动钥匙可以立即发动汽车，车速75~80km/h，能耗0.2kW/km，车载压缩氢气瓶容量可供行驶300km。该车试验行驶了3年。

13.4.3　燃料电池技术的变迁

20世纪70年代AFC动力机动车发展史上的另外两个主要事件发生在欧洲。1972年法国汽油研究所计划为Renault 4-L型轿车装备11kW H_2/空气AFC，峰值功率16kW，重165kg。重40kg的钢瓶贮氢2kg。设计车重为814kg，时速70km，行驶里程225km。但该项研究未能完成。

1972年比利时电化学能源公司（Elenco）开始开发AFC-蓄电池混合型公共汽车，并作为欧洲尤里卡（Eureka）计划的一部分。

80 年代 PAFC 技术达到了较高水平，与空间技术无关的 AFC 开发锐减。PAFC 可以使用含 CO_2 的氢气。因而，大多数 AFC 在电动车辆领域的研究开发停止了，而只限于宇航器。制造 AFC 系统的公司或退出了这一领域，如瑞典的 ASEA、美国的 UCC，或继续制造宇航器，如美国的联合技术公司（UTC）。还有一些生产特殊用途电池，如德国的西门子生产潜艇电池等。法国的 DXY 公司在美国西方化学（OCC）公司的赞助下继续进行 AFC 系统研究。OCC 位于纽约州南尼加拉瀑布（South Niagara Falls），是一家氯碱公司，H_2 是其副产品。研究进行到 kW 级即告终止。

早在 70 年代中期，能源研究公司（ERC）就设想以 PAFC 作为电动车推进电池，并以甲醇和丙烷重整制氢。1977 年洛斯阿拉莫斯国家实验室（LANL）制造了 PAFC 动力试验车。

90 年代初期，PAFC 装备了几辆电动车，主要是公共汽车。由于 PEMFC 技术的兴起，人们对 PAFC 用于电动车的研究开发脚步放慢了。杜邦和道尔化学公司的质子交换膜（PEM）替代了有几十年历史的通用电力公司的固体聚合物电解质（SPE）膜。在 80℃ 运行的 PEMFC 的效率超过 200℃ 运行的 PAFC。加拿大保拉德进行的以 PEMFC 为动力的城市巴士试验，取得了技术上的成功，但缺点也显露出来了，其中之一就是成本太高，当时的成本是 20000 美元/kW，用于普通商业汽车生产的现实性几乎没有。因此，西门子决定只为潜艇制造 PEMFC。

从性能、效率、重量、成本等多方面综合考虑，PEMFC 最适合电动机动车技术。催化剂的成本已经大幅度降低，质子交换膜开发商相信，PEM 的价格可以降低到目前价格的十分之一。价格低廉的代用膜也在开发中。

目前，制造燃料电池动力机动车的努力在世界范围内进行，主要集中在 PEMFC 技术上。大多数项目由政府资助。

13.4.4 AFC 动力车

13.4.4.1 电化学能源公司 AFC 系统

比利时电化学能源公司（Elenco）H_2/空气 AFC 动力汽车开发始于 VW 型运货车，该车装配了 32 个标准电池堆，正常输出 14kW，使用直流马达。该车作为"安在轮子上的实验室"，经过了数次改进，使用压缩空气，行驶里程 200km。

1995 年底，电化学能源公司退出 AFC 研究开发领域。20 世纪 90 年代末，另一家比利时公司，零污染汽车公司（ZEVCO）开始 AFC 研究开发。1998 年零污染汽车公司的 5kW AFC 系统用于城市出租车。

13.4.4.2 尤里卡巴士计划

尤里卡（Eureka）巴士计划的起步研究始于 1989 年。1991 年 5 月签署尤里卡计划合作伙伴协议，同年 10 月开始组装汽车，1994 年 6 月 30 日试车。表 13-16 是尤里卡计划试验巴士设计参数。

表 13-16　尤里卡计划试验巴士设计参数

燃　　　料		液态氢
AFC/kW		80
Ni/Cd 蓄电池（775V）/A·h		80
混合系统/kW		180
混合系统	功率/kW	180
	交流牵引电流/V	800
整车性能（80 座位）	空车重/kg	20600
	行驶里程/km	300
	耗氢/kg·km^{-1}	0.15

AFC 系统由比利时电化学能源公司制造，Ni/Cd 蓄电池由法国沙夫特（Saft）工业电池集团提供，液态氢系统由荷兰空气产业公司（Air Product）提供，直流变压器由意大利安萨尔多

（Ansaldo）研究所制造。项目预算为 425 万欧洲货币单位。

13.4.5　PAFC 动力机动车

13.4.5.1　燃料电池交通工具发展计划

美国能源部（DOE）燃料电池交通工具发展计划的设想是通过政府和企业之间全面的、共同投资形式的合作，加速燃料电池技术的研究开发，在 2000 年后不久实现燃料电池汽车工业的商业化。其目标是尽快制造出在价格、性能上能与内燃机（ICE）汽车竞争并将取而代之的燃料电池动力车（FCV）。计划设想中，PAFC 用于巴士、卡车和火车机车，PEMFC 用于轿车。计划的分期目标是：

（1）1995 年完成市区巴士试验；

（2）1998 年生产多种型号的燃料电池样车；

（3）2000 年生产 50～200 辆试用 FCV；

（4）2005 年生产出第一代商业化 FCV；

（5）2011 年批量生产销售 FCV。

13.4.5.2　PAFC 城市巴士计划

PAFC 城市巴士计划由美国能源部（DOE）、交通部联邦交通管理局（DOT/FTA）和南海岸空气质量管理局（SCAQMD）负责。计划目标是开发和试验甲醇燃料 PAFC 动力城市巴士。选择 PAFC 是因为当时（1990 年）PAFC 技术已发展到较高水平。选择巴士作为燃料电池动力机动车研究开端的原因有很多，主要有：

（1）第一代 PAFC 系统需要大型车辆提供试验场所；

（2）行车路线固定，可在控制条件下进行试验及评价；

（3）巴士的较长服务期可补偿高的投资；

（4）向大众展示新技术；

（5）城市交通的污染控制。

整个计划从 1987 年开始。1995 年建成三辆 9144mm（30 英尺）巴士并试运行，燃料电池功率为 50kW，车重 11.3t，25 座位，最大时速 100km/h, 0~64km/h 加速时间为 36s（设计值 46s），最大行驶里程为 240km。第一辆巴士行驶了 3700km，现存于芝加哥州（Chicago）阿根纳国家实验室，第二辆巴士在加利福尼亚州（California）的能源技术中心，第三辆在乔治城大学。

1997 年 5 月，12192mm（40 英尺）巴士正式展出。PAFC 功率 100kW。电力系统重量与 9144mm 巴士相近。预期寿命 25000h（5 年运营期）。

13.4.6　PEMFC 动力机动车

与 PAFC 相比，PEMFC 作为电动车动力有如下优点：

（1）电流密度大，质量轻，体积小；

（2）常温起动快，工作温度低（80~100℃）；

（3）寿命长，因而成本低；

（4）使用固体电解质因而使电池堆设计，特别是密封部分简单。

但 PEMFC 也有不易克服的缺点：

（1）对燃料中微量的 CO 敏感，需彻底清除（小于 $10mg/m^3$）；

（2）PEM 价格昂贵；

（3）系统需加压，导致阴极效率降低；

（4）燃料气体湿度要高，以防止膜干燥、导致电阻增大。

燃料电池汽车的发展十分迅速。一些著名的汽车公司纷纷推出了自己的概念车。2001 年 11 月，丰田汽车推出其型号为 FCHV-5 的燃料电池汽车，采用重整器制氢，并加入 Ni-MH 电池作为混合动力。在此之前推出的 FCHV-4 具有 4 个 25MPa 的高压氢罐，发动机的输出为 80kW，最高时速 153km/h，已完成了 110000km 的运行。其燃料电池的产业化最早是在 2010 年。

2002 年 5 月，通用公司展示了号称世界上第一台"以汽油制氢的燃料电池汽车"。该车型号为 ChevroletS-10，以车载低硫汽油制氢装置供氢，效率（包括重整器与电池堆）可达 40%，比通常的内燃机高 50%。其时速为 112km，每升汽油可行驶225km（140英里），续驶里程845km。由于采用车载重整器，二氧化碳排放量减少50%，若在加油站设重整器，则二氧化碳排放量将进一步减少。公司计划在2008～2010年将ChevroletS-10投放市场。

13.4.6.1 保拉德研究开发计划

A 巴士商业化计划

保拉德（Ballard）巴士商业化计划始于1990年，分3个阶段。

第一阶段设计论证于1993年完成。保拉德开发和试验了一辆9754mm轻型巴士，是单一PEMFC动力车，被称为世界上第一辆零污染汽车（ZEV，Zero Emission Vehicle）。表13-17为ZEV巴士技术指标汇总。电源为以串-并联组合连接的24个5kW电池堆（8个串联后，再并联），功率120kW（160V，75A）。发电效率为46%。

表13-17 零污染巴士指标

项 目		指 标
燃料电池	功率/kW	120
	直流输出/V	160～280
	工作温度/℃	70～80
	压力/kPa	207
蓄电池	铅酸蓄电池/A·h	20
燃料供应 纤维增强铝瓶	压力/MPa	20.7
	储氢/m³	150
空气压缩机	功率/kW	24
	压力/kPa	207
	供气能力/L·min⁻¹	7360
整车性能（21座位）	空车重/kg	10000
	车长/mm	9754
	车速/km·h⁻¹	30
	最大车速/km·h⁻¹	75
	行驶里程/km	60
	0～50km/h加速时间/s	20

第二阶段商用样车开发于 1995 年完成。改进了燃料电池技术，装配了一辆 12192mm 大型巴士。燃料电池引擎安装在原柴油引擎的位置，并达到柴油机引擎的性能，而没有污染。

引擎由 20 个保拉德第二代 13kW PEM 电池堆组成，串联成两排，功率为 260kW（650V，400A）。冷却系统设计工作温度低于冰点。氢气存放在先进的石墨-聚合物复合瓶中，贮氢量是铝瓶的 3 倍，安装在车顶，可供行驶 400km。0～50km/h 加速时间 19s，最大时速 95km/h。于 1995 年 7 月开始运行。

第三阶段车队综合试验于 1998 年完成。三辆巴士组成的综合试验车队在没有乘客的情况下行驶了 1500km，进行必要的改进及培训司乘人员。1998 年 3 月 16 日，在芝加哥，第一位付费乘客登上了燃料电池动力巴士。

B 轿车商业化

保拉德从 1993 年开始与戴姆勒-奔驰合作开发 PEMFC 动力汽车。1994 年装配了 50kW 小型货车-NECAR Ⅰ（H$_2$ 燃料）；1996 年装配了 H$_2$ 燃料小型巴士-NECAR Ⅱ；1997 年装配了 250kW H$_2$ 燃料大型巴士，50kW 甲醇燃料轿车 NECAR Ⅲ；1998 年装配了 70kW 甲醇燃料轿车 NECAR Ⅳ，最大时速达 145km/h，一次"加油"行驶 450km。

1998 年 4 月，戴姆勒-奔驰、福特和保拉德联合组成燃料电池联合体，其目标是实现 PEMFC 在交通工具领域应用的商业化，包括轿车、卡车和巴士。联合体向汽车制造商提供燃料电池引擎、电动马达和控制装置，并希望通过提高产量降低成本。

13.4.6.2 美国能源部 PEMFC 电动车计划

1993 年 9 月，美国能源部（DOE）等 7 个政府部门与美国 3 个最大的汽车制造公司，克莱斯勒（Chrysler）、福特（Ford）和通用（General Motors），建立了新一代机动车伙伴关系（PNGV，Partnership for a New Generation of Vehicles)。合作伙伴关系是要在 7 个政府部门及有关国家实验室同美国汽车制造商之间架起一座桥梁,通过开发效率高、环境友好的新一代机动车技术,达到下列 3 个目标。

目标 1:切实提高美国汽车工业的竞争力。

目标 2:利用传统车型完成商业上可行的机动车革新。

目标 3:新一代机动车的燃料效率是相应的 1994 年民用轿车的 3 倍。

1994 年民用轿车平均燃料消耗为 11.3km/L。10 年内,燃料利用率提高 2 倍,达到 33.9km/L,而轿车的可比价格不变。

三个目标是互有联系的。目标 2 是近期的,目标 3 是长期的,目标 1 则贯穿始终的。

技术上的关键是,大幅度减小燃料电池系统的重量和体积,降低成本。燃料电池动力系统满足机动车的要求,即在价格上与内燃机汽车能竞争,在性能、安全性、可靠性、行驶里程等方面有优势。能使用多种燃料,如氢气、汽油、甲醇、乙醇、天然气等,尾气排放比目前美国联邦环保局(EPA)Tier2 汽车排放标准洁净 100 倍。

13.4.7 PEMFC 用于军舰及潜艇

13.4.7.1 军舰和潜艇对 PEMFC 的需求

潜艇要在不被觉察的情况下完成任务,只有用特殊的推进系统才能完成。潜艇推进系统的主要要求是:

(1)水下耐久性;

(2)隐蔽性(对声纳和红外探测隐形)。

除此之外,水下行驶速度也很重要,潜艇推进系统的功率容量由最大水下速度定义。水下耐久性由所需携带的反应物来定义。目前潜艇装备的是传统的柴油-电力推进系统。水下行驶、推进等所需能量储存在铅酸蓄电池中。潜艇的连续潜游距离,只受铅酸蓄电池容量的限制。蓄电池放电后,潜艇使用柴油机用通气管潜游，同时给蓄电池充电，在这段时间内，潜艇被发现的危险性很大。无空气推进 AIP（Air-Independent Propulsion）系统在潜艇上的应用，使潜艇的潜游距离大大增加了。新型柴油机也在开发中。燃料电池，特别是 PEMFC，因其技术特点，尤其适用于潜艇：

（1）隐蔽性：无声、低红外辐射；

（2）高效率：增加潜游距离，降低燃料消耗；

（3）环境：污染降低 95% ~ 99%，无 NO_x、CO 和碳氢化合物排放。

由于同样原因，PEMFC 也适用于水面舰艇。近来，出现了"全电力军舰"（AES）设想。燃料电池将在未来全电力军舰中发挥重要作用。PEMFC 的军事意义是标准化、低噪声、低热辐射、无振动，另外，操作简单及低维护，可以减少舰上人员。

13.4.7.2 潜艇

西门子于 1965 年开始研究 AFC。1988 年为德国海军 U1 潜艇装配了 100kW AFC。1989 年开始研究开发作为潜艇 AIP 的 PEMFC 系统，燃料为纯氢和纯氧。西门子为此目的开发的 34kW 标准 PEM 电池堆于 1996 年完成综合性试验，其技术指标见表 13-18。现在已正式生产。

34kW H_2/O_2 PEMFC 是德国新一代 U212 潜艇 AIP 系统的核心，具有超静功能。U212 装备 300kW 燃料电池。全燃料电池动力时最大航速达 8 节（148km/h）。提高速度时，还需连接高能铅酸蓄电池。氢气源为金属氢化物，氧为液态。

13.4.7.3 海面舰艇

荷兰海军的研究表明，M 型护卫舰的能源供应系统，如采用燃料电池-柴油机混合设计，和平时期（37 ~ 56km/h）节约燃料 25% ~ 30%。除了进行可行性论证，荷兰海军在 1996 年完成了 1kW PEMFC 试验，1996 年完成 5kW 标准电池堆设计，1997年开始 10kW 级设计及试验。PEMFC 技术参数见表 13-19。试验内容包括如下方面：

    （1）瞬变性能，包括气体流量对功率及电流的自动适应性；

    （2）阴、阳极反应室压力差的影响（1MPa）；

    （3）常见的军舰冲击及振动试验；

    （4）电池堆倾斜角度对性能的影响（最大45°）；

    （5）柴油重整氢气中杂质（CO、H_2S）的影响；

    （6）空气进气中海水气溶胶的影响（氯化物）；

    （7）安全性能（贮氢及贮氧）。

表 13-18　U212 潜艇 AIP 系统电池堆参数

项　　目	技术参数	项　　目	技术参数
功率/kW	30～40，峰值55	运行压力/MPa	0.20（H_2）；0.23（O_2）
直流电压/V	50～55	尺寸/mm×mm×mm	1431×471×471
效率/%	59（额定负载），69（20%负载）	质量/kg	650
运行温度/℃	80		

表 13-19　军舰用电池堆参数

型　　号	标准型	改进型	先进型
功率/kW	5	10	30
电压/V	62	30	60
电流/A	81	333	500
工作压力/MPa	0.3	0.4	0.15
工作温度/℃	70	70	70
效率（LHV）/%	50	57	57
质量功率密度/kW·kg^{-1}	0.04	0.10	0.25
体积功率密度/kW·L^{-1}	0.05	0.13	0.32

附录 1　缩略语

AC	Alternating Current	交流电
AES	Air Electrode Support	空气电极支撑
AFC	Alkaline Fuel Cell	碱性燃料电池
AIP	Air Independent Propulsion	无空气推进
APU	Portable and Auxiliary Unit	便携式和自备电源
ATR	Auto Thermal Reformer	自供热重整器
BOP	Balance of Plant	周边系统
CAR	Combined Autothermal Reformer	联合自供热重整器
CHP	Combined Heat and Power	联合供热发电
CVD	Chemical Vapor Deposition	化学气相沉积
DC	Direct Current	直流电
DG	Distributed Generator	分散式发电
DIR	Direct Inner Reforming	直接内部重整
DMFC	Direct Methanol Fuel Cell	直接甲醇燃料电池
EVD	Electrochemical Vapor Deposition	电化学气相沉积
FCV	Fuel Cell Vehicle	燃料电池机动车
GT	Gas Turbine	汽轮机
HDS	Hydrodesulphurization	氢化脱硫
HHV	High Heat Value	高热值
HRSG	Heat Recover Steam Generator	热回收蒸汽发生器
IIR	Indirect Inner Reforming	间接内部重整
IR	Inner Reforming	内部重整
JVD	Jet Vapor Deposition	射流气相沉积
LHV	Low Heat Value	低热值
LSGM	LaSrGaMg	镧锶镓镁氧化物
MCFC	Molten Carbonate Fuel Cell	熔融碳酸盐燃料电池
MEA	Membrane Electrode Assembly	膜电极
NMHC	Non-Methane hydro Carbon	非甲烷碳氢化合物

PAFC	Phosphorous Acid Fuel Cell	磷酸燃料电池
PEFC	Polymer Electrolyte Fuel Cell	聚合物电解质燃料电池
PEMFC	Polymer Electrolyte Membrane Fuel Cell	聚合物电解质膜燃料电池
PEMFC	Proton Exchange Membrane Fuel Cell	质子交换膜燃料电池
PM	Particle Materials	颗粒物
PMSS	Pyrolysis of Metallic Soap Slurry	金属皂浆热解
POX	Partial Oxidation	不完全氧化
PSA	Pressure Swing Adsorption	压力变动吸附
PSOFC	Pressured Solid Oxide Fuel Cell	增压固体氧化物燃料电池
PTFE	Poly Tetra Fluoro Ethylene	聚四氟乙烯
SOFC	Solid Oxide Fuel Cell	固体氧化物燃料电池
SPFC	Solid Polymer Fuel Cell	固体聚合物燃料电池
SPEFC	Solid Polymer Electrolyte Fuel Cell	固体聚合物电解质燃料电池
VOC	Volatile Organic Compounds	挥发性有机物
WGS	Water Gas Shift	水气置换
YSZ	Yttria Stabilized Zirconia	氧化钇稳定的氧化锆

附录 2 燃料电池研究机构网址

Aircraft Fuel Cell Repair	www. eaglefuelcells. com
Aero Tire & Tank L. L. C.	www. aerotire. com
American Methanol Institute (AMI)	www. methanol. org
Analytic Power Corporation	www. analyticpower. com
Argonne National Labs	www. anl. gov
Arkenol, Inc.	www. arkenol. com
Ballard Power Systems	www. ballard. com
BCS Technology, Inc.	www. txcyber. com/ ~ bcstech
Ceramic Fuel Cells Limited	www. cfcl. com. au
Co Power. com	www. copower. com
DCH Technology	www. dcht. com
DAIS (Dais- Analytic) Corp.	www. dais. net
Department of Defense	www. dodfuelcell. com
Department of Energy	www. fetc. doe. gov
Doo Won Industrial Company Ltd.	www. anode. co. kr
ElectroChem, Inc.	www. fuelcell. com
Electro-Chem-Technic	www. i-way. co. uk/ ~ ectechnic/home. html
Ergenics, Inc.	www. hydrides. com
Energy Partners, Inc.	www. gate. net/ ~ h2_ep
Energy Related Devices Inc. (ERD)	www. energyrelatedevices. com
Epyx	www. epyx. com
E-Tek, Inc.	www. etek-inc. com
Float & Fuel Cell Corp.	ffcfuelcells. com
Fuel Cell 2000	www. fuelcells. org
Fuel Cell Commercialization Group	www. ttcorp. com/fccg

Fuel Cell Energy, Inc.	www. ercc. com
Fuel Cell Seminar	www. fuelcellseminar. com
Fuel Cell Technologies Corp .	www. fuelcell. kosone. com
Gas Research Institute	www. gri. org
H Power Corp .	www. hpower. com
H-TEC GmbH	www. h-tec. com/index_ e. html
Hartwig Aircraft Fuel Cell Repair	www. hartwig-fuelcell. com
Hitachi Ltd.	www. hitachi. co. jp
Hydrogen & Fuel Cell Investor	www. h2fc. com
InnovaTek Incorporated	www. tekkie. com
International Fuel Cells	www. internationalfuelcells. com/ index_ fl. htm
Ishikawajina-Harima Heavy Industries Co.	www. ihi. co. jp/index-e. html
Korea Institute of Energy Research	www. kier. re. kr
Los Alamos National Labs	www. lanl. gov
M-C Power Corp.	www. mcpower. com
National Fuel Cell Research Center	www. nfcrc. uci. edu/aboutnfcrc_ index. htm
NEDO	www. nedo. go. jp/nedo-info
NexTech Materials, Ltd.	www. nextechmaterials. com
Northwest Power Systems	www. northwestpower. com
ONSI/IFC	www. hamilton-standard. com/ifc-onsi
Partnership for a New Generation of Vehicles	www. ta. doc. gov/pngv
Plug Power, Inc.	www. plugpower. com
Powerball Industries	www. powerball. net
QCL Group, Inc.	www. qclgroup. com
Scientific American	www. sciam. com/explorations/ 122396explorations. html

Seven Mountains Scientific, Inc.	www. 7ms. com
Siemens Westinghouse S&T Center	www. stc. westinghouse. com
The Online Fuel Cell Information Center	www. fuelcells. org
T/J Technologies, Inc.	tjtechnologies. com
Tokyo Gas Corp.	www. tokyo-gas. co. jp
Toshiba Corp.	www. toshiba. co. jp/product/fc
US car	www. uscar. org

参 考 文 献

1　Blomen L, Mugerwa M（ed.）, Fuel Cell Systems, New York: Plenum Press, 1993

2　Larminie J, Dicks A. Fuel Cell Sysrems Explained, Chichester: John Willy & Sonsm Ltd. , 2000

3　Kordesch K, Simader G. Fuel Cells and Their Applications. New York: VCH Publishers, 1996

4　Kordesch K, Oliverira J, Fuel Cells, in: Ulmann's Encyclopedia of Industrial Technology, vol. A-12, VCH, Weinheim, Germany, 1989

5　1992 Fuel Cell Seminar Abstracts, Yucson, Arizona, USA, 1992

6　1994 Fuel Cell Seminar Abstracts, San Diego, California, USA, 1994

7　1996 Fuel Cell Seminar Abstracts, Orlando, Florida, USA, 1996

8　1998 Fuel Cell Seminar Abstracts, Palm Springs, California, USA, 1998

9　2000 Fuel Cell Seminar Abstracts, Portland, Oregon, USA, 2000

10　2002 Fuel Cell Seminar Abstracts, Palm Springs, California, USA, 2002

11　2003 Fuel Cell Seminar Abstracts, Miami Beach, Florida, USA, 2003

13　Commercializing Fuel Cell Vehicles, Hyatt Regency O'Hare, Chicago, USA, 1996

14　Fuel Cell Reformer Conference Abstracts, Los Angeles, USA, 1998

15　International Fuel Cell Conference Abstracts, MakuHari, Japan, 1992

16　Procedings of the 9th World Energy Conference, Paris, France, 1992

17　The International Fuel Cell Conference Proceedings（IFCC）, Maku Hari, Japan, 1992,

18　The Knowledge Foundation's 3rd Annual International Symposium, Small Fuel Cells. Washington, DC USA, 2001

19　Appley A. J. Power Sources, 1998, 71: 153

20　Ashcroft A, Cheetman A, Foord J, et al. Nature, 1990, 344: 319

21　Bacon F T. BEAMA J, 1954, 6: 61

22　Baur E, Tobler J. Z. Elektrochemie, 1933, 36: 169

23　Bosio B, Costamagna P, Parodi F, et al. J. Power Sources, 1998, 74: 175

24　Buchi F N, Srinivasan S. J. Electrochem. Soc. , 1997, 144（8）: 2767

25　Drenckhahn W. J. Eur. Ceramic Soc. , 1999, 19: 861

26　De Geeter E, Mangan M, Spaepen S, et al. J. Power Sources, 1999, 80: 207

27　Dunster M, Korchnak . Eur. Patent No. 303 348, 1989

28　Goetsh D, Say G. US Patent No. 4 877 550, 1991

29　Green M, Cheetman A. P Vernon, UK Patent No. 2 239 406 , 1991

30　Grove W R. Philos. Mag. , 1839, 14（3）: 127

31 Jenkins. US Patent No. 4 897 253，1990

32 Kordesch K，Gsellmann J，Cifrain M，et al. J. Power Sources，1999，80：190

33 Ledjeff-Hey K，Heinzel A. J. Power Sources，1996，61：125

34 Ostwald W. Z. Elektrochemie，1894，1：122

35   Pinto A. US Patent No. 4 750 986，1988

36 Sjunnesson L. J. Power Sources，1998，71：41

37 Wei Z，Guo H，Tang Z. J. Power Sources，1996，58：239

38 蒋淇忠，周锦鑫，马紫峰，等. 电源技术，2000，24（4）：218

39 刘建国，衣宝廉，魏昭彬. 电源技术，2001，25（5）：363

40 陆文全，毛宗强，阎军. 电源技术，1999，23，Suppl：70

41 马紫峰，寥小珍，冷拥军，等. 化工进展，1999，（6）：44

42 庞志成，王越. 化工进展，2000，（3）：33

43 彭程，程璇，陈羚. 电池，2004，34（2）：123

44 彭程，程璇，张嬰，等. 稀有金属材料工程，2004，33（6）：531

45 史萌，邱新平，朱文涛. 化学通报，2001，（8）：488

46 司永超，韩佐青，陈延禧. 电源技术，1998，22（5）：204

47 汪国雄，孙公权，辛勤，等. 物理，2004，33（3）：165

48 文刚要，张颖，杨正龙，等. 电化学，1998，4（1）：73

49 吴承伟，张伟. 电源技术，2004，28（2）：109

50 衣宝廉，电源技术，1998，22（5）：216

51 周卫江，周振华，李文震，等. 化学通报，2003，（4）：228

冶金工业出版社部分图书推荐

燃料电池及其应用

隋智通　等编著　责任编辑　王之光

2004 年 3 月 1 版 1 次印刷　大 32 开　平装　285 页
249 千字　定价 28.00 元

本书主要介绍了各种燃料电池的基本原理、研究进展和应用状况，侧重介绍了各种燃料电池的关键技术和最新技术。

质子交换膜燃料电池的研究开发与应用

黄　倬　等编著

2000 年 5 月 1 版 1 次印刷　大 32 开　平装　145 千字
定价 15.00 元

全书共分 5 章，主要内容包括燃料电池的工作原理及其分类；质子交换膜燃料电池的发展简史、工作方式和特性；质子交换膜燃料电池的质子交换膜、催化剂、电极、水管理及热管理、燃料来源等关键技术问题的研究方向及成果；质子交换膜燃料电池辅助系统的设计与优化问题；以及近年来质子交换膜燃料电池作为固定式和移动式电源的实际应用情况。

电动汽车：21 世纪的清洁汽车（英文版）

肖　芳　等著

2002 年 11 月 1 版 1 次印刷　大 32 开　平装　170 千字
定价 24.8 元

电动汽车被认为是 21 世纪理想的清洁、安全、舒适、便利的交通工具。出于能源与环保的目的，中国与世界其他国家把发展电动汽车作为 21 世纪的一个战略。本书系统地介绍了电动汽车的知识。分别为：导论、电池电动汽车、混合电动汽车和燃料电池电动汽车，电池、燃料电池和超级电容，电动机，充电系统及其基础设施建设、标准政策、鼓励措施和示范项目。书后附有相关词汇的英文解释。